EVA SCHULZ-FLÜGEL

GREGORIUS ELIBERRITANUS
EPITHALAMIUM
SIVE
EXPLANATIO IN
CANTICIS CANTICORUM

VETUS LATINA

DIE RESTE DER ALTLATEINISCHEN BIBEL

NACH PETRUS SABATIER
NEU GESAMMELT UND IN VERBINDUNG
IT DER HEIDELBERGER AKADEMIE DER WISSENSCHAFTE
HERAUSGEGEBEN VON DER ERZABTEI BEURON

AUS DER GESCHICHTE DER LATEINISCHEN BIBEL

BEGRÜNDET VON BONIFATIUS FISCHER
HERAUSGEGEBEN VON HERMANN JOSEF FREDE

26

ISSN 0571-9070

VERLAG HERDER FREIBURG

EVA SCHULZ-FLÜGEL

GREGORIUS ELIBERRITANUS

EPITHALAMIUM SIVE EXPLANATIO IN CANTICIS CANTICORUM

1994
VERLAG HERDER FREIBURG

Printed in Germany
Herstellung: Beuroner Kunstverlag, Beuron
ISBN 3-451-21940-9

VORWORT

Wenn innerhalb von 150 Jahren hiermit die vierte Edition von Gregors Epithalamium vorgelegt wird, muß es dafür triftige Gründe geben. Daß die drei voraufgehenden Ausgaben unbefriedigend sind, wird, wie ich hoffe, in der Einleitung einleuchtend begründet. Jene Gründe allein würden es rechtfertigen, sich mit diesem frühen lateinischen Bibelkommentar erneut zu beschäftigen.

Ein zusätzlicher und besonders wichtiger Anlaß für eine Neuedition ergab sich jedoch im Kontext mit der Vetus Latina-Edition: Gregor von Elvira ist neben Ambrosius der wichtigste Zeuge für altlateinische Versionen des Canticum Canticorum und ist überdies mit seinen zahlreichen Schriftzitaten auch für andere biblische Bücher von Bedeutung.

So ist mit dieser Edition eine der unbedingt notwendigen Grundlagen für die Vetus Latina-Ausgabe des Canticum Canticorum entstanden. Dafür, daß diese Arbeit im Rahmen unseres Institutes möglich war und in die Reihe 'Vetus Latina. Aus der Geschichte der lateinischen Bibel' aufgenommen wird, danke ich Hermann Josef Frede als dem wissenschaftlichen Leiter des Vetus Latina-Unternehmens.

Nennen möchte ich hier auch alle anderen, ohne deren Hilfe dieses Buch nicht zustandegekommen wäre. Bereitwillig stellten mir die Leiter der Bibliotheken in Barcelona, Lleida, Madrid und Porto Mikrofilme der Handschriften zur Verfügung und trugen wertvolle Informationen über diese bei. P. Meinrad Wölfle OSB sorgte mit seinen photographischen Arbeiten dafür, daß die teilweise schwer lesbaren Handschriften besser auszuwerten waren.

Ein jederzeit offenes Ohr für die speziellen Probleme des Textes fand ich bei Hermann Josef Frede und Walter Thiele, Beuron, denen ich viele fruchtbare Anregungen und Ratschläge verdanke.

Der Briefwechsel über sprachliche und grammatikalische Fragen mit Rolf Heine, Göttingen, würde einen Ergänzungsband zur vorgelegten Edition füllen können. Sein uneigennütziges Interesse und seine freundschaftliche Kritik haben großen Anteil an der Entstehung dieses Bandes.

Die Mitarbeiter des Beuroner Kunstverlages sorgten dafür, daß der Text seine äußere Gestalt gewann.

Allen hier Erwähnten sei Dank für Anregung, Unterstützung und Mitarbeit gesagt!

Beuron, am 11. April 1994 Eva Schulz-Flügel

INHALTSVERZEICHNIS

Vorwort 5
Inhaltsverzeichnis 7

Einleitung

Vorbemerkungen zu erneuten Edition von Gregors Epithalamium 11
Biographisches 20
Form und Inhalt des Werkes 27
Die zweite Rezension 41
Vorbilder, Quellen und Nachwirken 51
Gregors Bibeltext 71
Die Überlieferung
- Übersicht 99
- Die Handschriften und das Exzerpt des Beatus 105
  - Die Handschrift A 105
  - Die Handschrift B 106
  - Die Handschrift N 109
  - Die Handschrift P 111
  - Die Handschrift R 113
  - Die Handschrift U 115
  - Das Exzerpt des Beatus von Liébana 116

Die Beziehungen der Zeugen zueinander
- Die Bücher eins und zwei (ω^1) 117
  - Die Handschrift B 117
  - Die Primärvorlage der Handschrift P 119
  - Die Handschrift A 120
  - Die Korrekturen in der Handschrift R 121
- Die Bücher eins und zwei (ω^2) 123
  - Die Handschrift R und die davon abhängigen Handschriften U und N 123
  - Das Exzerpt des Beatus von Liébana (BEA) 128
  - Die Sekundärvorlage der Handschrift P 131

Die Bücher drei, vier und fünf 134
Anzeichen für einen gemeinsamen Vorfahren 140
Die Herstellung des Textes und seine Darbietung 142
Besondere Probleme des Textes 145
Zeichen und Abkürzungen 159

Text

Conspectus Siglorum 162
Gregorii Eliberritani Epithalamium sive Explanatio in Canticis Canticorum 163

Anhang

Appendix 1 256
Der Galater-Kommentar des Origenes als mögliche Quelle für RUF Gn 7 und GR–I tr 3
Appendix 2 268
Ein anonymer Canticum-Kommentar und seine Vorlage GR–I Ct
Bibliographie 274
Bibeltexte
Textausgaben (Gregor von Elvira und Hippolyt)
Monographien und Aufsätze
Handschriftenkataloge und Verwandtes
Sprachliches
Index Locorum Sacrae Scripturae 281
Index Verborum 287

EINLEITUNG

VORBEMERKUNGEN ZUR ERNEUTEN EDITION VON GREGORS EPITHALAMIUM

Dem 'Epithalamium' des Gregor von Elvira war bisher kein freundliches Geschick beschieden. Ebenso wie ganz offensichtlich der Text unvollendet der Hand seines Autors entglitt, sind auch die neuzeitlichen Editionen Stückwerk geblieben.

Es mag zwar sein, daß die unvollständige Bearbeitung des Canticum Canticorum (von 1,1 – 3,4) in der Absicht Gregors lag[1] und er mit dem Vers 3,4 den Weg der Kirche mit dem Eingehen in das himmlische Jerusalem als vollendet sah, die Durchgestaltung des Kommentars scheint uns jedoch nur *in statu nascendi* erhalten zu sein.

Die fünf Bücher weisen untereinander große Unterschiede auf: so ist das letzte Buch unverhältnismäßig kurz und formal verschieden von den übrigen. Während in den Büchern eins bis vier das Lemma des Canticum stereotyp mit *'et addidit'* (in der zweiten Rezension durch *'et adiecit'* ersetzt) eingeführt wird, verzichtet das fünfte Buch ganz auf solche Einleitungen. Die Kommentare zu den einzelnen Lemmata sind äußerst knapp; Zusammenfassungen des Gesagten oder alternative Erklärungsmöglichkeiten, wie Gregor sie in den übrigen Büchern bietet, fehlen ganz. Die Bücher eins und zwei wiederum sind in zwei Fassungen auf uns gekommen; die erste formal und stilistisch den Büchern drei und vier verwandt, die zweite stellt eine Überarbeitung der ursprünglichen Form durch Zusätze, Änderung des Vokabulars und Umformulierung ganzer Passagen dar.

Es scheint ziemlich sicher, daß es Gregor selbst war[2], der Hand an seine Arbeit legte und möglicherweise die 'Tractatus' zum Canticum zu Predigten umgestalten wollte.

[1] *Cf.* dazu das Kapitel »Form und Inhalt des Werkes«.
[2] *Cf.* das Kapitel »Die zweite Rezension«.

Allerdings ist er mit der Überarbeitung nicht über das zweite Buch hinausgekommen; vom Beginn des Buches drei an fehlen alle typischen Merkmale einer zweiten Rezension.

Da wir über das Leben des Gregor so gut wie nichts wissen, fehlt der Beweis dafür, daß ihm der Tod die Arbeit aus der Hand genommen haben könnte, aber ganz augenscheinlich hat Gregor die Zweitfassung nicht in einer von ihm autorisierten Form herausgeben können. Vielmehr läßt der Textzustand darauf schließen, daß der Autor in sein privates Exemplar Notizen und Randbemerkungen eintrug. Die Kennzeichnung der Stellen, an denen neue Passagen einzufügen waren, alte eventuell gestrichen werden sollten, und auch der genaue Wortlaut der beabsichtigten Änderungen muß so wenig eindeutig gewesen sein, daß spätere Abschreiber die Notizen teilweise falsch deuten konnten[3]. Daß eine solche Vorlage zu 'Verbesserungen' von späterer Hand geradezu aufforderte, versteht sich von selbst.

Ebenso wie Gregor selbst seinem Text keine endgültige Gestalt geben konnte, wurde der Wiederentdecker und erste Herausgeber des Epithalamium an der Vollendung seiner Arbeiten gehindert. Gotthold Heine hatte in den Jahren 1846/47 durch Gustav Hänel die Gelegenheit zu ausgedehnten Bibliotheksreisen auf die iberische Halbinsel bekommen. Von den Schwierigkeiten, die ihn teilweise erwarteten, und der Eile, mit der die Handschriftenfunde an Ort und Stelle ausgewertet werden mußten, erfährt man einiges aus seinen eigenen Berichten[4].

Unter seinen Entdeckungen war auch der Text des Canticum-Kommentars, den G. Heine Gregor von Elvira zuweisen konnte. Es waren drei Handschriften (die mit den Sigeln B, P und R bezeichneten[5]), die Heine bekannt wurden. Er bemerkte, daß der Text in jedem der drei Manuskripte in einer anderen Gestalt geboten wurde, und beurteilte ihren Wert grundsätzlich richtig, indem er in B die

[3] Eine Zusammenstellung dieser mißverständlichen Notizen findet sich auf S. 42-44.
[4] *Cf.* Serapeum VII (1846) 193-204; VIII (1847) 81-95; 103-112; 113-122.
[5] Es handelt sich um die Handschriften Barcelona, Biblioteca de la Iglesia Catedral de Barcelona, Cod. 64; Porto, Bibliothéca Municipal do Porto 800 und Lleida, Archivo de la Catedral 2; *cf.* die Beschreibungen S. 106, 111 und 113.

ursprüngliche Form erkannte, die in P weniger, in R mehr interpoliert ist[6]. Gestützt auf die Arbeit Sabatiers[7], aber auch auf eigene gründliche Kenntnis patristischer Literatur, stellte er fest, daß der Bibeltext in der Handschrift B weit mehr altlateinischen Versionen entsprach als in P und R, in denen Korrekturen nach der Vulgata erkennbar waren. Dadurch wurde er in seiner Bevorzugung von B bestärkt. So rekonstruierte er in der von ihm in Angriff genommenen Edition den Text hauptsächlich nach dieser Handschrift, konnte sich aber offenbar nicht zu einem konsequenten Vorgehen entschließen, sondern nahm hier und dort auch Lesarten von R, sowie auch die Zusätze dieser Fassung - meist in eckige Klammern gesetzt - in seinen Text auf. Vermutlich war es die Tatsache, daß auch in P ein Teil dieser Zusätze zu finden ist, die ihn zu solch zaghaftem Vorgehen veranlaßte. Auf den Gedanken, daß es sich bei den unterschiedlichen Fassungen um zwei Rezensionen ein und desselben Autors handeln könnte, ist Heine offenbar nicht gekommen. Möglicherweise wären etliche Unzulänglichkeiten seiner Arbeitsweise noch beseitigt worden, wenn G. Heine die Edition selbst beendet hätte. Aber ein plötzlicher Tod - Heine wurde in den Revolutionswirren am 18. März 1848 in Berlin auf der Straße von einer Kugel getroffen und starb am 22. desselben Monats im Alter von achtundzwanzig Jahren[8] - hinderte ihn daran. J. E. Volbeding, der die undankbare Aufgabe übernahm, die Edition abzuschließen, fand offenbar die Arbeiten in einem teilweise noch provisorischen Zustand vor, behaftet mit den Irrtümern, die eine eilige Kollation an Ort und Stelle mit sich bringt. Volbeding wagte, wie er selbst schreibt[9], nicht, offenbare Mängel zu korrigieren, was ohne Kontrolle an den Handschriften selbst auch kaum möglich gewesen wäre.

So erschien im Jahr 1848 die erste Edition von Gregors Canticum-Kommentar in der *Bibliotheca Anecdotorum seu Veterum Monumen-*

[6] G. Heine, Bibliotheca Anecdotorum 1, Leipzig 1848, 133.
[7] *Ibidem* 131.
[8] *Cf.* die Einleitung J. E. Volbedings, *op.cit.* (Anm. 6) S. V sq und die Todesanzeige in: Magazin für die Literatur des Auslandes No.38, Berlin 1848, 152.
[9] *Ibidem* (Einleitung Volbedings) S.VIII.

torum Ecclesiasticorum collectio novissima, Pars 1, Leipzig 1848, 134–166, zusammen mit anderen von G. Heine entdeckten Texten. Die Ausgabe trägt tatsächlich alle negativen Züge ihrer unglücklichen Entstehungsgeschichte, trotzdem war sie bis jetzt diejenige, die Gregors Werk und seinen Intentionen am meisten gerecht wurde.

Sie fand jedoch ziemlich wenig Beachtung, bis P. Batiffol und A. Wilmart im Jahre 1900 die sogenannten '*Tractatus Origenis*' herausgaben [10]. In der heftigen Diskussion um die Autorschaft dieser Tractatus kam auch Gregor von Elvira als möglicher Verfasser in das Blickfeld und damit auch die Ausgabe seines Canticum-Kommentars.

Es ist A. Wilmarts Verdienst, mit Akribie die enge Verwandtschaft zwischen den neuentdeckten Tractatus unter dem Namen des Origenes und dem Epithalamium aufgezeigt zu haben [11], so daß heute die Zuschreibung der Tractatus an den Autor des Epithalamium, Gregor von Elvira, allgemein akzeptiert ist.

Da Wilmart überzeugt war, die Bewertung der drei Handschriften B, P und R durch Heine sei grundsätzlich falsch, vielmehr biete R den originalen Text, die beiden anderen eine 'Abkürzung in zwei Stufen' [12], rekonstruierte er – zum Zweck seiner Untersuchungen an den Tractatus – in diesem Sinn das erste Buch des Canticum-Kommentars und einige weitere Einzelpassagen und veröffentlichte diese sozusagen provisorische Neuedition im Rahmen seiner Untersuchungen [13]. Wie er selbst schreibt [14], fehlten ihm alle Grundlagen für eine kritische Edition, was offenbar heißt, daß er nicht die Handschriften selbst benutzte, sondern sich auf die An-

[10] P. Batiffol, A. Wilmart, *Tractatus Origenis de libris SS. Scripturarum*, Paris 1900.

[11] A. Wilmart, *Les 'Tractatus' sur le Cantique des Cantiques attribués à Grégoire d'Elvire,* Bulletin de littérature ecclésiastique 1906, besonders 249–259.

[12] *Ibidem* 235: qui représente en effet un abrégement à deux degrés.

[13] *Ibidem* 237–248.

[14] *Ibidem* 236 Anm.2: N'ayant pas encore à disposition tous les éléments d'une édition rigoureusement critique, j'ai estimé qu'il était inutile, pour le dessein présent, d'encombrer ces pages par une ébauche d'*apparatus* philologique; j'ai donc constitué le texte aussi exactement que j'ai pu – d'après R confronté avec le groupe BPE, en faisant grâce à lecteur des raisons particulières qui m'ont fait préférer telle ou telle leçon.

gaben in der Heine'schen Edition verließ und zu diesem Material als erster das Exzerpt aus dem ersten Buch, das sich bei Beatus von Liébana findet[15], berücksichtigte. Vermutlich hätte Wilmart sein Urteil über die Handschriften und den Wert der Textformen geändert, wenn er die Manuskripte hätte einsehen können. Besonders die Darbietung der ersten beiden Bücher des Epithalamium in der Handschrift R, eine chaotische Mischung von Grundtext, Korrekturen, Zusätzen auf den Rändern oder interlinear[16], hätte ihn sicher davon überzeugt, daß er damit nicht den Originaltext des Gregor vor sich hatte. Auch von einem Versuch, Klarheit über die wechselseitigen Beziehungen der Handschriften wie auch des Beatus-Exzerptes zu schaffen, hört man bei Wilmart nichts. So bevorzugte er im allgemeinen die Lesarten von R, übernahm aber von Fall zu Fall auch diejenige anderer Handschriften und zum Teil sogar die Zusätze, die sich nur bei Beatus finden und sicher diesem zuzuschreiben sind.

Aber es ist nicht so sehr A. Wilmart vorzuwerfen, daß sein Editionsversuch den Ansprüchen einer kritischen Ausgabe nicht genügen kann, da er ja nur ein Mittel zu seinen andersgearteten Zwecken war. Vielmehr muß man den beiden nachfolgenden Editoren vorhalten, daß sie die Ansichten Wilmarts ungeprüft übernahmen.

A. C. Vega konnte für seine Edition auf drei weitere Handschriften des Epithalamium zurückgreifen, darunter die älteste mit dem Sigel A, eine weitere aus dem 12. Jahrhundert (U) und die relativ junge (N) aus dem 16. Jahrhundert[17]. Im Jahr 1957 legte Vega eine Neuedition von Gregors Werk vor[18].

Leider kann man hier nur das harsche Urteil V. Bulharts über Vegas Edition der 'Tractatus Origenis' wiederholen: »die höchst

[15] *Ibidem* 236. Beatus übernimmt GR-I Ct 1,1.4-16.20 in seine Schrift *Adversus Elipandum* (BEA El 2,75.78-83).
[16] *Cf.* die Handschriftenbeschreibung S. 113.
[17] *Cf.* A. Vega, *Advertencia Preliminar a la edición critica de la exposición 'In Canticum Canticorum' de Gregorio obispo de Eliberri*, España Sagrada 55 (Madrid 1957) 1-20; zu den Handschriften N, U und A *cf.* 7-9; 9-11; 11-13.
[18] *Ibidem* 22-80.

nachlässige Ausgabe von Vega verdient nicht berücksichtigt zu werden«[19]. Wie schon die doppelte Angabe der Sigel[20] zeigt, - einmal B, A, P, R, N, U und H (für die »Códices Liebanenses«), danach »Gott.« für die Edition Heines, gefolgt von den Sigeln Nac., Acad., Port., Rot., Barc., Ucles., für dieselben Handschriften wie oben, samt »Heter.« für die »Liebanenses o de Heterio«, kann man hier keine systematisch durchdachte Arbeit erwarten. Vega schrieb den textkritischen Apparat Heines wörtlich - und mit allen Fehlern, sogar Druckfehlern - ab und fügte hier und da seine eigenen Ergebnisse aus den von ihm entdeckten Handschriften ein, obwohl er doch im Gefolge von Wilmart die Arbeit Heines in Grund und Boden verurteilt hatte: »El hecho es, que la citada edición es una de las peores que se pueden hacer, resultando su texto con frecuencia ininteligible. Heine fué un fiel seguidor de la escuela alemana, particularmente la berlinesa, que tenía por dogma inviolable que en un texto de doble redacción, el auténtico era el breve, y el espurio el amplio«[21].

Immerhin taucht bei Vega der Gedanke auf, es könne sich bei den zwei verschieden langen Fassungen um zwei Rezensionen aus der Hand Gregors selbst handeln[22], wie sie auch von seinem Traktat *De fide* bekannt sind. Vega beharrt jedoch auf der Ansicht, die längere Fassung sei die authentische; dazu, wie die verkürzte Form zustandegekommen sein könnte, äußert er sich nicht. Vielmehr gibt er als textkritisches Prinzip an, daß die längere Form oft einen offensichtlich harmonischeren Text biete und daher als die ursprüngliche anzusehen sei[23]. Da auch er keine Analyse der handschriftlichen Beziehungen vornahm, bemerkte er nicht, daß die Manuskripte N und U von R abhängig sind und als selbständige Zeugen ausscheiden, ebensowenig fiel ihm auf, daß die Korrekturen in R zu

[19] V. Bulhart, *Textkritisches IV*: Revue Bénédictine 68 (1958) 251-256.
[20] A. Vega, *op. cit.* (Anm. 17/18) 22.
[21] *Ibidem* 1 sq.
[22] *Ibidem* 17.
[23] *Ibidem* 17: Si se tiene en cuenta que la breve (sc. redacción) se resiente de oscura, que a veces es ininteligible, y otras, evidentemente defectuosa o lacunosa, y en cambio, la extensa ofrece siempre un sentido obvio y armónico, nadie dudará en inclinarse por la larga, frente al breve.

den ersten beiden Büchern und ebenso der Text der Bücher drei bis fünf mit dem der Handschrift A verwandt sind. So richtete sich Vega im Prinzip nach den Handschriften RUN, bevorzugte aber hier und da auch andere Lesarten, wohl je nachdem, wie es die »Harmonie« forderte.

Im Jahr 1967 erschien als Band 69 des Corpus Christianorum, Series Latina, der Versuch einer Gesamtausgabe der Werke Gregors von Elvira [24]. Der Herausgeber, V. Bulhart, bietet hier eine Neuedition der sogenannten *Tractatus Origenis* nach den beiden bekannten Handschriften, eingeleitet von einer umfangreichen Praefatio zu sprachlichen Eigenheiten Gregors, insbesonders innerhalb der *Tractatus*. Wie Bulhart in der Praefatio zu *De fide* (S. 218) selbst sagt, war er zu dieser Zeit bereits gesundheitlich so beeinträchtigt, daß er auf eine Kollation der rund zwanzig Handschriften verzichtete und den Text nach den vorhandenen Editionen zu rekonstruieren suchte [25]. Auch die übrigen kleineren Stücke Gregors, sowie die »Dubia et Spuria« wurden aus bereits existierenden Ausgaben übernommen.

Die Herausgabe des Epithalamium übernahm jedoch J. Fraipont. Aus seiner einundzwanzig Zeilen umfassenden Praefatio ist über die Prinzipien seiner Editionsarbeit nichts zu erfahren. V. Bulhart starb am 18. Mai 1965, ohne für das Epithalamium Vorarbeiten von Gewicht zu hinterlassen. Allerdings sind in den sprachlichen Untersuchungen innerhalb der Praefatio Bulharts auch Beobachtungen zum Text des Canticum-Kommentars enthalten, die sich Fraipont aber nicht zunutze machte.

Fraipont gibt jedenfalls an, er habe die Handschriften PBR und ANU in der Form von Mikrofilmen kollationiert [26] und mit der Ausgabe Vegas verglichen, wobei er diese an etlichen Stellen habe verbessern können. Da er sich ausdrücklich der Bevorzugung der

[24] *Gregorii Iliberritani Episcopi quae supersunt*, ed. V. Bulhart, CC 69, Turnhout 1967
[25] *Ibidem* 218.
[26] *Ibidem* 167.

Handschrift R durch A. Wilmart anschließt[27], bestehen die behaupteten Verbesserungen auch darin, daß Fraipont dieser Handschrift noch mehr Gewicht verleiht. Im übrigen darf man zumindest eine gründliche und vollständige Kollation der Handschriften bezweifeln, zu viele Angaben im Apparat sprechen dagegen, und bereits die falsche Folien-Angabe für die Handschrift N läßt Zweifel an einer Autopsie aufkommen. Auf den von Fraipont für GR-I Ct angegebenen Folien 48V - 55V steht zwar ein Werk mit der Überschrift: *Beati Gregorii episcopi Elliberritani Explicatio in Cantica Canticorum,* es handelt sich jedoch um die Exzerpte Taios zum Canticum aus Arbeiten Gregors des Großen (TA Ct). Das Epithalamium Gregors von Elvira findet sich im Anschluß daran auf foll. 55V - 65R. Eine Aufzählung der Ungereimtheiten der Edition Fraiponts würde nur ermüden und zu nichts führen.

Eine Illustration jedoch dafür, mit welch geringer Sorgfalt die Herausgabe von Gregors Canticum-Kommentar betrieben wurde, mag sein, daß ein Fehler des vielgeschmähten Erstherausgebers Heine, der ganz offensichtlich auf einem Irrtum oder einem Rechenfehler beruht, bis in die letzte Edition ungeprüft übernommen wurde: zu dem Zahlenspiel περιστερά = α + ω in 3,10 schreibt Heine (S. 153) im Apparat: *Ceterum computandi ratio non satis recta videtur, nam* π = LXXXX *(statt LXXX),* ε = V, ϱ = C, ι = X, σ = CC, τ = CCC, ε = V, ϱ = C, α = I: *ergo* περιεστερα *(sic)* = DCCCXI, *neque DCCCI, quem numerum* α *et* ω *sane designant.* Diese Bemerkung findet sich, nahezu wörtlich, im Apparat zur Stelle bei Vega (S. 56); er fügt lediglich hinzu: *Videtur textus corruptus et legendum undecim pro unum.* Und Fraipont vermerkt zu: *cuius (scil.* περιστερα*) nominis litterae per computum Graecum... unum et octingentos faciunt* im Apparat: *unum] immo undecim* (S. 195).

[27] *Ibidem* 167: »Cum Heine recensionem breviorem... primariam existimaret, longiorem codicis R non genuinam, A. Wilmart rem contra se habere demonstravit... cui nos quidem assentimur«. Dazu ist zu sagen, daß Wilmart nirgendwo nachgewiesen hat, daß R die bessere Handschrift ist. Seine Behauptung (Bulletin de littérature ecclésiastique 1906, 235 - *nicht* 297!): »... qui (scil. R) est incontestablement plus proche de l'original« hat er niemals untermauert.

Viel unverständlicher aber ist es, daß niemand bisher das Urteil Wilmarts einer Kontrolle unterzogen hat, obwohl D. De Bruyne im Jahr 1926 die beiden Handschriften Salzburg, St. Peter a IX 16 und Graz, Universitätsbibliothek 167 entdeckt hatte, in denen ein vollständiger altlateinischer Text des Canticum Canticorum erhalten geblieben ist.

De Bruyne edierte diesen altlateinischen Text in der Revue Bénédictine 38 (1926) 98–104, und wies auf die enge Verwandtschaft zum Canticum-Text des Gregor von Elvira[28] hin. A. Wilmart hatte bereits 1911 eine kritische Edition des Lemmatextes aus Gregors Epithalamium veröffentlicht[29], die auf den damals bekannten Handschriften Heines B, P und R beruhte. Auch hier bevorzugte Wilmart das Manuskript R, wenn auch nicht ausschließlich. Allerdings ist auch diese Edition des Canticum-Textes aus Gregor beeinträchtigt dadurch, daß Wilmart die Handschriften nicht selbst in Augenschein nahm. Aber De Bruyne konnte im Vergleich dieser Edition mit dem Text seiner neuentdeckten Handschriften feststellen, daß beide streckenweise identisch sind[30], daß jedoch diese Übereinstimmung noch größer wäre, wenn man – gegen die Meinung Wilmarts – den Handschriften B und P den Vorzug gäbe[31]. Diese Einsichten sind offenbar von den Editoren Vega und Fraipont nicht zur Kenntnis genommen worden. Bei einer sorgfältigeren Arbeitsweise hätte man feststellen müssen, daß die Handschrift R auch für den übrigen Text an vielen Stellen sogar unsinnige Lesarten bietet, die einem Autor wie Gregor nicht zuzutrauen sind.

Der grundsätzliche methodische Fehler, der bisher eine angemessene Rekonstruktion des Textes verhinderte, liegt darin, daß nicht erkannt wurde, wie stark man im vorliegenden Fall zwischen den verschiedenen Schichten der Varianten, das heißt den Gründen für ihre Entstehung, unterscheiden muß. In den Büchern eins und

[28] *Op. cit* 106–109

[29] A. Wilmart, *L'ancienne version latine du Cantique I-III,4:* Revue Bénédictine 28 (1911) 11–36.

[30] D. De Bruyne, *op. cit.* 106–109.

[31] *Ibidem* 107.

zwei haben wir es mit zwei unterschiedlichen Fassungen des Autors zu tun, die für uns natürlich gleichermaßen wichtig sind. Zu unterscheiden von diesen Autorenvarianten sind die Fehler und absichtlichen Veränderungen, die der Überlieferung zuzuschreiben sind.

Da Gregor von Elvira einer der wichtigsten Zeugen für die altlateinischen Versionen des Canticum Canticorum ist, konnte für die Vetus Latina-Edition des Canticum Canticorum [32] der Text des Gregor, wie er uns in den erwähnten unzulänglichen Ausgaben zur Verfügung steht, keine akzeptable Grundlage bilden. Dies war der Anlaß, eine Neuedition in Angriff zu nehmen. Neben der angestrebten besseren Rekonstruktion der von Gregor benutzten Bibeltexte bietet die nun vorgelegte Ausgabe, wie ich hoffe, auch einen besseren Zugang zu einem Autor des vierten Jahrhunderts, der bisher - wohl auch wegen des schlechten Textzustandes - häufig unterschätzt worden ist.

BIOGRAPHISCHES

Über das Leben des Gregor von Elvira ist nur sehr wenig bekannt; weder Geburts- noch Todesjahr wird uns überliefert. Die wenigen Zeugnisse, die einige Anhaltspunkte zur Lebenszeit Gregors bieten, seien hier noch einmal wiederholt [1]. Einen Fixpunkt bietet das Jahr 393, in dem Hieronymus *De viris illustribus* verfaßte. Zu dieser Zeit war Gregor noch am Leben, allerdings scheint Hieronymus die Kenntnis darüber nur aus fremdem Mund zu haben.

[32] VL 10/3 Canticum Canticorum, hrsg. von E. Schulz-Flügel, Freiburg 1992 ff; erschienen ist die erste Lieferung.

[1] Zu den biographischen Daten *cf.* J. Doignon, *Formen der Exegese*, in: Handbuch der lateinischen Literatur der Antike, Hrsg. von R. Herzog und P. L. Schmidt, Bd. 5, München 1989, 425 sq (mit Bibliographie) und M. Simonetti ed., *Gregorio di Elvira, La fede*, Corona Patrum 3,Torino 1975, 5-8.

Er schreibt:

> *Gregorius, Baeticus Eliberi episcopus, usque ad extremam senectutem diversos mediocri sermone tractatus composuit et De fide elegantem librum, hodieque superesse dicitur.* (HI ill 105)

Als gesichert kann man daraus nur entnehmen, daß Gegor 393 im hohen Alter stand und – dem Vernehmen nach – noch lebte. Hieronymus kennt als Werke *De fide*, das man sicher mit der uns überlieferten Schrift gleichen Titels (GR-I fi) identifizieren darf. Außerdem spricht Hieronymus von »verschiedenen Traktaten im umgangssprachlichen Stil«, ohne auf Themen und Anzahl der Traktate einzugehen. Man darf annehmen, daß die uns unter dem Titel *Tractatus Origenis* (GR-I tr) bekannten bei den »verschiedenen Traktaten« mitgemeint sind; ob auch die fünf Bücher zum Canticum Canticorum, die in Form und Stil den anderen Traktaten durchaus vergleichbar sind, von Hieronymus miteinbegriffen wurden, ist nicht zu entscheiden. Für die Datierung des Epithalamium kann diese Aussage des Hieronymus nicht benützt werden.

Eine zweite zeitgenössische Notiz[2] spricht davon, daß Gregor im Umkreis der Jahre 357/359 Bischof von Eliberris war, und zwar *rudis adhuc episcopus,* und ein noch ziemlich unbekannter Mann: *quinam esset sanctus Gregorius, nondum bene compertum habebant* (FAUn fi 10,34). Der Bericht der Luciferianer Faustinus und Marcellinus über die wunderbare Errettung des Gregor vor der drohenden Exilierung trägt allerdings legendenhaften Charakter und verklärt die Person des Gregor. Dennoch wird man als Faktum aus diesem Bericht entnehmen können, daß Gregor um das Jahr 360 herum nicht viel älter als dreissig Jahre war; vor Erreichung dieses Alters hätte er nicht Bischof werden können.

In das Jahr 360 datiert der letzte Herausgeber der Schrift *De fide*, M. Simonetti, die erste Fassung dieses Werkes[3].

[2] *Faustinus, De confessione verae fidei et ostentatione sacrae communionis et persecutione adversantium veritati preces*, ed. M. Simonetti, CC 69 (1967) 359-391.
[3] M. Simonetti, *op. cit.* (Anm. 1) 12-21.

Aus dem schon erwähnten *Libellus precum* des Faustinus und Marcellinus stammt auch eine Notiz darüber, daß Gregor Lucifer von Cagliari besucht habe, ebenso, daß zur Zeit der Niederschrift (384) Gregor ein allseits bewunderter Mann war:

> *Venit ad hunc (scil. Luciferum) et sanctus Gregorius et admiratus est in illo tantam doctrinam scripturarum divinarum et ipsam vitam eius vere quasi in caelis constitutam. Iam quantus vir Lucifer fuerit, cum illum admiratur et Gregorius, qui apud cunctos admirabilis est non solum ex conlisione illa Osii sed etiam ex divinis virtutibus, quas habens in se gratiam sancti spiritus exsequitur?*
> (FAUn fi 25,90)

Bekannt war Gregor offenbar besonders wegen seiner Standhaftigkeit gegenüber arianischen Ideen:

> *Lucifer Caralitanus episcopus moritur, qui cum Gregorio episcopo Hispaniarum et Philone Libyae numquam se Arrianae miscuit pravitati*
> (HI chr *246, 1-4*)

Als Summe dieser knappen Notizen ergibt sich, daß Gregor um das Jahr 330 geboren wurde und im Jahr 393, also über sechzigjährig, noch am Leben war. Er war überzeugter Antiarianer und stand in Verbindung mit Lucifer von Cagliari. Von seinen schriftstellerischen Werken kannte Hieronymus 393 *De fide* und eine unbekannte Zahl von Traktaten.

Im Widerspruch zur Annahme, daß Gregor zur Zeit der Abfassung von *De viris illustribus* schon über sechzig Jahre alt war, scheint ein Sachverhalt zu stehen, der bisher ungelöste Rätsel aufgegeben hat. Wie man leicht feststellen kann, hat Gregor die Werke seiner

Vorgänger und wohl auch seiner Zeitgenossen ausgiebig benutzt[4]. Unter den Passagen, die Gregor mit aller Wahrscheinlichkeit aus einer Vorlage übernommen hat, fällt ein Abschnitt des Traktates über Gn 21,9.10 (GR-I tr 3) auf, der mit der Übersetzung der siebenten Genesishomilie des Origenes durch Rufin (RUF Gn 7) so viele zum Teil wortwörtliche Übereinstimmungen aufweist, die ohne eine wie immer geartete Abhängigkeit nicht erklärlich sind.

Wie man im Vergleich der beiden Passagen feststellen kann, ist eine Abhängigkeit Rufins von Gregor mit Sicherheit auszuschließen[5]. Nun fällt aber die Übersetzung der Genesishomilien in die Zeit um 403/404. Wollte man also annehmen, daß Gregor seinerseits diese Übersetzung Rufins ausgeschrieben habe, müßte er – nach den oben gemachten biographischen Angaben – bei der Abfassung des dritten Traktates über dreiundsiebzig Jahre alt gewesen sein. Das liegt natürlich noch im Bereich des möglichen, setzt aber voraus, daß Gregor unmittelbar mit der Übersetzungsarbeit Rufins bekanntgeworden ist und daß er dann den dritten Traktat separat, also nicht im Zusammenhang mit den übrigen *Tractatus Origenis* geschrieben hat.

Damit fiele eine Entstehungszeit für das Epithalamium in die Zeit nach 403/404, denn ganz allgemein läßt sich sagen, daß die *Tractatus Origenis* vor den fünf Büchern zum Canticum anzusetzen sind. Wie ließe es sich sonst erklären, daß Gregor in den Tractatus keinen Bezug zu diesem biblischen Text herstellt, wenn er zuvor diesem Thema eine Reihe von fünf Traktaten gewidmet hätte? Abgesehen von einigen sparsamen Canticum-Zitaten im zwölften Traktat scheint Gregor das Hohelied nicht im Blickfeld gehabt zu haben; und auch hier zitiert er – neben dem Vers 1,2 (GR-I tr 12,14.15) – nur zwei weitere Verse (tr 12,28.29) nämlich 4,3 par. und 5,10, die im Epithalamium nicht berührt werden. Da es eine beträchtliche An-

[4] Zur Literatur über die Quellen Gregors *cf.* Anm. 1 zum Kapitel »Vorbilder, Quellen und Nachwirken«, S. 51.

[5] D. De Bruyne, *Encore les 'Tractatus Origenis'*: Revue Bénédictine 23 (1906) 170-173, besonders 173.

zahl von deutlichen Parallelstellen in den Tractatus einerseits und dem Epithalamium andererseits gibt [6], an diesen Stellen in den Tractatus jedoch niemals auf die entsprechende Canticum-Stelle hingewiesen wird, muß man annehmen, Gregor habe bei der Abfassung des Canticum-Kommentars seine eigenen früheren Traktate benützt und zahlreiche Passagen in sein späteres Werk übernommen.

Wenn es auch im möglichen Bereich eines langen Menschenlebens liegt, daß Gregor das Epithalamium nach seinem siebzigsten Lebensjahr verfaßt hat, spricht doch die Tatsache dagegen, daß man nach 393 – also der Notiz des Hieronymus – von Gregor nichts mehr hört und es damit mehr als fraglich ist, daß er ein sehr viel höheres Alter erreicht hat.

Die Wahrscheinlichkeit, daß der oben erwähnte Traktat zu Gn 21,9.10 nicht im Zusammenhang mit den übrigen Auslegungen zum Alten Testament entstanden ist, ist nicht sehr groß, zumal sie offenbar der Reihenfolge der biblischen Bücher folgen und der jetzige »dritte« Traktat dann nachträglich an der richtigen Stelle eingefügt worden sein müßte

Wenn man aber nun davon ausgeht, daß Gregors dritter Traktat vor der Übersetzung der Genesishomilien durch Rufin entstanden ist und somit Gregor nicht direkt abhängig von diesem sein kann, bietet sich zur Erklärung eigentlich nur die Lösung an, daß Rufin und Gregor unabhängig voneinander dieselbe Quelle benutzt haben. Diese Vermutung ist auch gelegentlich geäußert worden [7], jedoch fehlten bisher Hinweise auf eine solche Quelle.

In der Appendix 1 dieser Ausgabe sind Beobachtungen zusammengestellt, die den verlorenen Kommentar des Origenes zum Galaterbrief oder vielmehr eine frühe lateinische Übersetzung dieses Werkes als gemeinsame Quelle für Rufin und Gregor wahrscheinlich machen [8].

[6] Eine Übersicht über die Parallelen findet sich S. 55.

[7] A. Wilmart, *Les 'Tractatus' sur le Cantique attribués à Grégoire d'Elvire*: Bulletin de littérature ecclésiastique 1906, 265; D. De Bruyne, *op. cit.* (Anm. 5) 173. Eine gemeinsame lateinische Quelle nimmt auch J. Frickel an (Vortrag: *Polemica antiebraica di Gregorio di Elvira*, 22. Incontro di Studiosi dell'Antichità Cristiana, Roma, 6.–8.5.1993).

[8] Cf. S. 256–267.

Damit fällt die Schwierigkeit einer Spätdatierung des Epithalamium fort, zumal andere Anzeichen darauf hindeuten, daß Gregor diese Arbeit vor dem Jahr 392 fertiggestellt hat. Eine Bemerkung des Hieronymus erlaubt die Annahme dieses Jahres als *terminus ante quem.*

Der Ausgangspunkt ist eine Passage im Epithalamium, in der Gregor Ct 2,9 *ecce post parietem nostrum, prospiciens per fenestram* erklärt. In 4,6.7 schreibt Gregor:

> *parietem corpus domini beatus apostolus manifestat, cum dicit: unum et medium parietem materia*[9] *solvens inimicitias in carne sua ut duos iungat in unum, et David corpus domini parieti comparans ait...* (Ps 61,4)... *Sed et Abacum lapis inquit de pariete clamavit et scarabaeus de ligno adnuntiavit ea. Lapis itaque Christus de pariete corporis clamavit ad patrem et scarabaeus de ligno adnuntiavit ea, id est unus de latronibus pronuntiavit dicens: tu cum sis filius dei, qua re hoc pateris?*

Gregor legt also Hab 2,11 (in der Übersetzung nach LXX) so aus, daß »der Stein« Christus ist, »die Mauer« sein (menschlicher) Körper, der »Skarabäus vom Holz« aber der Schächer am Kreuz, der Christus lästert.

Nach Ausweis der uns erhaltenen patristischen Literatur ist diese Stelle, zumal in der Übersetzung nach LXX, begreiflicherweise wenig behandelt worden[10]. Hieronymus jedoch erwähnt in seinem 392 geschriebenen Habakuk-Kommentar mehrere ihm bekannte Übersetzungen und Auslegungen (HI Hab 1,2,9/11 (603,321-607,451)).

[9] Wahrscheinlich las Gregor hier *materia* statt *maceria*, cf. S. 156.
[10] Nach dem Material des Vetus Latina Institutes und den Angaben in den Bänden 1-4 der Biblia Patristica.

Er schreibt: (606,425 sqq)

> *scio quemdam de fratribus lapidem qui de pariete clamaverit intellexisse dominum salvatorem et scarabaeum de ligno loquentem latronem, qui dominum blasphemaverit, quod licet pie possit intellegi, tamen quomodo cum universo prophetiae contextu possit aptari, non invenio. Sunt nonnulli qui putent cantharum de ligno loquentem et ad salvatoris personam referri posse, quod impium esse ex ordine ipso sermonis apparet. Cantharus enim de ligno loquetur ea, non intellegitur in bonam, sed in malam partem...*

Die tadelnde Bemerkung über die letztere Auslegung, der Skarabäus sei Christus, ist sicher ein Seitenhieb auf Ambrosius, bei dem diese Deutung mehrfach belegt ist [11].

Für die erstere, die Hieronymus als fromm und gut gemeint, aber auch als nicht gerade schlüssig beurteilt, kommt als Quelle nur Gregor in Frage. Zumindest ist uns kein anderes patristisches Zeugnis für eine solche Auslegung erhalten geblieben [12] außer der zitierten Stelle aus dem Epithalamium. Selbstverständlich bleibt immer die Möglichkeit, daß Hieronymus sich auf einen uns verlorenen Text bezieht, der wiederum Gregor als Vorlage gedient haben könnte. Diese Annahme legt sich nicht besonders nahe, da die Auslegung des Habakuk-Verses - wie bereits gesagt - allgemein gemieden wurde.

Wenn also Hieronymus mit dem *quidam de fratribus* Gregor von Elvira meint, muß dieser das Epithalamium vor dem Entstehungsjahr des Habakuk-Kommentars 392 geschrieben haben. Dann wären unter den »verschiedenen Traktaten im umgangssprachlichen Stil«, von denen Hieronymus (ill 105) spricht, auch die fünf Bücher zum Canticum zu verstehen.

[11] Diesen Zusammenhang entdeckte F. J. Dölger, *Christus im Bilde des Skarabäus*: Antike und Christentum 2 (1930) 230-240. Die Deutung findet sich bei Ambrosius: ep 1,46; 32,5; Lc 10,113; The 46; 118 Ps 3,8, außerdem bei PS-AU s 151,4 (Kompilation aus Ambrosius)

[12] Nach dem Material des Vetus Latina Institutes.

FORM UND INHALT DES WERKES

Das gemeinhin als »Kommentar« zum Canticum Canticorum bezeichnete Epithalamium Gregors erläutert nicht den gesamten Text des Hohenliedes, sondern nur die knappe Hälfte (1,1 bis 3,4), wobei der Lemmatext sehr ungleich auf fünf Bücher von unterschiedlicher Länge verteilt ist:

Buch 1: Ct 1,1 - 5, (S. 164–188; 165–189 ω^2)
Buch 2: Ct 1,6 - 12a, (S. 192–224; 193–225 ω^2)
Buch 3: Ct 1,12b - 2,6, (S. 226–236)
Buch 4: Ct 2,7 - 2,17, (S. 237–249)
Buch 5: Ct 3,1 - 4, (S. 250–255)

Die Bücher unterscheiden sich nicht nur hinsichtlich des Umfangs, sondern auch formal: während in den Büchern 1–4 das Lemma jeweils mit *et addidit* eingeführt wird, ist im Buch 5 - zwar nicht konsequent, aber häufig - nur ein *Sed* vorausgeschickt und die folgende Erklärung durch eine Frage *Qui sunt..?*; *Quid est...?* eingeleitet. Für jede dieser Fragen gibt es in diesem letzten Buch nur eine Auflösung, während in den anderen, besonders den ersten beiden, häufig Alternativlösungen angeboten werden. Insgesamt ist die Kommentierung im letzten Buch bedeutend knapper und verzichtet auf die Zusammenfassungen, die in den anderen Büchern häufig einen Paragraphen abschließen.

Die ersten beiden Bücher haben durch die Zweitfassung [1] eine Gestalt bekommen, die sie wiederum von den Büchern drei und vier unterscheidet. Statt des stereotypen *et addidit* erscheint nun *et adiecit.* Durch Erweiterungen, die häufig durch neutestamentliche Zitate weitere Interpretationsmöglichkeiten ins Spiel bringen, verwandelt sich die eher sachliche Erklärung in Richtung eines theologischen Traktats. Darüberhinaus bekommen die ersten beiden Bü-

[1] *Cf.* den Abschnitt »Die zweite Rezension«.

cher in der Zweitfassung sogar einen homiletischen Charakter durch die Einfügung von Anreden und von Verwendung der ersten Person im Plural[2].

Der Titel gibt uns über das literarische Genus nur wenig Auskunft. Als urprüngliche Form ist lediglich *Epithalamium* zu erschließen; die in der Handschrift R erscheinende Form *Tractatus Gregorii Papae eiusdem epithalamii*[3] ist sekundär, denn sie ist eine Mischung aus dem Titel für die Canticum-Exzerpte Taios (TA Ct) und der Überschrift zum Werk Gregors von Elvira. Hieronymus hat die fünf Bücher zum Canticum eventuell unter der Bezeichnung *Tractatus* subsumiert[4]; und tatsächlich unterscheiden sie sich - abgesehen vom durchgehenden Lemmatext - nicht sehr vom Stil der sogenannten *Tractatus Origenis* (GR–I tr), aus denen Gregor selbst ganze Passagen in das Epithalamium übernommen hat[5].

Der Titel *Epithalamium* scheint vor Gregor und Rufin, der jedoch diese Bezeichnung gewiß aus seiner Quelle, d. h. Origenes, übernommen hat, in der lateinisch sprechenden Welt für einen Canticum-Kommentar nicht üblich gewesen zu sein[6]. Allerdings kennen wir die Originaltitel der verlorenen Kommentare des Reticius von Autun und des Victorinus von Pettau nicht mehr. Obwohl das Fremdwort auf eine griechische Vorlage zu deuten scheint, müssen wir für Gregors Werk eine solche ausschließen, weil die Kommentierung sich eng an den Wortlaut der lateinischen Version des Canticum mit all seinen Fehlern anschließt. Inwieweit die direkte oder durch andere vermittelte Kenntnis der Kommentare Hippolyts und Origenes' die Titelwahl Gregors beeinflußt hat, läßt sich nicht sagen, da sich unmittelbare Einflüsse im Text kaum nachweisen lassen[7].

[2] So in 1,3; 1,17; 1,27; 1,30; 2,27.28 ω[2].
[3] *Cf.* zum Titel S. 101sq.
[4] *Cf.* HI ill 105 und S. 21.
[5] Eine Zusammenstellung der Parallelen findet sich S.55; *cf.* auch den Similienapparat.
[6] *Cf.* ThLL 5/2, 688, 72-80.
[7] Eine Untersuchung darüber im Kapitel »Vorbilder, Quellen und Nachwirken«, S. 58–67.

Allerdings gibt es einige Motive bei diesen beiden Autoren, die auch bei Gregor auftauchen; auf sie wird im Kapitel »Quellen« eingegangen werden. Auffällig ist eine Parallele anderer Art: sowohl das Werk Gregors als auch der erste Teil des Hippolytkommentars [8] umfassen Ct 1,1 – 3,4, enden also damit, daß die *Ecclesia* den Geliebten gefunden hat und ihn in das Gemach der Mutter hineinführt.

Möglicherweise ist diese Parallele aber nicht auf direkten Einfluß zurückzuführen, sondern auf eine bereits im griechischen Text des Canticum vorhandene Trennung des Textes an dieser Stelle, die von der frühen lateinischen Übersetzung übernommen wurde, so wie auch die Trennung nach Vers 1,12a griechisches Erbe ist. Sowohl Origenes [9] macht diesen Einschnitt, indem er seine zweite Homilie mit Vers 1,12b beginnen läßt, als auch Gregor, der diese Trennung zwischen die Bücher zwei und drei verlegt; auch durch Bibelhandschriften wird ein Einschnitt an dieser Stelle bestätigt [10].

Vermutlich ist also die Begrenzung auf Ct 1,1 – 3,4 im Epithalamium des Gregor nicht ein Zeichen dafür, daß das Werk unvollendet blieb oder der Rest verlorengegangen ist, sondern es handelt sich um eine bewußte Beschränkung auf diesen Abschnitt des Canticum. Dafür spricht auch der Inhalt.

Das Epithalamium beginnt mit der Sendung des wahren Bräutigams – Christus – durch den Vater und endet mit dem Eingehen der Braut gemeinsam mit dem Bräutigam in das himmlische Jerusalem, die Mutter, und umfaßt den Weg der Ecclesia von ihrem Anfang, d. h. dem Empfang des Verlobungsringes, der mit der Inkarnation geschieht, bis zu ihrem Ziel in der Endzeit, der hochzeitlichen Vereinigung und Aufnahme in das Reich Gottes nach Passion und Auf-

[8] *Ibidem*, S. 58–67.

[9] Die zweite Homilie (HI Ct) beginnt: *ab eo loco, in quo scriptum est: nardus mea dedit odorem suam usque ad eum locum, in quo ait: quia vox tua suavis et forma tua speciosa*; sie umfaßt also Ct 1,12b – 2,14.

[10] In den griechischen Handschriften S (London, Brit. Mus. Add. 43725), A (London, Brit. Mus. Royal 1 D.V–VIII) und einigen anderen werden die Halbverse 1,12a und 1,12b durch eine Rubrik getrennt, das heißt, daß hier mit 1,12b ein neuer Redeabschnitt beginnt. In A wird sogar ein Sprecherwechsel vorausgesetzt: 1,12a spricht noch die Braut, 1,12b jedoch der Bräutigam. Die altlateinische Handschrift 169 enthält dagegen keinen Hinweis auf eine Trennung zwischen 1,12a und 1,12b.

erstehung des Leibes. Ein Rückblick auf die Vorgeschichte der Kirche, in der sie latent im Heidentum und unter den Juden vorhanden war[11], nimmt auch diesen Abschnitt der Heilsgeschichte in das Thema der »Hochzeit von Christus und der Kirche« hinein, so daß mit diesem Geschehen zugleich ein vollständiger Abriß christlicher Weltgeschichte dargestellt wird.

So ist es durchaus denkbar, daß das Epithalamium, wie wir es überliefert bekommen haben, ein in sich abgeschlossenes Werk darstellt, zumindest was den Inhalt betrifft. Für eine Geschlossenheit sprechen, trotz der erwähnten formalen Unterschiede zwischen den Büchern, auch die Querverweise, die den inneren Zusammenhang des Textes erkennen lassen. So weist 3,9 zurück auf 2,29; 4,5 (*paulo ante... disserimus*[12]) bereitet auf 4,27 vor. Ebenso erinnert 4,10 an 2,29 und 3,9.10; 4,16 nimmt Bezug auf 2,33 und 4,21 auf 4,11.12, und in 5,12 wird noch einmal 2,33 und 4,16 aufgenommen.

Die Diskrepanz zwischen inhaltlicher Geschlossenheit und formaler Zerissenheit läßt sich vielleicht nur dadurch erklären, daß wir die fünf Bücher in verschiedenen Stadien ihrer Entstehung vor uns haben, wie es sich für die ersten beiden Bücher dadurch nachvollziehen läßt, daß wir für diese zwei Fassungen des Autors kennen.

Inhaltlich stehen alle fünf Bücher gleichermaßen unter dem Motto, das in den *Tractatus* zu Themen des Alten Testamentes bereits hier und da anklingt[13], daß nämlich die Inkarnation – und zwar im wortwörtlichsten Sinn des *induere carnem* – die zentrale Aussage christlichen Glaubens ist. Zentral ist diese Aussage speziell auch in der historischen Situation, in der sich Gregor befindet, d. h. in den Auseinandersetzungen mit den Thesen der Arianer. Wir werden sehen, daß Gregor versucht, in der Überarbeitung des Epithalamium die Thematik der beiden untrennbaren Substanzen in Christus noch stärker zu betonen.

[11] *Cf.* das fünfte Buch.

[12] Zur Bedeutung von *paulo ante* = ein wenig im Voraus *cf.* S. 155.

[13] In folgenden Tractatus erscheint das Motiv der Inkarnation: 5,15–18.22.26.27; 6,44; 7,18–30; 9,5–10; 13,30; 17,14sqq.24–27 (nach dem Vorbild Tertullians); 19,8–13; 20,12.

Doch bereits die erste Fassung orientiert sich an dem Satz *caro Christi, quod est Ecclesia*, der sich als Leitmotiv durch den gesamten Text zieht. Es liegt auf der Hand, daß Gregor auf die Aussagen des Epheser- und Kolosserbriefes rekurriert (Eph 1,22.23; 5,25–32; Col 1,18.24; 2,17, *cf.* auch Rm 12,4.5; 1 Cor 12,27; 6,15). Vor allem Eph 5,32: *sacramentum hoc magnum est ego autem dico in Christo et in ecclesia* benutzt Gregor als Hintergrund, auf dem er die Interpretation des Canticum als Liebesverhältnis zwischen Christus und der Ecclesia entwickelt.

Auffällig ist dabei, daß Gregor den biblischen Wortlaut teilweise abändert [14]. An allen oben genannten Stellen ist stets die Rede vom *corpus Christi*, nicht aber von *caro*; allein Eph 5,30.31 prägt mit dem Zitat Gn 2,23 die Verbindung *caro/corpus* vor: *quia membra sumus corporis eius, de carne eius et de ossibus eius... et erunt duo in carne una.* Da Gregor mit seiner Fassung: *caro Christi, quod est Ecclesia* (oder ähnlich, *cf.* die Zusammenstellung weiter unten) in der gesamten patristischen Literatur alleinsteht [15], kann man nicht annehmen, er habe diese Form als Bibeltext vorgefunden; wie man seiner Zitierweise ansehen kann, nimmt er die Gleichsetzung *corpus/caro* jedoch mit bestem Gewissen als schriftkonform an, so zum Beispiel Ct 1,29: *quam carnem ecclesiam esse apostolus definivit* und Ct 1,7: *ecclesia... ut apostolus definivit, caro est Christi* und noch deutlicher Ct 1,20: *...apostolo auctore didicimus, qui dixit: caro Christi, quod est ecclesia.* Daß Gregor der festen Annahme war, er könne *caro* als Synonym für *corpus* einsetzen, zeigt die Tatsache, daß er beide Fassungen ununterschieden verwendet, er also nicht konsequent *caro* statt *corpus* einsetzt [16].

Bereits in den Tractatus vermengt Gregor den Text der Zitate aus Gn 2,23 und aus Eph/Col:

[14] *Cf.* dazu auch das Kapitel »Gregors Bibeltext«, S. 92sq.
[15] Nach Ausweis des Vetus Latina-Materials; *cf.* H. J. Frede, VL 24/1, Freiburg 1962–1964, und VL 24/2, Freiburg 1966–1971, zu Eph 1,23 und Col 1,18.24.
[16] *Cf.* das Kapitel »Gregors Bibeltext«, S. 93.

tr 3,5: *Sarra... typum habebat ecclesiae, quam ecclesiam corpus Christi esse apostolus definivit, sicuti et Sarra Abrahae caro erat: hoc inquit os de ossibus meis et haec caro de carne mea.*

tr 5,26: *septem sunt carismatum spiritalium dona, quae per Esaiam... ecclesiae, quae Christi caro est, promittuntur*

tr 9,10: *cum enim ovem nominat, carnem Christi indicat, quam ecclesiam esse apostolus definivit dicens: Caro inquit Christi quod est ecclesia*

tr 11,30: *sic et in ecclesia quoque licet omnes in uno Christi corpore velut membra redigamur*

tr 12,8: *sanctificata est ecclesia... in Christi corpore deputata, cuius nos membra esse eodem apostolo auctore didicimus*

Im Epithalamium führt Gregor diese Tendenz weiter, indem er die reale Annahme menschlicher Substanz und ihre untrennbare Vermischung mit derjenigen Gottes *(in carne Christi... permixta dei et hominis substantia,* 2,6 [17]) als Voraussetzung der Erlösung betont, wo immer der zu kommentierende Text des Canticum und Assoziationen zu anderen Schriftzitaten Gelegenheit dazu bieten.

Gregor läßt durch den Mund der »Braut« mit dem Anruf *Osculetur me ab osculo oris sui* die Kirche zu dem Auferstandenen und Verklärten sprechen: *ad Christum filium dei tricenarium iuvenem decorum prae filiis hominum* (1,4), das heißt zu dem vollendeten Menschen [18], der nach Passion, Begräbnis und Auferstehung die Schön-

[17] Gregor scheut sich also nicht, von einer »Vermischung« der Substanzen zu sprechen.

[18] Mit der Bezeichnung *tricenarius* wird der Status Christi als *perfectus homo* gekennzeichnet, in dem er seine Heilstat vollbrachte; *cf.* dazu Gr-I arc 31.32: *triginta vero cubitis altitudo arcae tricenariam aetatem domini demonstrat, quia hominem quem induit per officium Iohannis in Iordane baptizavit; triginta etenim annorum erat, ut evangelista testatur, cum per aquam baptismatis susceptum, ut dixi, hominem donis caelestibus inlustraret. 32. Est ergo altitudo in mensura aetatis corporis Christi, sicuti beatus Paulus apostolus ait: Donec occurramus omnes in unitatem fidei et agnitionem filii dei, in virum perfectum in mensura aetatis plenitudinis Christi* (Eph 4,13.14).

heit der väterlichen *claritas* wieder angenommen hat (3,12), während er in der kurzen Zeit seines Wirkens auf der Erde (*modicum tempus ex nativitate usque ad passionem*, 5,11 [19]) in Knechtsgestalt [20], angetan mit dem schmutzigen Gewand des Sündenfleisches [21], erschienen war.

Nach dem Heilswirken, das mit dem *Adventus secundum carnem* seinen Anfang nahm (1,6–8), nach Passion und Auferstehung, hat die Kirche den Bräutigam gefunden (*tunc eum invenit Ecclesia*, 5,11), das heißt mit der Erkenntnis, daß Christus im Fleische auferstanden ist, beginnt mit der Aussendung der Apostel die reale Existenz der Kirche auf der Erde (*a tempore enim dominicae resurrectionis missi sunt apostoli, ut ex gentibus ecclesiam congregarent*, 5,11).

Zwar war die Kirche bereits vor diesem Zeitpunkt latent auf Erden vorhanden, sowohl in Patriarchen und Propheten [22] als auch im Heidentum [23] und auch, nur von Gott erkannt, unter der Herrschaft des Teufels (*quas (scil. plebes) suas esse dominus ante praesciret, ante adventum tamen sub iugo Pharaonis id est diaboli curribus tenebantur*, 2,25). Aber die »Geburt« der Kirche ist erst möglich durch die grundlegende Heilstat der Inkarnation. So hätten die Juden erkennen können, daß die Kirche *in corpore Christi* geboren war (5,10); das heißt, durch die Annahme des menschlichen Körpers durch Gott wurde die sichtbare Existenz und Entstehung der Kirche möglich. Andererseits konnte Christus erst in der latenten Kirche, die in weltlicher Philosophie und jüdischem Gesetz vergeblich nach Gott gesucht hatte (5,1–10), den Ort finden, wo er seine Hinneigung (*declinatio*) zum Menschen durch Selbsterniedrigung und Annahme

[19] Hier klingt die von Gregor auch in tr 9,11 vertretene Ansicht von dem einjährigen Wirken Jesu (nach Lc 4,19: *praedicare annum domini acceptum*) an.
[20] Nach Is 53,2-5 und Phil 2,7.8: GR-I Ct 3,12.13.
[21] Gr-I Ct 1,29 ω^2; 4,27; die Bezeichnung des sündigen menschlichen Fleisches als *sordidus* erklärt Gregor ausführlich in tr 19,8–12. Die *caro hominis obnoxia peccatis* (tr 19,9) ist in Za 3,3 prophezeit: *et Iesus erat indutus vestibus sordidis* (Vulg), sie ist *ex praevaricationis delicto* und *ex protoplaustorum elogio sordidata* (tr 19,10; *cf.* Ct 1,29 ω^2: *offuscatam propter transgressionem Adae et peccata parentum.*) Daher fürchtet die Ecclesia, *per praevaricationem falsorum sacerdotum sordida* zu werden (GR-I Ct 2,13 ω^2).
[22] *Cf.* GR-I Ct 1,8; 2,31.32; 4,4; 5,6–9.
[23] *Cf.* GR-I Ct 5,4.5.

der menschlichen Substanz vollenden konnte *(in synagoga non habuit ubi dominus declinaret, donec veniret Ecclesia, in qua rex noster veniens declinaret, pro qua et humiliavit se oboediens usque ad mortem..., qua declinatione ingredi in ea et habitare possit,* 2,43).

Es fällt auf, wie sehr Gregor die Wechselseitigkeit der Annahme des Menschen durch Gott, aber auch der Aufnahme Gottes durch den Menschen, betont. So spricht er von *adsumptio hominis* ebenso wie von *adsumptio dei*[24], so wie nach paulinischem Sprachgebrauch der Mensch Christus anziehen soll[25], zieht auch Christus das menschliche Fleisch an[26]. Die schon seit Tertullian bezeugte Verwendung von *induere* im Zusammenhang mit der Inkarnation[27] wird von Gregor ganz besonders bevorzugt.

Wenn Gregor auch sagt, daß in der Mischung göttlicher und menschlicher Substanz in Christus die Glut des Geistes stärker ist als die Hinfälligkeit des Fleisches (2,6), so läßt er an anderer Stelle Christus und die Kirche, die sein Körper und sein Fleisch ist, als gleichgewichtig, wenn nicht identisch erscheinen. So bezeugen dieselben Quersummen der Namen für Christus und die Kirche (α καὶ ω/περιστερά) daß sie beide eins sind (3,10.11); wie die Juden das Fleisch Christi realiter gekreuzigt haben[28], so haben sie auch seine Kirche, die sein Fleisch ist, verfolgt (2,2); sogar die Passion des Erlösers ist mit den Leiden seiner Apostel gleichzusetzen *(sodales apostoli, qui pari passionum sudore persecutiones... pertulerunt,* 2,10); ebenso sind die *redimicula ornamenti,* die den Herrn wie mit Gold und Silber schmücken, – nämlich die Verbindung des heiligen Geistes mit dem reinen und sündlosen Fleisch *(spiritus... sanctus cum*

[24] *Cf.* 1,27 ω^2 und 1,29 ω^2.

[25] Rm 13,14; Gal 3,27; *cf.* GR-I Ct 5,13 *bis.*

[26] GR-I Ct 1,29 ω^2; 2,1.6; 3,13.

[27] Schon Tertullian benützt *induere (scil. hominem/carnem)* für den Akt der Inkarnation (cf. ThLL 7/1b, 1264,75–84) mit einer gewissen Vorliebe, um den konkreten Charakter dieser Heilstat zu betonen, *cf.* besonders TE car 10,1.

[28] *Primum, quod ipsam carnem domini crucifixerunt, deinde, quod omnes credentes in eo variis pressurarum generibus adflixerunt*; diese Ausdrucksweise darf man nicht – wie offenbar G. Heine, in seiner Edition S. 133, – als doketistisch mißverstehen. Gregor kommt es hier darauf an zu sagen, daß die Juden das »Fleisch Christi« in zweifacher Form verfolgt haben, einmal den individuellen Körper Jesu, der von menschlicher Beschaffenheit ist, zum anderen seinen Körper, den die Kirche bildet.

pura et integra carne coniunctus, 2,38) –, genauso an den Gliedern seines Körpers, der Kirche, zu finden, nämlich in den Asketen, Märtyrern und Bekennern (2,39).

Die Kirche, die also »im Körper Christi« geboren wurde und ihren Herrn nach Auferstehung und Verklärung gefunden hat, bittet nun den Vater, daß er den Sohn in seiner zweiten Ankunft schicken möge. In dieser zweiten Ankunft soll die Zusage der vollständigen Vereinigung, der *nuptiarum caelestium*, eingelöst werden, die mit der Inkarnation als Unterpfand bei der Verlobung gegeben wurde (1,8). Die *adsumptio hominis* durch Gott, das heißt die Vereinigung göttlicher Substanz mit dem Sündenfleisch des Menschen, ist die *arra salutis*, die die Vollendung der Heilsgeschichte garantiert und die Vorbedingung für alle Heilstaten Christi darstellt, die körperlich erlittene Passion, das leibhaftige Begrabenwerden, die Auferstehung im Fleisch (2,2; 3,14; 4,12).

Durch die besondere Art, mit der sich die *adsumptio hominis* in dem Menschen Jesus vollzogen hat, indem er »dem Fleische nach« sowohl von Juden wie von Heiden abstammt (Booz und Ruth, 3,5–7), ist die Inkarnation darüberhinaus *arra salutis* für die ganze Menschheit[29].

Gregor hat seine Idee von der Rolle der Inkarnation in einem anderen Werk[30] in einem Satz zusammengefaßt:

> *GR-I frg in Gn 3,22*
> Die Ebenbildlichkeit der Gestalt, nicht aber die Ähnlichkeit des Wesens und Wandels[31] hatte er (Adam) empfangen. Als aber nach seinem Fall – nachdem die Zeit der Verdammnis abgelaufen war – der Erlöser kam und beide Substanzen, die

[29] *Cf.* dazu auch tr 9,8.9: *quia, si tantummodo ex Israhel ... corpus hominis dominus induisset et non ex gentibus peccatorum..., nec credere gentes in Christo nec salvari meruissent, quia arram carnis suae in Christi corpore non haberent. 9. Nunc vero ideo gentes salvantur in Christo, quia pignus redemptionis suae ex origine Ruth in Christi corpore habere meruerunt.*

[30] Das Fragment zu Gn 3,22 (CC 69, 159) kann zwar nicht mit letzter Sicherheit Gregor zugewiesen werden; Gedankenwelt wie Wortwahl sprechen jedoch für seine Autorschaft.

[31] *Imaginem vultus... similitudinem conversationis.*

> göttliche und die menschliche, in sich aufnahm, da wurde Adam »wie Gott«, weil Christus wie Adam wurde, dem er sowohl die göttliche Ebenbildlichkeit als auch die Ähnlichkeit göttlichen Wesens und Wandels durch seine, wie ich sagte, Annahme[32] gab und die Ewigkeit und Unsterblichkeit durch die Auferstehung seines Leibes schenkte und den Menschen in sich in das Himmelreich, woher er als Wort gekommen war, versetzte, damit derjenige, der zu Beginn Mensch war, nunmehr durch die Annahme Gottes zu Gott würde, wie geschrieben steht: Ich habe gesagt: Götter seid ihr alle und Kinder des Höchsten. (Ps 81,6).

Im Epithalamium wird die Heilsgeschichte in fünf Themenkreise aufgefächert: die Menschwerdung Christi als Heilszusage, der Status der Kirche und seine Erhaltung, Natur und Wirken Christi, die zweite Ankunft Christi als Ziel der Geschichte, der Weg der Kirche durch die Geschichte und die Vollendung. Die folgende Gliederung und Inhaltsangabe gibt einen Überblick über Struktur und Intentionen des Werkes. Um deutlich zu machen, wie das Leitmotiv *caro Christi* die einzelnen Teile verknüpft und umspannt, sind mit »L« (L=Leitmotiv) die Paragraphen vermerkt, in denen explizit darauf Bezug genommen wird.

[32] *Pro sua...adsumptione.*

Buch 1: Ct 1,1-5

1,1.2.(3) *Prolog:* Titel, Inhalt, (Warnung vor Häresien) (L: 1,1)
1,4-31 *Adventus secundum carnen*
1,4-8 Die Inkarnation als Erfüllung der Zeit (L: 1,6.7)
1,9-19 Die Ablösung des Alten durch das Neue:
Altes Testament/Neues Testament
Synagoge/Ecclesia
Die Gesalbten des Alten Bundes/Christus
1,20-22 Die Inkarnation als Zugang zum Reich Gottes (L: 1,20)
1,23-30 Die Wirkung der Inkarnation:
Schönheit und Makellosigkeit der Kirche (L: 1,29.30)
1,31 Schlußwort und Doxologie

Buch 2: Ct 1,6-12a
2,1-43 *Ecclesia*

2,1-28 Der Status der Ecclesia und seine Bewahrung: (L: 2,1.6)
Überwindung der Gesetzesfrömmigkeit
Das Festhalten an der Lehre von der Natur Christi
Die Abwehr häretischer Einflüsse
Aufforderung zu Selbsterkenntnis
Mahnung, den Status der Freiheit zu bewahren
2,29-39 Die Glieder der Ecclesia: (L: 2,31.37.39)
Die Kontinuität zwischen Patriarchen und Aposteln
Die Vielfalt der Geistesgaben
Der Schmuck der Ecclesia: Asketen, Märtyrer und Bekenner

2,40-43a Die Ecclesia als Ort der Heilstaten Christi
(L: 2,43)
2,43b Doxologie

Buch 3: Ct 1,12b-2,6

3,1-29 *Christus*

3,1-3 Die Untrennbarkeit von Christus und der Ecclesia
(L: 3,2)
3,4-8 Die leibliche Herkunft Christi:
(L: 3,6-8)
Die Abstammung von Juden und Heiden
Diese Abstammung als *arra salutis* für alle Menschen
Die Traube (Nm 13,18 sqq) als Bild hierfür
3,9-14 Die Natur Christi
(L: 3,11.14)
Namen für Christus und die Ecclesia
Die Gleichsetzung dieser Namen
Gott und Mensch in Christus:
Güte und Schönheit/Häßlichkeit und Schwäche
3,15-17 Christus als Nahrung der Ecclesia
(L: 3,17)
3,18-24 Die Heilstaten:
Das Kommen in die Welt
Der Höllenabstieg
(Die Kirche: weltliche und geistliche Gesinnung ihrer Glieder; ihre Position unter Juden und Heiden[33])
Die Zusage der Auferstehung
Das Sakrament von Fleisch und Blut

[33] Die Paragraphen 21 und 22 fallen aus der Komposition des Werkes heraus. Schon der Vers 2,2: *ut lilium in medio spinarum, sic proxima mea in medio filiorum et filiarum* fügt sich natürlich schlecht in den Abschnitt, den Gregor eigentlich christologischen Aussagen vorbehalten hat. Während er jedoch hier an seine Textvorlage gebunden ist, sind die beiden folgenden Paragraphen von Gregor gegen den Text *(tamquam malum inter ligna silvae, sic f r a t e r meus in medio filiorum)* der Kirche zugeordnet und nicht Christus. Durch das Stichwort *malum* erinnerte sich Gregor an

3,25-28 Die Liebe Christi:
Das Gebot der Nächstenliebe
Nachfolge Christi im Leiden
3,29 Die Auslöschung der Sünden
(L: 3,29)

Buch 4: Ct 2,7-17

4,1-30 *Adventus secundus*

4,1-7 Die Berufung der Juden:
(L: 4,2.3.6.7)
Die Segnung der Nachfahren Jakobs
Der Vorrang Christi vor Patriarchen und Propheten
Christus als Kind und Verfolgter der Juden
Christus als Bindeglied durch die Annahme des Fleisches

4,8-12 Die Berufung der Menschen allgemein:
(L: 4,11.12)
»Menschenfang« im Netz der Gleichnisse
Der Ruf zur Auferstehung des Fleisches

4,13-17 Anzeichen der zweiten Ankunft Christi:
Bedrängnisse der Welt
Ende der Verkündigung des Gotteswortes
Verbreitung des Glaubens über viele Völker
Bekehrung eines Teils der Juden

4,18-26 Die Ankunft selbst:
(L: 4,26)
Trennung von Spreu und Weizen

eine Passage in seinem Tractatus 11,26-28, auf die er auch hier offensichtlich nicht verzichten wollte und die er sinngemäß, beziehungsweise teilweise wörtlich in den neuen Kontext übernahm (*cf.* tr 11,28... *tamen multitudinem credentium in se conclusam continet et conservat, multa enim grana mali punici multitudinem populi manifestant).*

Der Lohn der Heiligen im Reich Gottes
Die Gegenwart des Gottesreiches
(Warnung vor den Pseudo-Propheten)

4,27-30 Zusammenfassung:
(L: 4,27.28.29)
Die Inkarnation in der Heilsgeschichte
Der Heilige Geist als Vollender von Patriarchen, Propheten und Aposteln

Buch 5: Ct 3,1-4

5,1-15 *Iter Ecclesiae*

5,1-5 Die Suche nach Gott in der Philosophie
5,6-9 Die Suche nach Gott im jüdischen Gesetz
5,10 Das Versagen der Juden
(L: 5,10)
5,11 Das Finden Gottes in Christus
5,12-15 Die Vereinigung von Christus und der Ecclesia im himmlischen Jerusalem[34]
(L: 5,12)

[34] F. J. Buckley, *Christ and the Church according to Gregory of Elvira*, Roma 1964, 31-34 bemühte sich ausführlich um das Verständnis des Paragraphen 5,13, hatte aber nur die beiden sicher falschen Lesarten des korrupten Textes zur Verfügung, dazu auch noch mit der irrtümlichen Lesung G. Heines (*in secreto synagogae* statt *in secretum eius ingreditur*, *cf.* auch den textkritischen Apparat zur Stelle und S. 158). Vermutlich verbirgt sich hinter † *In antiqua Christus* † (B und P), beziehungsweise dem Heilungsversuch *Itaque qui habet in se Christum, deus* (A und R, aus dem Folgenden: *nisi in se Christum habuerit*) ein Hinweis auf die Taufe, also etwa *in aqua baptismatis*, wodurch sich die mühsamen Erklärungsversuche Buckleys erübrigen.

DIE ZWEITE REZENSION

Die Existenz zweier Fassungen für den Gregor-Text hat Anlaß zu vielerlei Spekulationen gegeben[1], vor allem darüber, ob die kürzere oder die längere als die ursprüngliche und »richtige« anzusehen sei. Eine Kürzung des ursprünglichen Umfangs, noch dazu in zwei Stufen, wie sie A. Wilmart annahm[2], läßt sich durch nichts erklären. Es läßt sich keine auf den Inhalt bezogene Tendenz erkennen, die die Streichung bestimmter Passagen erforderte. Darüberhinaus wird ein Bearbeiter, der einen Text straffen will, seine Kürzungen nicht nur auf zwei von fünf Büchern beschränken. Die ersten beiden Bücher in ihrer kürzeren Form bilden mit den übrigen drei in Stil und Diktion ein homogenes Ganzes, während die zusätzlichen Teile der längeren Form an vielen Stellen ihren Charakter als Nachtrag und Ergänzung nicht verleugnen können. So wird man der Behauptung A. Vegas, die lange Version sei »harmonischer«[3], kaum folgen können, vielmehr fallen in ihr Brüche und einige Doubletten auf, die sich nur dadurch erklären lassen, daß Zusätze falsch eingefügt worden sind und Abschnitte, die durch die Überarbeitung überflüssig wurden, trotzdem im Text stehenblieben.

Wenn man die beiden Fassungen nebeneinander liest, so wie es in der vorliegenden Ausgabe ermöglicht wird, kann man mühelos feststellen, daß die Erstfassung den flüssigeren Gedankengang bietet, der in der Überarbeitung durch Einschübe an etlichen Stellen unterbrochen wird.

Unebenheiten und Brüche der Zweitfassung sind in den Editionen von A. Vega und J. Fraipont noch erheblich stärker, da keiner

[1] Der erste Herausgeber G. Heine bezeichnete die zusätzlichen Stücke in R und teilweise P als Interpolationen, A. Wilmart dagegen vermutete eine Kürzung des Textes in zwei Stufen, A. Vega deutete an, daß es sich um zwei Rezensionen desselben Autors handelt, wobei die längere die authentische ist. *Cf.* auch das Kapitel »Vorbemerkungen« mit den Anmerkungen 6, 12 und 23.

[2] A. Wilmart, *Les 'Tractatus' sur le Cantique attribués à Grégoire d'Elvire*: Bulletin de littérature ecclésiastique 1906, 235.

[3] A. Vega, *Advertencia Preliminar a la edición critica de la exposición 'In Canticum Canticorum' de Gregorio obispo de Eliberri*, España Sagrada 55 (Madrid 1957) 17, (ausführlich zitiert S.16 Anm. 23).

der bisherigen Herausgeber versucht hat, die Autorenvarianten von den Fehlern zu trennen, die durch die Überlieferung verursacht worden sind, wie zum Beispiel in 2,17.18. Dort ist durch Versehen der Schreiber der Handschrift R, das heißt durch Omission einer Passage, nachträgliche Ergänzung auf dem Rand und ein falsch plaziertes Zeichen für die Einfügung des ergänzten Textes das Zitat Rm 11,21.22 vollkommen unsinnig getrennt worden. Diese Irrtümer wurden von den Editoren getreulich übernommen[4], obwohl der zweite Zeuge, die Handschrift P, den richtigen Zusammenhang bewahrt hat.

Hier soll auf die Schwächen der zweiten Rezension, wie sie uns überliefert ist, in der Reihenfolge der Stellen im Text hingewiesen werden:

1,15.16: Offenbar sollte die Passage *exinanitum est - diffusum est* durch die Neuformulierung *exinanivit et evacuavit – exinanitum nomen tuum* ersetzt werden; es blieben jedoch beide Fassungen nebeneinander stehen.

1,24b und 1,27a: Der letztere Abschnitt ist eine Wiederholung des erstgenannten, bis auf die Ergänzung von *fides et sanctitas* durch *propter adsumptionem dei.*

1,29: Hier ist der Gedanke von Sündenfall und Idololatrie als Ursache für die schwarze Farbe der Ecclesia *(fusca sum et decora)* aufgefüllt mit einem neuen Hinweis auf die Bedeutung der Inkarnation, verbunden mit Rm 8,3; dieser Komplex fügt sich in den ursprünglichen Satz nur schwerfällig ein, besonders der Anschluß *et quia generalem summam – suscepit* fällt aus Gedankengang und Konstruktion heraus.

[4] So entsteht folgender Text (GR-I Ct 2,17.18):... quia *qui naturalibus ramis non pepercit*, ut apostolus dicit, *nec vobis inquit parcet insertis.* Cum enim subiunxit: exi tu in vestigiis gregum, dicere videtur: *nisi eandem bonitatem participaveris*, et tu hunc exitum habebis. *Cf.* zur Stelle auch S. 152.

2,4: Die Neuformulierung dieses Paragraphen ist gegenüber der ersten Fassung geschwätzig und voller Wiederholungen (*relicta...vinea; noluit/noluit; maluit/maluit*).

2,5: *Quasi ipsa nesciret* sollte gewiß der Ersatz für *quia velut ignorans* sein; auch hier blieben alte und neue Fassung nebeneinander stehen. (Das Schriftzitat in 2,5 nach Mt 2,13-15 ist vermutlich sowohl durch unklare Notierung des Autors als auch durch Fehler der Überlieferung entstellt, *cf.* den textkritischen Apparat zur Stelle).

2,8-10: Der Zusatz *O altitudo – veritatem ostende mihi* gehört eindeutig zu dem Gedanken in 2,7, das heißt zu dem Lemma *Adnuntia mihi...Ubi pascis ubi manes in meridiano,* nicht aber zum folgenden *Ne forte efficiar circumamicta.* Wahrscheinlich hatte Gregor den Zusatz nicht eindeutig der passenden Stelle zugeordnet, so daß in der Überlieferung das Lemma *Ne forte... sodalium tuorum* doppelt erscheint, einmal an falscher Stelle vor dem Zusatz, einmal danach in verstümmelter Form, nämlich ohne *circumamicta.*

2,11: Der Zusatz *per separationem nominis tui* ist in dieser Form kaum verständlich [5] und ist sicher nur eine vorläufige Notiz des Autors.

2,14: Ebenso scheint Gregor den Zusatz *per doctrinam ob commissionem illicitam* nicht endgültig formuliert zu haben [6].

2,15: Der Einschub *Cum enim sancta – decoram inter mulieres* unterbricht den Gedankengang gewaltsam und muß mühsam mit *ut iam dixi, hoc est, id est, ut dixi* zusammengehalten werden; besonders der in der Edition in Parenthese gesetzte Nebensatz *ne quis... hominem a deo separaret* [7] läßt sich kaum im Satzgefüge unterbringen.

[5] *Cf.* die Erklärung zur Stelle S. 50 und 151.
[6] *Cf.* die Erklärung zur Stelle S. 50 und 151.
[7] *Cf.* die Erklärung zur Stelle S. 151.

2,23.24: In der Erstfassung hatte Gregor eine Erklärung der *tabernacula pastorum* unterlassen. Dadurch, daß er diese nun ergänzt, wird gleichzeitig der Zusammenhang zwischen den Paragraphen 22 und 24 zerstört: *retro gesta eius* bezieht sich direkt auf das Zitat in 2,22: *peccavit populus tuus.*

2,25-26: An dieser Stelle ist der beabsichtigte Wortlaut wahrscheinlich durch zwei Irrtümer verdunkelt. Einmal ist neben der Neuformulierung *Equas enim ut dixi iam - curribus tenebantur* die alte Fassung *Ac proinde cum equas - urgerentur* stehengeblieben. Zweitens ist die Neuformulierung irrtümlich an die falsche Stelle gerückt worden. Wie aus der Erstfassung zu ersehen ist, stellt die Passage *Pharaonem autem diabolum esse - persequitur sanctos* die unmittelbare Fortführung des Paragraphen 2,24 dar. In der handschriftlichen Überlieferung trennt jedoch die Neuformulierung *Equas enim etc.* diesen Zusammenhang. In der vorliegenden Edition ist nach dem Vorbild der Erstfassung die gewiß so beabsichtigte Reihenfolge wiederhergestellt worden[8].

Wollte man trotz dieser offensichtlichen Mängel wie A. Wilmart und in seinem Gefolge A. Vega und J. Fraipont annehmen, die kürzere Fassung sei das Ergebnis von Streichungen in zwei Stufen, bliebe doch immer noch die Frage offen, warum für die Bücher drei, vier und fünf keine Spuren einer ursprünglich längeren Fassung zu finden sind. Zumindest müßte man voraussetzen, daß für diese Bücher der originale vollständige Text verlorengegangen sei.

Wenn man die oben gegebene Analyse einiger Stellen der längeren Fassung berücksichtigt, muß man jedoch der Meinung des ersten Editors G. Heine folgen, der die Erweiterungen in den ersten beiden Büchern als »Interpolationen« bezeichnete, ohne allerdings auf deren Urheber und die Entstehungsgeschichte einzugehen[9] und auch, ohne zu bemerken, daß sich diese Interpolationen nicht im gesamten Text finden.

[8] *Cf.* den textkritischen Apparat zur Stelle und S. 152.
[9] G. Heine, Bibliotheca Anecdotorum 1, Leipzig 1848, 133.

Der Gedanke, Gregor selbst könne für alle beide Fassungen verantwortlich sein, taucht bereits bei A. Vega auf[10]. Er verweist darauf, daß auch für den Traktat *De fide* zwei Rezensionen existieren. In diesem Fall bestätigt sogar Gregor selbst, sein Werk noch einmal überarbeitet zu haben. Hier könnte man ergänzend darauf hinweisen, daß sich auch in den *Tractatus Origenis* in den beiden erhaltenen Handschriften einige Unterschiede in Textumfang und Formulierung finden, die nicht zwangsläufig durch die Textüberlieferung entstanden sein müssen, sondern auch auf Autorenkorrekturen zurückgehen können[11].

Da auch sonst eine »Zweite Auflage im Altertum«[12] nicht selten ist, kann man Vega nur beipflichten in der Vermutung, daß Gregor für die zwei Fassungen gleichermaßen verantwortlich ist. Nicht nachzuvollziehen ist dann jedoch die Frage, welche von beiden die authentische sei[13]. Noch weniger verständlich ist die Entscheidung für die längere Version als »ursprüngliche«, denn warum sollte ein Autor sein eigenes - nach Ansicht Vegas - in sich logisches und harmonisches Werk durch Streichungen verstümmeln und teilweise unverständlich machen?[14]

Wenn wir tatsächlich zwei Fassungen desselben Autors vor uns haben, muß die eine wie die andere von gleichem Interesse sein, und ein Editor muß sich um eine möglichst saubere Trennung der Rezensionen bemühen. Mag sich auch die Frage nach der Reihenfolge der Entstehung von Lang- und Kurzfassungen nicht generell beantworten lassen, so liegt es doch näher, daß der Autor durch eine Überarbeitung zusätzliche Gedankengänge in sein Werk einfügt, Fehlendes ergänzt und somit den Umfang des Textes vergrößert.

[10] A. Vega, *op. cit.* (Anm. 3), 17.
[11] So zum Beispiel tr 4,23; 5,1.4; 6,56; 8,7; 17,29-31.
[12] *Cf.* H. Emonds, *Zweite Auflage im Altertum*, Klassisch-philologische Studien 14, Leipzig 1941.
[13] A. Vega, *op. cit.* (Anm. 3) ,18: »Decididamente pues, vindicamos como legítima y la mas genuina del obispo eliberritano la redacción amplia«.
[14] *Cf.* A. Vega, *op. cit.* 17, wo Vega betont, daß die längere Fassung »stets einen verständlichen und harmonischen Text« biete, die kürzere dagegen häufig unverständlich sei.

Daß Gregor selbst für die Veränderungen verantwortlich ist, macht die Analyse dieser Zusätze und Korrekturen sehr wahrscheinlich.

Wie bereits erwähnt, betrifft die Bearbeitung nur die ersten beiden Bücher. Die einzige Handschrift [15], die uns die Zweitfassung in nicht kontaminierter Form überliefert, zeigt, daß die Bücher eins und zwei in der Bearbeitung ursprünglich gesondert tradiert wurden: eine in eben dieser Handschrift enthaltene Liste von *Capitulationes* zum Epithalamium bricht nach dem letzten Lemma des Buches zwei ab [16].

In derselben Handschrift sind vermutlich zum ersten Mal die ersten beiden Bücher in der Zweitfassung mit den übrigen drei Büchern wieder verbunden worden. Diese entnahm der Schreiber einer zweiten Vorlage, nach der er auch Korrekturen in die Bücher eins und zwei eintrug [17]. Durch diese »Verbesserungen« ist der ursprüngliche Text der Zweitfassung an einigen Stellen unklar geworden; er läßt sich jedoch mit Hilfe einer zweiten Handschrift [18], die den rezensierten Text nur teilweise übernommen hat, meistens absichern. Im ersten Buch kommt noch das Exzerpt des Beatus von Liébana als dritter Zeuge hinzu [19].

Ein Vergleich der beiden Fassungen fördert drei unterschiedliche Arten von Veränderungen zutage.

1. kurze Auffüllungen und Ergänzungen,
   zum Beispiel: (vor der Klammer die Erstfassung)
   1,1 *per Salomonem] per vatem integrum Salomonem*
   1,17 *non putemus] non putetis, dilectissimi fratres*

[15] Es handelt sich um die Handschrift R (*cf.* die Beschreibung S. 113sq), von der die beiden anderen Handschriften (UN), die die längere Fassung bieten, direkt abhängig sind (*cf.* S. 124sq).
[16] Diese Capitulationes sind abgedruckt in A. Vega, España Sagrada 56, Madrid 1957, 267 sqq = PLS 4, 1682.
[17] *Cf.* die Beschreibung der Handschrift R S. 144 und 121–123.
[18] Die Handschrift P (*cf.* die Beschreibung S. 131sq) enthält die zweite Rezension teilweise.
[19] *Cf.* S. 116.

2,11 *sequar haereticam factionem] sequar per separationem nominis tuae haereticam factionem*
2,14 qui devorarent plebes Christi] qui devorarent plebes Christi per doctrinam ob commissionem illicitam

Zu dieser Rubrik gehören auch die Ergänzungen von Schriftzitaten wie in 2,17 und 2,20 oder der Zusatz eines weiteren Bibelwortes.

2. zusätzliche Passagen mit neuen Gedankengängen und Zusammenfassungen als Abschluß eines Abschnittes, zum Beispiel:
1,3: ein theoretischer Abschnitt über die Pflicht, die heilige Schrift zu erforschen
2,8: Gedanken über Allegorie und Typologie in den Aussagen des Alten Testamentes
2,15: eine Zusammenfassung der vorhergehenden Paragraphen
2,21-23: zusätzliches Beispiel zu *pasce haedos tuos* (Ct 1,8), nämlich Jo 21,17 *pasce oves meas*
2,26b.27.28: ein zusätzlicher (homiletischer) Abschnitt über die Befreiungstat Christi
2,42.43: ein Lasterkatalog in Verbindung mit dem Wort Jesu Jo 10,8

3. Umformulierungen ganzer Passagen, die keine inhaltlichen Erweiterungen darstellen. Es scheint so, daß einige dieser Passagen, die durch einen neuen Wortlaut ersetzt werden sollten, im Text stehengeblieben sind[20], so daß sich inhaltliche Doubletten ergeben.
Beispiele für Umformulierungen sind:
1,29[21]
2,3.4 (zugleich auch Auffüllungen, die zur Rubrik 1 gehören)

[20] *Cf.* S. 148; 149; 152.
[21] *Cf.* die unterschiedlichen Formulierungen dieses Paragraphen in den beiden Rezensionen, S. 188 und 189sq.

2,25a (eventuell als Ersatz für 2,26a gedacht)
2,34 (eventuell als Ersatz für 2,33b gedacht)
Zu den »Umformulierungen« gehört auch der Austausch einzelner Vokabeln, wie *et adiecit* statt *et addidit* zur Einführung der Lemmata, *per praevarictionen* statt *per seductionem* (2,13), *damnemur* statt *plectamur* (2,20), *exercet* statt *gerit* (2,25) und Ähnliches. Diese Fälle sind relativ selten.

Keiner der Zusätze und Veränderungen trägt Züge einer anderen Hand als der Gregors. Das betrifft sowohl Inhalt und theologische Tendenzen als auch Sprachgebrauch und Wortschatz.

Gregor hat seine Canticum-Erklärungen auf dem Hintergrund des Epheserbriefes entwickelt[22], besonders stellt er leitmotivisch die Aussage von der Kirche als *corpus Christi* in den Vordergrund[23]. Auch in den Zusätzen der zweiten Rezension wird auffallend häufig auf den Epheserbrief verwiesen[24]. Dabei weist das Zitat Eph 1,23; 5,30 in 1,29 ganz deutlich auf Gregor als Urheber; er zitiert: *...carnem hominis induendo, quam carnem Ecclesiam esse apostolus definivit, cuius nos membra sumus.*

Nun ist aber Gregor, soweit bekannt, der einzige, der in diesem Schriftzitat das originale *corpus* gegen *caro* austauscht [25]. Nur ein ganz bewußter Imitator Gregors, der zudem die Intentionen des Epithalamium genau erkannt haben müßte, hätte den Zusatz so formulieren können.

Auch die anderen Schriftzitate, die sich zusätzlich zur kurzen Fassung finden, haben den Wortlaut, den Gregor auch sonst benutzt, das betrifft auch den Lemmatext selbst, (mit geringfügigen Ausnahmen[26]).

[22] *Cf.* dazu das Kapitel »Form und Inhalt«.
[23] *Ibidem* S. 31–35.
[24] Zusätzliche Zitate aus dem Epheserbrief in ω^2 finden sich in 1,3; 1,7; 1,26; 1,29; 2,26.
[25] *Cf.* den Zeugenapparat zu Eph 1,23 und Col 1,18.24 in den VL-Editionen, H. J. Frede, VL 24/1, Freiburg 1962-1964 und VL 24/2, Freiburg 1966-1971.
[26] Die Abweichungen sind zu ersehen aus der Rekonstruktion des Lemmatextes S. 74–80.

Auch der Sprachduktus und das Vokabular der Zusätze unterscheidet sich nicht von denen der Erstfassung, bzw. dem aus den anderen Werken Gregors bekannten. Ein besonders deutliches Beispiel ist die Verwendung von *munificentia* in der Bedeutung von *ministerium in rebus sacris*. Nach Ausweis des Thesaurus Linguae Latinae (8, 1652,26-35) ist diese Verwendung außer in einer Vetus Latina-Stelle (2 Mcc 3,3) nur zweimal bekannt, am hier behandelten Ort Ct 2,4 *noluit legalem munificentiam observare (scil.* Paulus) und in Gregors Tractatus Origenis tr 7,27 *non veni legem evacuare sed adimplere, quod et fecit, dum omnem legalem munificentiam et implet et servat* (*scil.* Christus).

Weitere Beispiele von Übereinstimmungen zwischen den Zusätzen und anderen Werken Gregors sind:

1,1 *vatem...Salomonem*, *cf.* *vates Moyses* tr 20,2
1,3 *verborum cavillatio*, *cf.* tr 10,2
1,17 *dilectissimi fratres* (in dieser Wortfolge), so immer in tr, zum Beispiel tr 1,4; 12,4; 17,15; 18,20
1,29 die Betonung des *corpus humani generis* (*scil.* Christi), *cf.* tr 19,13
2,8 und 2,15 die Betonung des Begriffspaares *ratio et veritas*, cf. Ct 2,13
2,14 *per doctrinam...illicitam*, *cf.* tr 5,21
2,34 *varietas charismatum*, *cf.* tr 5,14

Auch inhaltlich fügen sich die Zusätze nahtlos in die Ideenwelt und die Intentionen Gregors ein. Zu einem großen Teil dienen sie dazu, die christologischen Aussagen Gregors zu verstärken und vor allem dazu, die *verisimilia exempla* (Ct 2,15; *cf.* dazu auch 1,3: ...*verisimilia fallant*), das heißt die nur scheinbar wahren Glaubensgrundsätze der Häretiker, zu entlarven und zurückzuweisen. »Die Häretiker« sind für Gregor selbstverständlich die arianisch beeinflußten Kreise, die die Lehre von den zwei Substanzen in Christus verwässern.

In diesem Zusammenhang stehen auch die auf den ersten Blick schwer verständlichen Zusätze

Ct 2,11: *per separationem nominis tui*
Ct 2,14: *per doctrinam ob commissionem illicitam*

Diese gewiß nicht schon ausgefeilt und endgültig formulierten Notizen zum ursprünglichen Text beziehen sich wohl zum einen auf die Trennung der beiden Substanzen bei der Benennung Christi und zum anderen, mit einem Seitenhieb, auf die unerlaubte, ungesetzliche Lehre bezüglich der Vermischung[27] (*scil.* der Substanzen).

Ebenso dient auch der gesamte große Einschub in 2,15 dazu, die von Christus angekündigten *lupi rapaces* mit denen zu identifizieren, die das richtige Verhältnis der Mischung göttlicher und menschlicher Substanz (*temperamentum dei et hominis*) verkennen, in dem die Bedeutung der evangelischen Wahrheit (*ratio evangelicae veritatis*) beschlossen ist.

Schon in dem Zusatz 2,9 wird - das Vorhergehende zusammenfassend - ausgedrückt, daß im Wesen dieses *temperamentum* Sinn, Bedeutung und die endgültige Wahrheit des Evangeliums verkörpert ist (*in evangelii tui temperamento et rationem et definitionem totamque veritatem ostende mihi*).

Gregors besonderes Interesse an der Inkarnation findet auch Ausdruck in dem nicht ganz glücklich in 1,29 hineinkomponierten Abschnitt

> *...quoniam necdum fuisset adsumpta (scil. caro) et quia generalem summam humani corporis dominus in semet ipso suscepit, unde et apostolus peccatum inquit pro nobis factus est, id est carnem hominis peccatoris induendo, quam carnem Ecclesiam esse apostolus definivit, cuius nos membra sumus.*

[27] Vermutlich steckt hinter dem überlieferten *commissionem commixtionem*, cf. S. 151.

Die Betonung des *humanum corpus Christi* in vollster Bedeutung, daß er nämlich unser Sündenfleisch »anzog« (*induere*) und das nachfolgende Epheserzitat - noch dazu in der für Gregor typischen Form mit *caro* statt *corpus*[28] - passen so vorzüglich in Gregors Ideenwelt, daß man sich kaum vorstellen kann, ein fremder Bearbeiter hätte die fraglichen Partien hinzugefügt.

Gregor von Elvira hat also aller Wahrscheinlichkeit nach das Epithalamium teilweise überarbeitet, um sich in dieser Form, die in manchem einer Predigt nähersteht - wie in den Aussagen in der ersten Person Pluralis und den adhortativen Formen - noch ausgeprägter über sein Generalthema »Inkarnation« zu äußern und vor Verfälschung der Lehre davon zu warnen.

VORBILDER, QUELLEN UND NACHWIRKEN

Die Auslegung des Canticum Canticorum durch Gregor von Elvira ist die älteste lateinische, die uns erhalten ist. Da Gregor in seinen übrigen Werken häufig auf die Werke seiner Vorgänger und Zeitgenossen zurückgreift[1], liegt die Vermutung nahe, auch für den Canticum-Kommentar habe er sich an einer oder mehreren Vorlagen orientiert. Die von P. Batiffol geäußerte Vermutung[2], Gregors sogenannte *Tractatus Origenis* seien möglicherweise keine

[28] *Cf.* das Kapitel »Gregors Bibeltext«, S. 92sq.

[1] Zu den Quellen und Vorbildern Gregors *cf.* H. Koch, *Zu Gregor von Elviras Schrifttum und Quellen*: Zeitschrift für Kirchengeschichte 51 (1932) 238-272; A. Wilmart, *Les 'Tractatus' sur le Cantique attribués à Grégoire d'Elvire*: Bulletin de littérature ecclésiastique 1906, 260-269; D. De Bruyne, *Encore les 'Tractatus Origenis'*: Revue Bénédictine 23 (1906) 165-188; C. Vona, *Tractatus de libris sacrarum scripturarum. Fonti e sopravivenza medievale*, Roma 1970; D. Gianotti, *Gregorio di Elvira interprete del Cantico dei Cantici*: Augustinianum 24 (1984) 421-439; J. Frickel, *Zu Hippolyts Kommentar zu den Proverbien*: Studia Ephemeridis Augustinianum 37 (1992) 197-185.

[2] *Cf.* P. Batiffol, A. Wilmart, *Tractatus Origenis de libris SS. Scripturarum*, Paris 1900, XIV-XVIII. Auch V. Bulhart, *Praefatio* in: *Gregorii Iliberritani Episcopi quae*

lateinischen Originale, sondern Übersetzungen aus dem Griechischen, wirft dieselbe Frage auch für den Canticum-Kommentar auf, umso mehr, als der Titel *Epithalamium* vor Gregor im lateinischen Sprachbereich nicht für dieses biblische Buch belegt ist[3].

Allerdings läßt sich diese Frage nach Original oder Übersetzung leicht beantworten. Die Erklärungen Gregors zum Hohelied-Text beziehen sich so eindeutig auf den Wortlaut der altlateinischen Canticum-Übersetzung mit allen ihren Fehlern, daß eine griechische Vorlage, deren Deutungen auf dem Septuaginta-Text beruhen müßten, grundsätzlich auszuschließen ist. Das muß natürlich nicht heißen, daß nicht das eine oder andere Motiv von griechischen Vorgängern übernommen sein kann.

Es sind besonders folgende Übersetzungsfehler in der altlateinischen Übersetzung, die in den Lemmatext aufgenommen und dementsprechend auch kommentiert werden und damit die lateinische Herkunft des Epithalamium bestätigen.

Ct 1,6	παρέβλεψέν με ὁ ἥλιος	*eam despexerat sol/ non est intuitus me sol*	*cf.* 1,24.25
1,7	περιβαλλομένη	*circumamicta/ (cooperta?)*[4]	*cf.* 2,11-13
1,13	ἀπόδεσμος τῆς στακτῆς	*ligamentum guttae (gutta calida vis est, quae... nullo modo evellitur)*	*cf.* 3,2
1,17	φατνώματα	*praesaepia*	*cf.* 3,16.17

supersunt ed. V. Bulhart, CC 69, 1967, LII sq, stellt das Thema wieder zur Debatte, ohne ein abschließendes Urteil zu fällen. Die von Batiffol und Bulhart vorgebrachten Beispiele scheinen tatsächlich auf griechische Vorlagen zu deuten. Es ist aber zu fragen, ob Gregor diese Passagen nicht bereits in seinen zahlreichen Quellen vorfand, das heißt, daß nicht die Tractatus in der Form ,wie sie uns vorliegen, nach einer griechischen Vorlage übersetzt sind, sondern nur gewisse Partien, die Gregor übernahm. Eine Untersuchung dieser Frage kann in diesem Rahmen nicht stattfinden.

[3] *Cf.* ThLL 5/2, 688, 72-80.

[4] *Cf.* zu *cooperta* S. 149sq; es ist nicht sicher, ob Gregor hier *cooperta* als Synonym für *circumamicta* verstanden wissen will oder nicht.

2,2	τῶν θυγατέρων	*filiarum + et filiorum*	*cf.* 3,19
2,5	ἐν μήλοις	*in malis (id est in periculis et passionibus)*	*cf.* 3,27
2,9	ἐκκύπτων διὰ τῶν δικτύων	*auscultatur per retia*	*cf.* 4,6-9
2,12	καιρὸς τῆς τομῆς	*tempus metendi*	*cf.* 4,18
2,13	ἔδωκαν ὀσμήν	*dederunt odorem suum + in omni loco odor mandragorae dederunt odorem suum*	*cf.* 4,19.20
2,14	ἐν σκέπῃ τῆς πέτρας ἐχόμενα τοῦ προτειχίσματος	*in protectione petrae continuatae muro*	*cf.* 4,22

Diese Eigenwilligkeiten gegenüber der griechischen Vorlage finden sich sämtlich auch im altlateinischen Canticum-Text, der uns in der Handschrift 169[5] überliefert ist und auch teilweise durch andere patristische Zeugen bestätigt wird[6].

Es ist zu vermuten, daß die beiden lateinischen Canticum-Kommentare, die dem Epithalamium Gregors vorausgingen, nämlich die Arbeiten des Reticius von Autun und des Victorinus von Pettau, ebenfalls auf dieser altlateinischen Übersetzung beruhten[7]. Nur eine knappe Notiz darüber kann diese Vermutung untermauern, denn weitere Überreste, die auf den Wortlaut der altlateinischen Übersetzung schließen lassen, sind bisher nicht bekannt.

Hieronymus jedoch erwähnt, daß Reticius unverständlicherweise sagte, *aurum Ofaz* (Ct 5,11: *aurum optimum*, Vulg) bedeute *petra:*

[5] Die Bezeichnung 169 VL entspricht der Handschrift Salzburg, Stiftsbibliothek St. Peter a. IX. 16, saec. 8. *Cf.* die Beschreibung in VL 10/3, Freiburg 1992, 20-22.

[6] Teile dieses Textes bezeugen neben Gregor von Elvira auch das pseudoaugustinische Speculum, Rufin, Hieronymus, Ambrosius und andere.

[7] Zu Reticius und Victorinus *cf.* J. Doignon, *Formen der Exegese*, in: Handbuch der lateinischen Literatur der Antike, Hrsg. R. Herzog und P. L. Schmidt, Bd. 5, München 1989, 419; 410-415.

> *...vehementer miratus sum virum eloquentem praeter ineptias sensuum ceterorum ... putasse ... aurum Ofaz petram significari, quod Cephas in evangelio Petrus sit appellatus* (HI ep 37,1)

Nun ist aber die (irrtümliche) Übersetzung von κεφαλὴ αὐτοῦ χρυσίον καὶ φαζ mit *caput eius aurum cephas* sowohl im Text der Handschrift 169 als auch bei Ambrosius[8] belegt, so daß ein lateinischer Kommentator ohne Kenntnis der griechischen Vorlage leicht zu der gerügten Deutung kommen konnte. Bei Gregor von Elvira findet sich leider dieses Zitat nicht, jedoch dürfen wir davon ausgehen, daß diese Version auch in seinem Bibeltext stand.

Da allen Anzeichen nach bis zur sogenannten hexaplarischen Rezension des Hieronymus (um 387) nur eine lateinische Übersetzung des Canticum Canticorum - wenn auch mit regionalen und zeitlich bedingten Nuancen - existierte, kommentierte Reticius gewiß eben diese Übersetzung; und es ist durchaus wahrscheinlich, daß Gregor dieses Werk kannte.

Ähnlich mag es sich mit dem Canticum-Kommentar des Victorinus von Pettau verhalten, von dessen Existenz wir durch Hieronymus Kenntnis haben:

> *...sunt autem haec (scil. opera eius): commentarii in Genesim, in Exodum, in Leviticum, in Esaiam, in Ezechiel, in Abacuc, in Ecclesiasten, in Canticum Canticorum, in Apocalypsin Iohannis, adversum omnes haereses et multa alia* (HI ill 74)

Da Victorinus nach Aussage des Hieronymus »besser Griechisch sprach als Latein«[9] und überdies seine exegetischen Arbeiten an Origenes ausrichtete[10], könnte man hier die Brücke vermuten, über

[8] AM 118 Ps 15,12; sp 2 pr; Val 59.
[9] HI ill 74.
[10] *Ibidem.*

die Gregor Kenntnis von den Canticum-Auslegungen des Hippolyt und Origenes erhalten hat. Diese Annahme wird untermauert dadurch, daß Gregor Ideen und Gedankengänge des Victorinus übernimmt[11]. Da jedoch dessen Canticum-Kommentar nicht erhalten ist, lassen sich auch hier Einflüsse auf Gregor nicht beweisen.

Ungeachtet der Übernahme von einzelnen Motiven in die Interpretation stellt sich das Epithalamium als originale Arbeit Gregors dar. Dafür spricht in erster Linie das »Leitmotiv«[12] *(caro Christi, quod est Ecclesia)*, das auch in den *Tractatus Origenis* nachzuweisen ist und für das Epithalamium Hauptinteresse und Hintergrund des gesamten Textes bildet. Außerdem benützt Gregor in diesem Werk als hauptsächliche Quelle seine eigenen *Tractatus* zum Alten Testament, das heißt, er übernimmt ganze Passagen teils wörtlich, teils etwas anders formuliert, aus den Erörterungen zu Einzelfragen des Alten Testaments und fügt sie in den großen Zusammenhang des Themas *nuptiae Christi et Ecclesiae* ein.

In der folgenden Aufstellung sind nur Passagen größeren Umfangs aufgenommen, nicht aber die unzähligen verstreuten Anklänge in Wortwahl oder Gedankenführung.

Ct 1,1.4.7.8	tr 12,14.15 *(osculum, anulum fidei)*
1,9	2,19; 6,60.61 *(prisca lex, evangelium)*
2,3	11,18.19; 13,29 *(vinea, populus Israel)*
2,19	4,10.11 (1 Cor 10,1-5)
3,4.8	11,6.11.12.17; 6,54.55 *(speculatores in terram promissionis missi)*
3,6	9,4-9 *(Ruth Moabita/ origo Christi)*
3,16	19,11 *(praesaepium Christi)*
3,21.22	11,26.27.30.32 *(malum granatum/ ecclesia)*
4,1	5,34-36 *(benedictio Isaac)*
4,17	5,30; 7,19 *(Helia/ secundus adventus Christi)*

[11] So zum Beispiel aus dem Apokalypsenkommentar.
[12] Zu diesem Leitmotiv *cf.* S. 30–35.

Theoretisch ist es allerdings ebenso denkbar, daß Gregor umgekehrt Material und einzelne Passagen aus dem Canticum-Kommentar in die *Tractatus* zu alttestamentlichen Themen hinübernahm. Dagegen spricht jedoch die Tatsache, daß in keinem der angeführten Fälle in den *Tractatus* eine Assoziation mit Stellen des Canticum erscheint. Dies wäre kaum vorstellbar, wenn Gregor das Epithalamium vor den *Tractatus* geschrieben hätte; bei der großen Neigung, sich selbst zu zitieren, würde man zumindest an einigen Stellen erwarten, daß Reminiszenzen an den Canticum-Text auftauchen. Abgesehen vom Traktat 12 benutzt Gregor jedoch in den *Tractatus* kein einziges Zitat aus diesem biblischen Text, so daß man davon ausgehen muß, daß er bis zur Niederschrift des Epithalamium kein Interesse an diesem Buch der heiligen Schrift hatte. Als er dagegen das Canticum Canticorum auszulegen versuchte, erinnerte er sich bei Stichworten seines Lemmatextes - wie z. B. *botrus, praesaepium, vinea, malum* - an passende Stellen aus seinen früheren Werken. Ein besonders gut nachvollziehbares Beispiel ist die Parallele zwischen tr 11,6.11-17 und Ct 3,4.8. Der elfte Traktat behandelt Nm 13,1-27, die Aussendung der Kundschafter in das Land der Verheißung und ihre Rückkehr mit Traube, Feige und Granatapfel. Diese Gaben des gelobten Landes werden allegorisch ausgelegt. Ein Hinweis auf das Vorkommen der Vokabeln *botrus, ficus, malum* im Canticum erfolgt dabei, wie bereits gesagt, nicht. Andererseits nimmt Gregor beim ersten Vorkommen von *botrus* im Canticum 1,14 die Gelegenheit wahr, die Auslegung von *botrus in phalanga* aus Nm 13 in das Epithalamium zu übernehmen (3,4.8), und wenn dann im Canticum das Stichwort *malum* erscheint (Ct 2,3), greift er seine Interpretation des Granatapfels als Typos der Kirche aus demselben Traktat auf (tr 11,26-28.30), obwohl im Canticum-Text *malum* (nur dieses bietet der Lemmatext, nicht aber *malum granatum*) eindeutig auf den Geliebten/Christus und nicht auf die Geliebte/Ecclesia zu beziehen ist[13]: *tamquam malum inter ligna silvae, sic frater meus in medio filiorum.*

[13] Zu dem Bruch in der Argumentation *cf.* S. 38, Anm. 33.

Wenn auch das Epithalamium als eigenes Werk Gregors angesehen werden muß, gibt es Anzeichen im Text dafür, daß er hier und da auch fremde Quellen benutzt hat. Abgesehen davon, daß er zumindest für Ct 1,3 zwei lateinische Versionen kannte[14] und beide für seinen Kommentar auswertete, bietet er an anderen Stellen für ein und denselben Wortlaut zwei oder drei Erklärungen an. Die oft ungeschickten Verknüpfungen erwecken den Eindruck, Gregor habe hier andere Hohelied-Auslegungen gekannt und sie der Vollständigkeit halber seinen eigenen Gedanken hinzugefügt.

So fügt er der Deutung der beiden Übersetzungen von ἐκκενωθέν, *exinanitum/ effusum*, in Verbindung mit dem Namen Christi(Ct 1,3) ziemlich unvermittelt noch eine Erklärung dieses Namens an, die er von Tertullian[15] entlehnt hat: *Christi enim nomen apud Graecos de suavitate censetur* (1,16).

Ähnliche Fälle finden sich an folgenden Stellen:

1,29: 1. die »Schwärze« Salomons rührt vom Götzendienst her,
 2. *vel quod amator fuerit mulierum* (2. Rezension)

1,30: 1. *pelles* bedeutet das eigene Fleisch des Salomon,
 2. *denique et in templo Salomonis ... pelles erant*

2,6: der »Süden« bedeutet den Körper Christi,
 1. *quia meridianum prope finem est ... ita et prope finem saeculi salvator induit corpus*
 2. *Quamquam ergo in meridiano sit temperatus aer... sic etiam in carne Christi, licet sit permixta dei et hominis substantia et quasi ... temperamentum, praestat tamen calor*

3,10.11: die Kirche wird »Taube« genannt,
 1. weil sie ohne Galle, das heißt unschuldig und einfältig ist,
 2. *sed et quod ... peristera dicitur, cuius nominis litterae ... unum et octingentos efficiunt* (es folgt die Gleichsetzung der Summen von 'peristera' und 'α et ω')
 3. *unde et spiritus sicut columba ... indicat trinitatem*

[14] *Cf.* GR-I Ct 1,16: ... *quod alibi ait.*
[15] TE ap 3,5.

4,6.7: »die Wand« bedeutet den Körper Christi,
1. *unum et medium parietem materia*[16] *solvens inimicitias in carne sua, ut duos iungat in unum* (Eph 2,14.15)
2. *Nam ideo paries dicitur Christus, qui, ut includit suos, servat alienos*

4,13: *hiemem itaque duplicem significatione nulla est dubitatio,*
1.2. vel quod inest ei asperitas ... aut ... tempus est seminandi

4,28: die »Hirschkuh« bedeutet das Fleisch Christi,
1. *vel propter agilitatem pedum*
2. *vel propter quod letale virus in semet ipsa decoxerit*

Leider lassen sich die Quellen für diese zusätzlichen Erklärungen nicht so eindeutig nachweisen, wie im erstgenannten Fall. Das Zahlenspiel in 3,10.11 läßt an Victorinus von Pettau denken, der für diese Art von Beweisen eine besondere Vorliebe hatte; das konkrete Vorbild für die Deutung von περιστερά/ α καὶ ω ist jedoch eher bei Irenaeus zu suchen[17]. Andere Motive, wie das von der Schnellfüßigkeit der Hindin in 4,28, mögen auch so sehr Allgemeingut gewesen sein, daß sich eine konkrete Quelle nicht mehr feststellen läßt.

Um Allgemeingut oder zumindest um Vermittlung von Motiven über eine zweite oder dritte Hand wird es sich auch bei den Übereinstimmungen mit den Canticum-Auslegungen des Origenes handeln[18].

An einen Einfluß von Origenes läßt der Titel *Epithalamium* denken[19], ebenso die Erklärung des Namens *Cantica Canticorum* als be-

[16] Gregor las hier offenbar *materia* statt *maceriae; cf.* dazu S. 156.

[17] Dasselbe Zahlenspiel bietet IR 1,14,6, dort allerdings in einem eindeutig gnostischen Kontext, während Gregor den Gedankengang als vollständig orthodox versteht. Vermutlich hat er die Passage aus zweiter Hand übernommen.

[18] Auch A. Wilmart, *Les 'Tractatus' sur le Cantique attribués à Grégoire d'Elvire*: Bulletin de littérature ecclésiastique 1906, 206, meint, daß die Einflüsse des Origenes auf Gregor aus zweiter Hand stammen. D. Gianotti, *Gregorio di Elvira, interprete del Cantico dei Cantici*: Augustinianum 24 (1984) 421-439, übergeht schweigend die Problematik einer direkten oder indirekten Abhängigkeit.

[19] *Cf.* den Anfang des Prologes zum Kommentar des Origenes: *Epithalamium libellus hic, id est nuptiale carmen, dramatis in modum mihi videtur a Solomone conscriptus* (RUF Ct pr). Zum Titel des Werkes Gregors *cf.* S. 101sq.

stes von allen *Cantica.* Jedoch ist die Verbindung des *Canticum Salomonis* mit anderen 'Liedern' des Alten Testaments auch schon vor Origenes in der jüdischen Auslegung bekannt[20]. Überdies weist Gregor auf eine ganz andere Zusammenstellung von *Cantica* hin als Origenes[21].

Auch die Rollenzuweisung an *sponsus* und *sponsa*, an Christus und die Ecclesia, die sich sowohl bei Origenes[22] als auch bei Gregor in den einleitenden Passagen findet, ist nur eine sehr äußerliche und scheinbare Parallele. Erstens liegt diese Personenangabe stets nahe, seit das Canticum Canticorum allegorisch verstanden wurde, zweitens legt Origenes besonders Gewicht auf die Vierzahl der *dramatis personarum*: bei ihm kommen neben *sponsus* und *sponsa* die *sodales* des Bräutigams und die *adulescentulae*, die Begleiterinnen der Braut, zu Wort[23]. Bei Gregor dagegen bleibt es beim Wechselgespräch zwischen Christus und der Ecclesia; auch wird die Braut nie mit der Seele gleichgesetzt.

Die Verknüpfung von Ct 1,6 *vineam meam non custodivi* mit der Person des Paulus und seiner Bekehrung vom Christenverfolger zum Apostel bei Gregor (4,4) kann allerdings durch das Vorbild bei Origenes[24] angeregt worden sein, ohne daß man von einer direkten Abhängigkeit sprechen kann. Ebenso ist die Deutung der Füchse in Ct 2,15 auf die Häretiker, die bei Origenes[25], aber auch bei Hippolyt[26], erscheint, von Gregor[27] kaum unmittelbar aus dem Werk eines

[20] Cf. W. Riedel, *Die Auslegung des Hohenliedes in der jüdischen Gemeinde und der griechischen Kirche*, Leipzig 1898, 116-118.
[21] Origenes zählt neben sechs (Ex 15,1sqq; Nm 21,17-18; Dt 32,1; Jdc 5,1-3; 2 Rg 22,1sqq; 1 Par 16,8.9) eventuell Is 5,1sqq und eine Auswahl aus den Psalmen dazu (*cf.* RUF Ct pr (S. 80-83)), Gregor dagegen spielt nur auf drei an, und zwar auf Ex 15,3-21; Is 26,9-20 und Hab 3,2-19.
[22] *Cf.* RUF Ct pr (S. 61); HI Ct 1,1 (S. 28) und GR-I Ct 1,1.
[23] RUF Ct und HI Ct, *ibidem.*
[24] *Cf.* RUF Ct 2 (S. 131-134); HI Ct 1,7 und GR-I Ct 2,4.
[25] *Cf.* RUF Ct 3 (S. 236-241) und GR-I Ct 4,24.
[26] Hippolyt, Komm. Ct 20,1 (die Kapitelzählung ist bei G. Bonwetsch, *Hippolyts Kommentar zum Hohenlied, auf Grund von N. Marrs Ausgabe des grusinischen Textes herausgegeben*, Neue Texte und Untersuchungen N. F. VIII, Leipzig 1902, und G. Garitte, *Traités d'Hippolyte sur David et Goliath, sur le Cantique des Cantiques et sur l'Antéchrist*, Version géorgienne traduite par G. Garitte, CSCO 264, Scriptores Iberici tom. 16, Louvain 1965, dieselbe.
[27] GR-I Ct 4,24.

der beiden entnommen worden, sondern eher durch Vermittlung, wenn nicht dieser Gedanke bereits Allgemeingut geworden war.

Es stellt zwar nur ein *argumentum ex silentio* dar, wenn man feststellt, daß Gregor den größten Teil der Motive und Erklärungen zum Canticum durch Origenes *nicht* übernommen hat. Ist es jedoch naheliegend, daß Gregor auf eine so schlüssige Deutung des *unguentum exinanitum nomen tuum* (Ct 1,3) auf die Aussage in Phil 2,7 *semet ipsum exinanivit formam servi accipiens*, die im Anschluß an Origenes weithin Schule machte, verzichtet hätte, wenn er sie gekannt hätte? Dies ist nur ein Beispiel von vielen. Eine wörtliche Kenntnis der Werke des Origenes zum Canticum läßt sich in Gregors Epithalamium nicht nachweisen, zu vermuten ist lediglich, daß er einzelne Gedankengänge über uns verlorene Werke lateinischer Vorgänger vermittelt bekam, darunter auch solche von der exegetischen Methode. So schimmert in der Zweiteilung: *sed hoc iuxta simplicem historiam dici potest, ceterum quantum ad spiritalem sensum pertinet* ... (2,6) deutlich die Arbeitsweise des Origenes hervor, Gregor bemüht sich jedoch nicht um eine konsequente Durchführung von dessen Prinzipien.

Es gibt eine einzige Ausnahme im Text des Epithalamium, die an direkte Beeinflussung durch Origenes denken läßt. Gregor führt Ct 1,8 *nisi cognoveris te ... decora inter mulieres, exi tu in vestigio gregum* mit den Worten ein: *quid ei dominus comminetur, audite.* Dieses Wort nimmt er in dem Zusatz seiner zweiten Rezension noch einmal auf: *Comminantis vox est: nisi te cognoveris* (2,15 und 2,18).

Zu demselben Lemmatext findet sich in der Übersetzung des Hieronymus (HI Ct 1,9): *Post haec verba sponsus ei comminatur.* Ebenso benützt Rufin *comminatio* im Zusammenhang mit der Canticum-Stelle (RUF Ct 2, S. 141,24): *sub comminatione quadam loquens dicit: nisi cognoveris temet ipsam* ... In der darauffolgenden Erörterung über die Notwendigkeit der christlichen Selbsterkenntnis wird *comminatio* sechsmal wiederholt (S.148,16; 149,16.23.27; 150,5.8). Die Übereinstimmung in Motiv und lateinischer Wortwahl in den Origenes-Übersetzungen des Hieronymus und Rufin und im Epithalamium Gregors kann kaum Zufall sein. Zwar ist auch hier eine direkte Abhängigkeit unwahrscheinlich, die von Rufin sogar chronologisch unmöglich[28], so daß auch hier ein uns unbekannter Vermittler origenistischen Gedankengutes anzunehmen ist[29].

Eine andere, zwar nicht nachweisbare, Quelle für Motiv sowie Vokabel könnte auch der Lemmatext des Gregors selbst gewesen sein, bzw. die Rubriken[30], die diesem Text eventuell beigegeben waren. Eine Rubrik zu Ct 1,8 *vox Christi comminantis*, oder in ähnlicher Form, ist uns allerdings, soweit ich sehe, nicht überliefert, sondern lediglich *vox Christi, vox Christi ad Ecclesiam* und *sponsus ad sponsam*, da aber »theologisierende« Rubriken an anderer Stelle vorkommen[31], könnte auch hier in Gregors Bibeltext etwas entsprechendes gestanden haben. Eine weitere Bezeugung bietet ein Sermo Augustins (AU s 229O,3, geschrieben nach 420): *Attendite quemadmodum comminatur* in Verbindung mit dem Zitat Ct 1,8. Da sich inhaltlich keine Parallelen zu den Origenes-Übersetzungen finden, liegt auch hier der Gedanke nahe, Augustin könnte das Stichwort *comminari* in seinem Bibeltext gefunden haben.

Die Berührungen zwischen Gregors Canticum-Auslegung und den Werken des Origenes sind also nicht sehr zahlreich und außerdem nicht auf direktem Weg zustandegekommen. Auch den Hohelied-Kommentar Hippolyts hat Gregor kaum unmittelbar benutzt, obwohl es einige auffällige Gemeinsamkeiten zwischen beiden Autoren gibt. Wie es scheint, hat auch Hippolyt nicht den gesamten Canticum-Text kommentiert, sondern nur den Teil 1,1-3,8. Da der Vers 3,5 ausgelassen ist, umfaßt das Werk Hippolyts also nur drei Verse mehr als Gregors Epithalamium. Damit nicht genug, gibt es vor diesen drei zusätzlichen Versen, das heißt nach Ct 3,4 mit dem Gregor schließt, einen deutlichen Einschnitt; nach einem Fragment einer armenischen Übersetzung[32] zu schließen, endete an dieser

[28] RUF Ct entstand wahrscheinlich erst 410.
[29] Es liegt auch hier nahe, Victorinus von Pettau anzunehmen.
[30] Zu den Rubriken *cf.* S. 89–91.
[31] So zum Beispiel *vox Mariae Magdalenae ad Ecclesiam* (zu Ct 3,1 in der Handschrift 169 und anderswo), *Christus ad apostolos dicit* (zu Ct 5,1d, *ibidem*), *Christus gentes convocat* (zu Ct 4,16, *ibidem*).
[32] *Cf.* G. Bonwetsch, *op. cit.* (Anm. 26), S. 70/71.

Stelle der Textteil (vermutlich Ct 3,1-4), der als Homilie zum Osterfest benutzt worden ist[33]. Mit Ct 3,4:

> *quam modicum transivi ab eis*
> *inveni eum et non relinquam eum*
> *donec inducam eum in domum matris meae*
> *et in secretum eius quae me concepit*
> (Wortlaut nach dem Lemmatext Gregors)

ist die Ära der Synagoge abgeschlossen und diejenige der Ecclesia beginnt:

> *Nunc e factis his (apparet) quia, dilecti,*
> *abhinc ecce pacat synagogam, et Ecclesia*
> *glorificatur* (Text nach G. Garitte[34])

Diesen Zeitpunkt sieht Hippolyt in dem Augenblick erfüllt, wenn der Auferstandene »den Frauen« erscheint (Hippolyt läßt hier seltsamerweise Martha und Maria auftreten; offenbar vermengt er[35] Jo 20,11-18 mit der Szene der »Frauen am Grabe«).

Ebenso läßt Gregor am Ende des fünften Buches mit diesem Augenblick die irdische Kirche entstehen:

> *... cum enim post venerabilem passionem suam resurrexisset a mortuis, tunc eum invenit Ecclesia quem diligebat anima eius. A tempore enim dominicae resurrectionis missi sunt apostoli, ut ex gentibus Ecclesiam congregarent.* (5,11)

Gregor fügt diesem Abschluß und der Entstehung der Kirche den

[33] Das geht aus dem genannten armenischen Text hervor: ... er verherrlicht das Mysterium der Auferstehung feiernd heute, welches heilige durchlauchte Fest verherrlichend wollen wir uns freuen mit den Engeln.

[34] Der Text folgt der Übersetzung ins Lateinische durch G. Garitte, *op.cit.* (Anm. 26), S. 49,5.6.

[35] Hippolyt, Komm. Ct 25.

Ausblick auf die Endzeit hinzu, in der die irdische Kirche gemeinsam mit Christus in »das Gemach der Mutter«, das heißt das himmlische Jerusalem, das »die Mutter der Kirche« ist, eingehen wird.

Mit Vers 3,4 scheint in einer uns nicht mehr nachweisbaren Tradition des griechischen Canticum-Textes ein Einschnitt inhaltlicher Art existiert zu haben[36], der in die lateinische Bibelüberlieferung nicht übernommen, aber Gregor offenbar vermittelt wurde.

Einen zweiten Hinweis darauf, daß Gregor direkt oder indirekt mit dem Canticum-Text des Hippolyt in Berührung kam, finden wir in der Auslegung von 1,13:

ἀπόδεσμος τῆς στακτῆς ἀδελφιδός μου
ἐμοί, ἀνὰ μέσον τῶν μαστῶν μου
αὐλισθήσεται

Sowohl Hippolyt wie auch Gregor scheinen in ihrem Text ἀδελφιδός μου ἐμοί doppelt gelesen zu haben. Aus Hippolyts Kommentar läßt sich folgender Lemmatext rekonstruieren:

Ct 1,12a *donec rex in accubitu suo est*
1,12b *nardus mea edidit aroma suum*
1,13a *vas munitum mihi (est) sororis filiolus meus*
1,13b *sororis filiolus meus inter ubera mea (est) habitans*
(Text nach G. Garitte[37])

[36] Nach Ct 3,5 findet sich ein natürlicher Sinnabschluß, der auch durch eine Rubrik in vielen Handschriften markiert wird. Daß aber dieser Einschnitt stärker ist als andere, geht zumindest aus den Handschriften nicht hervor. Eine genauere Untersuchung steht noch aus. G. Bonwetsch, *op.cit.* (*cf.* Anm. 26) S. 12, vermutete, daß Hippolyt von einer Aufteilung des Canticum in drei Lieder spreche, deren erstes er kommentiert hätte. Dies beruht jedoch auf einem Mißverständnis des Satzes 1,11: ... *et Canticum canticorum, quod non amplius quam trecenta carmina (litt.: laudationes)*, wie Garitte übersetzt. Die Handschrift T bietet allerdings »drei« statt »dreihundert«. Die Angaben beziehen sich aber nicht auf einzelne Lieder oder Sinnabschnitte, sondern auf die Stichenzahl. Das zeigt die vorhergehende Angabe über die Zahl der *versus* für das Buch Ecclesiastes und besonders die aus dem Claromontanus bekannte Zahl »dreihundert« für die Stichen des Canticum, die sich auch in der lateinischen Handschrift Stuttgart, Württembergische Landesbibliothek HB.II,35 (VL: W) wiederfindet.

[37] Zur Textform *cf.* Anm. 34.

Bei Gregor findet sich:

Ct 1,12a *quousque rex sedeat in declinatorium suum*
1,12b *nardum meum dedit odorem suum*
1,13a *ligamentum guttae frater meus mihi*
1,13b *frater meus mihi inter media ubera mea requiescit*
(2,40; 3,1.2.3)

Ein Vergleich zwischen Hippolyt und Gregor wird allerdings immer erschwert dadurch, daß wir den originalen Wortlaut Hippolyts nicht zur Verfügung haben[38]. Trotzdem soll hier eine weitere eventuelle Parallele zwischen den beiden Canticum-Auslegungen erwähnt werden, die möglicherweise auf eine Kenntnis Hippolyts durch Gregor deutet. In Ct 1,6 spricht die Ecclesia:

μὴ βλέψετέ με, ὅτι ἐγώ εἰμι μεμελανωμένη,
ὅτι παρέβλεψέν με ὁ ἥλιος

Das Verb παραβλέπω hat offenbar den lateinischen Übersetzern Schwierigkeiten bereitet[39], es scheint jedoch auch für den griechisch sprechenden Hippolyt in diesem Kontext nicht unproblematisch gewesen zu sein. Jedenfalls kann man der uns überlieferten Übersetzung[40] entnehmen, daß Hippolyt zwei verschiedene Verben für dieses Lemma bot:

> *Ne miremini visum hunc meum, quia sum denigrata, neve propter hoc quia obscure adspectavit me sol. Neve spectetis me quia sum denigrata neve propter hoc quia despexit me sol*
> (4,2; 5,1, Text nach G. Garitte)

[38] Zur Überlieferung der Werke Hippolyts *cf.* M. Geerard, Clavis Patrum Graecorum 1, Turnhout 1983, 256-278.
[39] Überliefert sind folgende Übersetzungen: *despexit, non est intuitus, reliquit, praeteriit?, non respexit,* (Vulg. *decoloravit*).
[40] Nämlich die georgische, *cf.* Anm. 26. Die von M. Richard edierte Paraphrase des Kommentars (*Une Paraphrase grecque résumée du commentaire d'Hippolyte sur le Cantique des Cantiques*: Le Muséon 77 (1964) 137-154) enthält keine doppelte Deutung des Verbs, dort παρεῖδέ με ὁ ἥλιος (4,1/5,1).

Auch Gregor verwendet an dieser Stelle bereits in seiner Erstfassung[41] zwei Versionen dieses Verses:

> *Denique tunc erat fusca...cum eam despexerat sol.*
> *nolite...aspicere me, quoniam non est intuitus me sol*
> (1,24.25)

Beide Autoren lassen dann den Hinweis folgen, die »Sonne« sei natürlich »die Sonne der Gerechtigkeit« von der Malachias spricht (Mal 3,20).

Komplizierter sind die möglichen Zusammenhänge zwischen einer dunklen Stelle im Text Gregors und der Auslegung Hippolyts. Zu Beginn des dritten Buches erklärt Gregor den Vers Ct 1,12b: *Nardum ... meum dedit odorem suum* und schreibt dazu: *nardum est oleum ligno permixtum, quod et curationi prode est et boni odoris fraglantiam praestat.* Offenbar soll *ligno permixtum* die folgende Erklärung *nardum ... chrismatis gratiam dicit crucis virtute perfectam* und *nardum meum, id est chrismatis donum passione crucis confectum* vorwegnehmen. Allerdings kann man *ligno permixtum* schwer mit dem Bild von der Nardensalbe in Verbindung bringen, es sei denn, man übersetzt: »mit einem Holz (stab) umgerührt«.

Bei Hippolyt findet man die Verbindung mit »Baum, Holz«, die die Assoziation »Holz/ Kreuzesholz« nach sich zieht, ebenfalls, allerdings erst zum Vers Ct 1,14, wo von der Zypertraube die Rede ist (βότρυς τῆς κύπρου ἀδελφιδός μου ἐμοὶ ἐν ἀμπελῶσιν Εγγαδδι/ *botrus Cipri frater meus in vinea quae in Gaddin,* so das Lemma Gregors, 3,4). Die Zypertraube wächst in Engaddi *sustentatae arboribus* (G. Garitte, 13,1), bzw. ⟨ἐπὶ⟩ ξύλων (so in der Paraphrase, deren Text M. Richard veröffentlichte[42]). Diese Balsambäume geben, wenn man sie verletzt, den duftenden Balsam von sich. So ver-

[41] In der Handschrift R ist diese Doppelübersetzung harmonisiert worden, *cf.* S. 126.
[42] *Cf.* Anm. 40.

strömte auch Christus als Traube auf dem Kreuzesholz hängend den Duft seines Wortes, nachdem seine Seite von der Lanze durchbohrt war: *super lignum vulneratus est in vinea, ut bonum aroma unguenti nobis ostenderet* (*cf.* 13,1-3, Text G. Garitte). Auch Hippolyt hat also den Gedanken »verströmt seinen Duft« aus Vers 1,12b in den Vers 1,14 hinübergezogen. Aber nicht nur das Stichwort 'Duft' ist übernommen, sondern auch βότρυς τῆς κύπρου ist durch *nardus ... Cypri*/ νάρδος τῆς κύπρου ersetzt, so daß das Mißverständnis, die Assoziation 'Holz/ Kreuzesholz' solle bereits für den Vers 1,12b gelten, ziemlich nahelag. Allerdings hat Gregor auch für den Vers 1,14 den Hinweis auf das Kreuzesholz noch einmal wiederholt (*venerabili cruc⟨is⟩ ligno compressus (scil. botrus) sanguinem suum ... credentibus propinaturus erat*, 3,5), aber dieser Zusammenhang stammt vermutlich aus einem anderen Kontext[43].

Auch einige Motive, die sich in Hippolyts Interpretation finden, kann man bei Gregor wiederentdecken, wie etwa die Deutung der *ubera* in Ct 1,2 als Gesetz und Evangelium[44] und die des 'Weinbergs' in Ct 1,6 auf das Volk Israel, folgend dem Zitat Is 5,7.2[45]. Ebenso bezeichnen beide Autoren zu Ct 1,17 das Zedernholz als Symbol für die Patriarchen, das Cypressenholz als das der Apostel[46]; von der Deutung der Füchse in Ct 2,15 auf die Häretiker wurde bereits gesprochen[47].

Ähnlichkeiten zwischen dem Werk Gregors und demjenigen Hippolyts sind also nicht zu übersehen. Aber auch hier sind die Anklänge zu sporadisch und zu vage, als daß man an eine direkte Benutzung durch Gregor denken dürfte. Ambrosius als Übermittler anzunehmen, liegt nahe, weil dieser ganz deutlich Hippolyt[48] aus-

[43] Die Passage findet sich auch in GR-I tr 11,17 und wurde von Gregor hier eingefügt.
[44] Hippolyt, Komm. Ct 2,3; GR-I Ct 1,9-11 (in abgewandelter Form).
[45] *Ibidem* 5,3; GR-I Ct 2,3.
[46] *Ibidem* 16,1.2; GR-I Ct 3,15.16.
[47] *Ibidem* 20,1; GR-I Ct 4,24.
[48] *Cf.* dazu G. Bonwetsch, *op.cit.* (*cf.* Anm. 26), der der Übersetzung des Hippolyt-Kommentars eine Fülle von Parallelstellen aus den Werken des Ambrosius hinzufügt. Ein besonders deutliches Beispiel ist die Stelle zu Ct 2,8 über das »Springen« des Wortes Gottes, *cf.* Hippolyt Komm. Ct 21 und AM 118 Ps 6,6.

schreibt. Jedoch sind es gerade nicht diese Passagen und Motive Hippolyts, die sich auch bei Gregor fänden. Eher müssen wir auch hier wieder an einen für uns verlorenen Text denken, wie etwa den Canticum-Kommentar des Victorinus von Pettau, der sich, wie wohl auch anderswo, an Hippolyt orientierte[49].

Gedankliche Verwandtschaft mit Victorinus läßt sich im Epithalamium Gregors an einigen Stellen erkennen, ohne eine wortwörtliche Abhängigkeit nachweisen zu können. So kann zum Beispiel die Deutung der vierundzwanzig Ältesten der Apokalypse auf die zwölf Patriarchen und die zwölf Apostel durch Victorinus beeinflußt sein (*cf.* den Similienapparat zu 2,32 und 5,15), ebenso die Idee von der Bekehrung der Juden durch Elias vor der Endzeit nach Mal 4,5.6 (*cf.* zu 4,17).

Auf weitere vereinzelte Quellen verweist der Similienapparat.

Das Nachwirken des Canticum-Kommentars beschränkt sich, soweit erkennbar, auf den iberischen Raum und das benachbarte Gallien. Hier ist besonders Beatus von Liébana zu erwähnen, der einen großen Teil des ersten Buches wörtlich übernimmt[50]. Es verwundert nicht, daß Isidor seinen Landsmann kennt und benutzt[51]; auch für Apringius ist es naheliegend, eine Kenntnis Gregors anzunehmen[52]. Dagegen ist es nicht selbstverständlich, daß Eucherius in seine Sammlung *Formulae spiritalis intellegentiae* einige Stellen aus einem offenbar nicht weit verbreiteten Werk übernimmt[53].

Auf welchem Wege Bruchstücke des Gregor-Textes in die sogenannte *Clavis Melitonis*[54] gelangten, ist nicht bekannt.

[49] *Cf.* J. Doignon, *Formen der Exegese*, in: Handbuch der lateinischen Literatur der Antike, hrsg. von R. Herzog und P. L. Schmidt, Bd.5, München 1989, 413.

[50] Beatus übernimmt GR-I Ct 1,1-16.20 in seine Schrift *Adversus Elipandum* (BEA El 2,75.78-83); *cf.* auch S. 128–131.

[51] Isidor benutzt den Canticum-Text (zumindest den Teil 1,1-3,4) überraschend selten. Darum sind auch wenig Anklänge an das Epithalamium Gregors zu erwarten. Eindeutig scheint jedoch die Abhängigkeit in IS ety 11,1,108.109 von GR-I Ct 2,29-31. Allerdings nennt Isidor als Quelle das Ennius-Fragment 14, der Wortlaut scheint aber von Gregor beeinflußt zu sein. Vermutlich kamen aber auch Parallelen zwischen Isidor und Gregor dadurch zustande, daß beide dieselben Quellen benutzten, *cf.* dazu Appendix 1, Anm.7.

[52] *Cf.* den Similienapparat zu 3,10.11.

[53] *Cf.* den Similienapparat zu 1,16; 1,23; 2,3; 2,20; 3,6; 3,8; 4,24; 4,29.

[54] Es handelt sich um ein biblisches Glossarium, das vielleicht im 8. Jahrhundert

Dagegen ist es auffällig, daß Justus von Urgel den Canticum-Kommentar seines Landsmannes nur wenig benutzt, obwohl er ihn gekannt haben muß. So sind die Erklärungen zu Ct 1,14 *botrus in cypro, Christus suspensus in crucis ligno, quod genus ligni odoriferum semper et incorruptum* (JUS-U Ct 1,21) und zu Ct 2,9 *en ipse stat post parietem, stat post parietem nostrum, cum induitur velamine corporis nostri* (JUS-U Ct 1,37) und Ct 2,9b *tunc per fenestras et cancellos prospexit, quando plebem in parabolis edocuit* (JUS-U Ct 1,38) ohne das Vorbild Gregors nicht denkbar. Auch die Auslegung von Ct 3,4 (*domus matris = Ierusalem caelestis*, *cf.* JUS-U Ct 1,60) ist sicher von Gregor beeinflußt. Die anderen vier Parallelen (JUS-U Ct 1,10; 1,14; 1,51; 1,52) können dagegen auch auf Interpretationen fußen, die Allgemeingut geworden waren. Da Justus, wie er selbst sagt[55], Wert auf den Vulgata-Text als Grundlage seines Kommentars legt, mußten ihm die Interpretationen Gregors, die sich so eng an den altlateinischen Wortlaut hielten, als überholt erscheinen.

Bemerkenswert ist die Kenntnis des Epithalamium bei einem anonymen, vermutlich irischen, Kommentator, dessen bisher unveröffentlichte Arbeit aus zwei Handschriften des 8./9. Jahrhunderts bekannt ist[56]. Dieser Kommentar ist aus zahlreichen Quellen zusammengeschrieben, darunter Augustinus, Hieronymus, Gregor Magnus, Apponius, meist ohne Angabe des Namens. Es handelt sich nicht um wörtliche Übernahmen, sondern um inhaltliche Parallelen. An mehr als dreißig Stellen benutzt der anonyme Autor unverkennbar das Epithalamium Gregors, auch wenn er ab und zu durch die Mischung mit anderen Interpretationen ganz neue Be-

im Frankenreich aus vielen Quellen zusammengestellt wurde. Die beiden Fassungen edierte J. B. Pitra, Spicilegium Solesmense II (1855); III (1855) und Analecta Sacra Spicilegio Solesmensi parata II (1884) 6-127. (Sigel für die VL: PS-MEL V und P).

55 Der Prolog zum Kommentar des Justus von Urgel ist gedruckt in PLS 4,236.

56 Auf diesen Kommentar machten B. de Vregille und L. Neyrand, *Apponii in Canticum Canticorum expositio*, CC 19 (1986) XXXIV - XXXVI aufmerksam. B. Bischoff, *Wendepunkte in der Geschichte der lateinischen Exegese im Frühmittelalter*, Sacris Erudiri 6 (1954) 239 = *Mittelalterliche Studien. Ausgewählte Aufsätze zur Schriftkunde und Literaturgeschichte*, Bd.1,205-273, vermutet irischen Ursprung. *Cf.* Appendix 2 in der vorliegenden Ausgabe.

züge herstellt. Wie die Zusammenstellung der Entlehnungen in der Appendix 2[57] zeigt, hat der Anonymus alle fünf Bücher Gregors gekannt, ob in der ursprünglichen Form oder der zweiten Rezension, läßt sich wegen des veränderten Wortlautes nicht sagen. Einige wenige Interpretationen könnten auch aus anderen Quellen stammen, da sie Allgemeingut geworden sind, wie zum Beispiel die Deutung der Füchse (Ct 2,15)[58] auf die Häretiker. Die meisten Stellen sind jedoch so typisch für Gregor, daß die Zuweisung unzweifelhaft ist, so besonders die pseudo-medizinische Erklärung des Zusammenhangs zwischen *genae* und *genua*[59], der nur bei Gregor bekannte Irrtum, *in mālis* (Ct 2,5, ἐν μήλοις) sei *in mălis* zu lesen[60] und die Deutung von *ligamentum guttae* (Ct 1,13, ἀπόδεσμος τῆς στακτῆς) als »Klebemittel«, das uns untrennbar mit Christus verbindet[61]. Zwei Stellen in dem anonymen Kommentar wären ohne den Wortlaut Gregors überhaupt nicht verständlich; hier haben sich sogar Reste des altlateinischen Lemmatextes - in verstümmelter Form - erhalten:

> *...post cancellos id est <u>per parabulas</u> quia sicut fiunt <u>noda in lineis</u> ita misteria id est <u>parabolis</u> sunt prospiciens per cancellos ... item per cancellos pellis perforata vel <u>rete</u>* (fol 9V)

geht zurück auf:

> *Merito hoc in loco vox Ecclesiae dicit: Frater meus per retia auscultat, id est verbum dei in <u>parabolis</u> loquitur ... Nam ut <u>in retia nodi sunt</u> multi <u>et ligaturae</u> ... ita et in parabolis nonnulla quaestionum sunt vincula et obscuri nodi habentur* (GR-I Ct 3,9 zu Ct 2,9)

[57] *Cf.* S. 268 - 273.
[58] *Cf.* S. 59sq.
[59] *Cf.* GR-I Ct 2,29-31, besonders 31.
[60] Dieses falsche Verständnis von *in malis* meint vermutlich Rufin mit seiner Kritik in RUF Ct 3 (S. 180).
[61] *Cf.* GR-I Ct 3,2.

Noch unverständlicher ist die Notiz zu Ct 2,12 (καιρὸς τῆς τομῆς ἔφθακεν):

> *Item potationis id est tempus mittenti fructus in futuro* (fol 10R)

Der altlateinische Canticum-Text Gregors heißt hier:

> *tempus metendi advenit* (GR-I Ct 4,10 zu Ct 2,10-12) (Vulg: *tempus putationis advenit*)

Gregor fährt fort:

> *Quid est hoc tempus metendi, nisi tempus illud, quando Christus veniet, quo sancti omnes ut frumentum in regno caelestis horrei reconduntur* (GR-I Ct 4,18)

Diese Kostproben mögen genügen, um einen Eindruck von dem Charakter des anonymen Kommentars zu vermitteln. Hier ist nur interessant, daß Gregors Epithalamium offenbar doch bekannter war, als wir aus den erhaltenen Testimonien erkennen können, so daß es trotz des veralteten Lemmatextes der Benutzung für wert befunden wurde.

GREGORS BIBELTEXT

Gregor Elvira ist für den altlateinischen Text des Canticum Canticorum neben Ambrosius der wichtigste Zeuge, da nur von ihm ein Kommentar zu diesem biblischen Buch erhalten ist, der einen altlateinischen Lemmatext bietet.

Aber auch für andere Teile der Bibel halten die Schriften Gregors wertvolles altlateinisches Material bereit. Die Untersuchung T. Ayuso Marazuelas über die Psalmenzitate[1] ergab, nicht unerwartet, eine Nähe zum Psalterium Mozarabicum[2]. B. Fischer ordnete Gregors Bibeltext in der Genesis einem spanischen Typ zu, der sich jedoch in anderen biblischen Büchern, zum Beispiel den paulinischen Briefen, nicht nachweisen läßt. Die hier und da zu beobachtende Nähe zum pseudoaugustinischen Speculum legt eher nahe, daß Gregor mit italienischen Bibeltexten vertraut war[3].

Die Zitate in den katholischen Briefen sind zu wenig zahlreich, um konkrete Aussagen über ihre Zugehörigkeit zu gestatten. Die wenigen Sapientia-Zitate bestätigen die Herkunft aus einer alten Textschicht[4]. Weitere Ergebnisse sind mit den künftigen Vetus Latina-Editionen zu erwarten[5].

[1] T. Ayuso, *El Salterio de Gregorio de Elvira y la Vetus Latina*: Biblica 40, 1 (1959) 135-159.
[2] T. Ayuso, *op.cit.* 158 sq.
[3] B. Fischer, *Genesis*, VL 2, Freiburg 1951-1954, 17*sq, der jedoch betont, daß bei Gregor auch Spuren von älteren Texten zu finden sind. Zum pseudoaugustinischen Speculum *cf.* H. J. Frede, VL 1/1, Freiburg 1981, 189 und VL 24/2, Freiburg 1966-1971, 13 mit Anm. 1 und VL 25, Freiburg 1975-1982, 147-150. Bereits S. Berger hatte den Bibeltext Gregors in den 'Tractatus Origenis' der »italienischen Familie« zugeordnet (in drei Briefen der Jahre 1897 und 1889, mitgeteilt von P. Batiffol, *Où en est la question des 'Tractatus Origenis'*?: Bulletin de littérature ecclésiastique de Toulouse (1905) 307-323.
[4] Die wenigen Zitate aus Sap sind verzeichnet im Register der VL-Edition: W. Thiele, *Sapientia Salomonis*, VL 11/1, Freiburg 1977-1985, 593.
[5] Für die Edition des Buches Exodus (in Vorbereitung durch R. Dietzfelbinger) bietet GR-I wenig vergleichbares Material, vermutlich ist jedoch die Situation ähnlich derjenigen im Buch Genesis.

DER TEXT DES CANTICUM CANTICORUM

Der Lemmatext, den Gregor für seine Erstfassung benutzte, läßt sich textkritisch relativ gut erschließen[6]. Allerdings ergeben sich einige Unsicherheiten dadurch, daß Gregor - wie andere Autoren auch - zuweilen im unmittelbaren Kontext den Wortlaut des Lemma variiert, sei es, daß er eine andere Wortform verwendet[7], sei es, daß er eine andere ihm bekannte Übersetzung heranzieht[8]. Bei der Bearbeitung der Bücher eins und zwei, der Rezension ω^2, war ihm offenbar eine weitere Version bekanntgeworden, die er an einigen Stellen benützte, ohne den Wortlaut der Erstfassung daran anzugleichen[9].

Die handschriftliche Tradition hat den Canticumtext in seiner alten Form erstaunlicherweise kaum angetastet. Es gibt zwar einige Versuche, nach der Vulgata zu korrigieren[10], aber diese Versuche sind auf vereinzelte Stellen beschränkt und von Handschrift zu Handschrift verschieden. Allerdings ist das auffällige *ab* zu Anfang des Verses 1,2 (*osculetur me ab osculo oris sui*, *cf.* den griechischen Wortlaut ἀπὸ φιλημάτων, in allen Handschriften, sogar in B[11], verschwunden.

Die folgende Rekonstruktion des Canticum-Textes bietet an erster Stelle die Lemmata der Erstfassung, danach gegebenenfalls die Lesart der zweiten Rezension. Der Text ist nach den Sinnabschnitten des Kommentars gegliedert, in Klammern wird auf Kapitel und

[6] Die zuverlässigste Textgestalt bewahren die Handschriften B und A.

[7] So benutzt Gregor im Lemmatext *rete*, im Kontext *retia* (4,6.8.9), ebenso *declinatorium/declinatio* (2,40), *cipressus/cipressum*, *cedrinus/cedrum* (3,14.15.16).

[8] *Cf.* z. B. 1,16: *verum quod alibi ait unguentum effusum*, im Gegensatz zum vorher gebrauchten *exinanitum,* und die beiden unterschiedlichen Versionen für Ct 1,7: *ubi cubas in meridie/ubi manes in meridiano* (2,5-15 in den beiden Rezensionen).

[9] Möglicherweise war dies der Text des Ambrosius, wie in der Edition des Lemmatextes weiter unten dargestellt wird. Allerdings finden sich in der Auslegung des Canticum wenig Übereinstimmungen zwischen Gregor von Elvira und Ambrosius, *cf.* dazu den Similienapparat.

[10] So zum Beispiel in der Handschrift R *trahe me* statt *et adtraxerunt se* (1,17) und der Zusatz *columba mea in foraminibus petrae in caverna maceriae* (4,22), in der Handschrift P die Ergänzung *concupivi et sedi* (3,23).

[11] *Cf.* den textkritischen Apparat zu 1,2 und 1,4.

Paragraph im Werk Gregors hingewiesen. Auf den Lemmatext folgen in Klammern abweichende Fassungen, bei denen nicht immer feststeht, ob Gregor selbst sie so im Kontext benutzt hat oder ob die Überlieferung Veränderungen mit sich gebracht hat. Es ist zumindest auffällig, daß sich die meisten Abweichungen für die ersten Verse des Canticum finden, bei deren Abschrift die Aufmerksamkeit des Schreibers und die Bereitschaft zur »Verbesserung« noch groß war. Wenn aus dem Kontext nicht zu erkennen ist, ob Gregor den Bibeltext wörtlich zitieren will oder ihn nur paraphrasiert, ist ein Fragezeichen hinzugefügt; verwendet Gregor im Kontext eine Vokabel des Lemmatextes aus einer anderen ihm bekannten Übersetzung, steht das Zitat in Anführungszeichen. Im textkritischen Apparat, werden zum Vergleich die Lesarten der Handschrift 169[12] und diejenigen des Ambrosius[13] angegeben, in einigen Fällen wird auf andere patristische Zeugen verwiesen.

[12] Dies ist die einzige Handschrift (Salzburg, Stiftsbibliothek St. Peter a. IX. 16, saec. 8), die einen zusammenhängenden altlateinischen Bibeltext bietet; eine zweite Handschrift mit derselben Textfassung (Graz, Universitätsbibliothek 167, saec. 12 = VL 170) ist von der ersteren abhängig, *cf.* die Beschreibungen in E. Schulz-Flügel, *Canticum Canticorum*, VL 10,3, Freiburg 1992, 20-24.

[13] Man kann natürlich nicht von *dem* Canticum-Text des Ambrosius sprechen, da er ihn nirgendwo vollständig und zusammenhängend zitiert. Zu großen Teilen ist er jedoch in *De Isaac* und in der *Expositio de Psalmo 118* enthalten, ergänzt von weiteren Zitaten in anderen Werken. Dem Vergleich mit dem Text des Gregor sind alle Zitate, auch mit ihren Varianten, zugrundegelegt.

Buch 1

1,1 CANTICA CANTICORUM

1,2 Osculetur me ab osculo oris sui (1,1)
quoniam bona sunt ubera tua super vinum

1,3 et odor unguentorum tuorum super omnia aromata
(quoniam meliora sunt ubera tua super vinum) ω^2
(quoniam bona x ubera tua super vinum)

1,3 unguentum exinanitum nomen tuum (1,14)
unguentum effusum nomen tuum (1,16b)

1,3 propterea adolescentulae dilexerunt te (1,17)

1,4 et adtraxerunt se post te
(adtrahe nos post te)? (1,17)
(trahe nos post te)? ω^2 (1,19)
x x x x x

1,4 introduxit me rex in cubiculum suum (1,20)
exsultemus et laetemur in eum (1,21)
diligimus ubera tua super vinum (1,22)
aequitas dilexit te

1,5 fusca sum et decora filia Iherusalem (1,23)

1,6 nolite aspicere me x x x x (1,25)
quoniam non est intuitus me sol
(»cum eam despexerat sol«)

1,5 fusca sicut tabernacula Cedar sicut pellis (1,27b)
Salomonis

1,2 osculo] osculis 169 quoniam] quia 169 bona] meliora AM (1x) **1,3** exinanitum] effusum est 169 exinanitum *et* effusum *habet* AM effusum] effusum est 169 propterea] ideo 169 **1,4** et adtraxerunt se post te] et adtraxerunt te. Retro 169 adtrahe nos post te AM post] Retro odorem unguentorum curramus 169* introduxit] induxit AM cubiculum] promptuarium/ cellarium/ penetralia/ tabernaculum AM eum] te 169 AM diligimus] diligemus 169 diligamus? AM **1,5** decora] bona 169 filia] o filia/ o filiae AM me + quoniam ego sum offuscata 169 quia/quoniam offuscata sum AM quoniam non est intuitus] quia despexit 169 fusca *om* 169 AM sicut] ut AM tabernacula] tabernaculum AM pellis] pelles 169

(fusca sum sicut tabernacula Cedar sicut pellis Salomonis)

Buch 2

1,6 filii matris meae oppugnaverunt adversum me (2,1)
posuerunt me custodem in vineis
vineam meam non custodivi
(filii matris meae pugnaverunt adversum me) ω^2

1,7b ubi pascis ubi cubas in meridie (2,5)
ubi pascis ubi manes in meridiano ω^2

1,7a adnuntia mihi quem dilexit anima mea (2,7)

1,7 ne forte efficiar circumamicta (2,10)
tamquam super greges sodalium tuorum
(ne forte fiar circumamicta)
(»ne ... forte efficiar ... cooperta«)?

1,8 nisi cognoveris te decora inter mulieres (2,15)
exi tu in vestigio gregum
(nisi te cognoveris speciosam)
(exi tu in vestigiis gregum)
(exies tu in vestigiis gregum)?

1,8 pasce haedos tuos in tabernaculis pastorum (2,20)
et pasce haedos tuos in tabernaculis pastorum ω^2

1,9 equae haec in curribus Pharaonis (2,24)
equae meae in curribus Pharaonis ω^2
x x x x

1,10 quam speciosae x x genae tuae sicut turturis (2,29)
(genae tuae ut turturis)

1,10 cervix tua sicut redimiculum ornamenti (2,35)

1,6 oppugnaverunt adversum] pugnaverunt adversus 169 pugnaverunt adversum AM **1,7** cubas] cubile habebis 169 manes] cubile habebis 169 meridiano] meridie 169 ne forte efficiar] ne forte fiam AM circumamicta] sicut operta 169 fiar] efficiar 169 efficiar ... cooperta] efficiar sicut operta 169 tamquam *om* 169 AM **1,8** cognoveris] cognoveris/ scias/ noscas AM vestigio] vestigiis 169 calcaneis AM **1,9** equae] et quae 169 haec] meae 169 AM Pharaonis + similem te arbitratus sum o proxima 169 adsimilavi te proxima mea AM **1,10** speciosae + factae sunt 169 AM redimiculum ornamenti] redimicula 169 AM

1,11	similitudinem auri faciemus tibi cum distinctionibus argenti	(2,35)
1,12	quousque rex sedeat in declinatorium suum	(2,40)

Buch 3

1,12	nardum meum dedit odorem suum	(3,1)
1,13	ligamentum guttae frater meus mihi	(3,2)
	frater meus mihi inter media ubera mea requiescit	(3,3)
1,14	botrus cipri frater meus in vinea quae in Gaddin	(3,4)
1,15	vide si speciosa soror mea vide si decora	(3,9)
	oculi tui ut columbae	(3,10)
1,16	vide si bonus frater meus et quidem speciosus	(3,12)
1,16	cubile nostrum umbrosum asseres nostri cedrini praesaepia nostra cipressi	(3,14)
2,1	ego flos campi et lilium convallium	(3,18)
2,2	ut lilium in medio spinarum sic proxima mea in medio filiorum et filiarum	(3,19)
2,3	tamquam malum inter ligna silvae	(3,21)
2,3	sic frater meus in medio filiorum	(3,22)

1,11 cum] ex AM **1,12** quousque] quoadusque 169 AM sedeat] sit 169 *om* AM declinatorium suum] recubitu suo 169 declinatione sua AM **1,13** ligamentum] alligamentum 169 colligatio AM frater] frater/ consobrinus AM frater meus[2] *om* 169 AM **1,14** in vinea] inter vineas 169 in vineis AM quae in *om* AM Gaddin] Gaddi 169 Engaddi AM **1,15** vide si] ecce es AM speciosa soror] formonsa es proxima/ es bona proxima AM ut] *om* 169 sicut AM **1,16** vide si] ecce es AM bonus] speciosus 169 formonsus AM frater] consobrinus AM speciosus] decorus 169 pulcer AM cubile] adclinatio AM nostrum] nostra AM umbrosum] condensum 169 opaca AM asseres nostri] tigna domum nostrarum 169 trabes domorum nostrarum AM cedrini] caedri 169* AM praesaepia] lacunaria AM **2,2** ut] sicut 169 tamquam AM sic] ita 169 *def* AM filiorum et *om* AM **2,3** tamquam] sicut 169 AM malum] arbor mali 169 AM sic] ita 169 AM frater] consobrinus AM in medio] inter medium 169

2,3 concupivi in umbra eius x x (3,23)
et fructus eius dulcis in faucibus meis
2,4 inducite me in domum vini (3,24)
constituite super me dilectionem (3,25)
confirmate me in unguentis (3,26)
2,5 constipate me in malis (3,27)
quia vulnerata caritatis ego sum
2,6 laeva eius sub capite meo (3,29)
et dextera eius conplectitur me

Buch 4

2,7 adiuravi vos filiae Iherusalem (4,1)
in virtutibus et potestatibus agri
si x x excitetis caritatem quousque velit
(»ut elevarent et suscitarent caritatem quousque ipse velit«)
2,8 x x x ecce hic x saliens super montes (4,4)
exsiliens super colles
2,9 similis esto frater meus cervae aut hinnulo cervorum super montes Bethel (4,5)
2,9 ecce hic post parietem nostrum (4,6)
prospiciens per fenestram auscultatur per retia
(auscultans per retia)

2,3 concupivi in umbra eius] in umbra ipsius concupivi et sedi 169 AM (ipsius] eius AM) **2,4** inducite] introducite AM super] in 169 AM dilectionem] caritatem 169 dilectionem/ caritatem AM caritatis] dilectionis/ caritatis AM in unguentis] inter unguenta 169 constipate] stipate AM in malis] inter mala 169 malis AM **2,6** conplectitur] conplectetur 169 amplexabitur/ conplectitur AM **2,7** potestatibus] viribus 169 fortitudinibus AM si x x excitetis] si levaveritis et exsuscitaveritis 169 si suscitaveritis et excitaveritis AM quousque] quoadusque 169 usquequo AM velit] voluerit AM **2,8** x x x] vox fratris mei 169 *om* AM saliens] venit saliens 169 advenit saliens AM exsiliens] transiliens 169 AM **2,9** esto] est 169 AM frater] consobrinus AM cervae (PS-AU)] caprave 169 capreolae AM super montes] in montibus 169 post] retro post 169 fenestram] fenestras 169 fenestram/ fenestras AM auscultatur] abscultans 169 eminens AM per] super/ per AM

2,10 respondit frater meus et dicit mihi (4,10)
exsurge veni proxima mea x x columba mea
2,11 quoniam ecce hiems transiit et pluvia discessit sibi
2,12 flores visi sunt in terra nostra
tempus metendi advenit
(exsurge veni proxima mea speciosa mea
columba mea)
(quoniam ecce hiems pertransiit x pluvia
discessit sibi)
2,12 vox turturis audita est in terra x (4,16)
2,13 ficulneae protulerunt grossos suos
(in terra nostra vox turturis audita est)
2,13 vineae nostrae florebunt (4,19)
et dederunt odorem suum in omni loco odor
2,13 mandragorae dederunt odorem suum (4,20)
2,14 exsurge veni soror mea speciosa mea columba mea (4,21)
2,14 x x x x x in protectione petrae continuatae (4,22)
muro ostende mihi faciem tuam et auditum da (4,22)
mihi vocis tuae
2,14 quoniam vox tua suavis est et facies tua pulcra (4,23)

2,10 frater] consobrinus AM dicit] dixit 169 AM exsurge] surge 169 surge/ exsurge AM mea + speciosa mea 169 + formonsa mea AM **2,11** transiit] praeteriit/ abiit AM et *om* 169 pluvia] imber AM + abiit 169 AM **2,12** nostra *om* 169 metendi] secandi 169 messis/ secandi/ incisionis AM terra + nostra 169 AM **2,13** ficulneae] *cf.* ficulnea RUF arbor fici 169 ficus AM protulerunt] produxit 169 AM grossos] grossus 169 vineae] vites 169 *def* AM nostrae *om* 169 *def* AM florebunt] floriunt 169 *def* AM in omni loco – dederunt odorem suum *om* AM suum *om* 169 **2,14** exsurge] surge 169 *def* AM soror] proxima 169 *def* AM x x x x x x] et veni tu columba mea 169 AM protectione] velamento 169 tegimento AM continuatae muro] continuata usque ante muros 169 iuxta praemunitionem AM auditum da mihi vocis tuae] audiam vocem tuam 169 insinua mihi vocem tuam AM pulcra] speciosa 169 suavis] pulcra suavis? AM

2,15 capite mihi vulpes pusillas exterminantes vineas (4,24)
x x x x
2,16 frater meus mihi et ego illi (4,26)
qui pascit inter lilia
2,17 quoadusque aspiret dies et amoveantur umbrae
2,17 convertere similis esto x frater meus (4,27)
cervae aut hinnulo cervorum super montes aromatum

Buch 5

3,1 in cubiculo x x x quaesivi (5,1)
quem dilexit anima mea
quaesivi eum et non inveni eum
vocavi eum et non obaudivit me
(in cubiculo in noctibus)
(in cubiculo meo in noctibus)
3,2 exsurgam x et circuibo civitatem (5,6)
in foro et in plateam quaeram
quem dilexit anima mea
(in foro et in plateis requiram eum)
x x x x x x
3,3 invenerunt me custodes (5,10)
qui servant et circumeunt civitatem
x x x x x x

2,15 mihi] nobis 169 AM x x x x] et vineae nostrae florient 169 ut vineae nostrae floreant AM **2,16** illi] ei AM inter lilia] in liliis AM **2,17** quoadusque] donec 169 usquedum AM aspiret] aspiraret 169* esto + tu 169 *def* AM cervae] capreae 169 dammulae AM super montes] in montibus *man alt* 169 *def* AM aromatum] sucorum 169 **3,1** cubiculo x] cubili meo 169 AM (cubile 169*)-meo + in noctibus 169 AM obaudivit] audivit/ obaudivit AM **3,2** exsurgam] surgam itaque 169 exsurgam itaque/ exsurgam ibo AM civitatem] in (*del*) civitatem 169 plateam] plateis 169 plateas/ plateis AM quaeram] et quaeram 169 AM **3,3** custodes qui servant] qui custodiunt x x 169 »custodes qui in ministerio sunt« AM x x x x x x] numquid quem dilexit anima mea vidistis 169 AM

3,4 quam modicum x x transivi ab eis (5,11)
x inveni eum x x x x (*sed cf.* »eum invenit quem diligebat anima«: 5,11)
x x et non relinquam eum (*sed cf.* »eum retinere«: 5,10)
3,4 donec inducam eum in domum matris meae (5,12)
et in secretum eius quae me concepit

Wie man sieht, weist der Lemmatext gegenüber der griechischen Vorlage und auch dem Wortlaut der Handschrift 169 einige Lücken auf: (in Klammern der Text von 169)

1,4 (retro odorem unguentorum tuorum curramus)[14]
1,6 (quoniam ego sum offuscata)
1,9 (similem te arbitratus sum o proxima)
1,10 (facta sunt)
1,17 (domuum)
2,3 (et sedi)
2,7 (levaveritis et)
2,8 (vox dilecti mei[15] ... venit)
2,10 (speciosa mea)
2,11 (abiit)
2,12 (nostra)
2,14 (et veni tu columba mea)
2,15 (et vineae nostrae floriunt)
2,17 (tu)

3,4 modicum + fuit cum 169 AM eis] ipsis 169 x inveni eum x x x x] donec inveni quem dilexit anima mea 169 AM x x et non relinquam eum] tenui eum et non dimisi eum 169 AM (*alibi*: dimittam AM) inducam] induxi 169 secretum] cubiculum 169

[14] Dies ist ein Zusatz der LXX, den – soweit man sehen kann – außer Gregor kein Benutzer altlateinischer Versionen ausläßt.

[15] Diese drei Wörter konnten leicht als »Rubrik« (*cf.* dazu weiter unten) mißverstanden werden. Auch andere Autoren lassen sie daher aus.

3,1 (meo in noctibus), später im Kontext vorhanden!
3,2 (itaque)
(quaesivi eum et non inveni eum)
3,3 (numquid quem dilexit anima mea vidistis)
3,4 (fuit cum)
(donex ...... quem dilexit anima mea), im Kontext vorhanden
(tenui eum), im Kontext vorhanden

Ob diese Omissionen auf Gregors Bibelvorlage zurückgehen, ob der Autor die entsprechenden Wörter und Halbverse bewußt wegließ oder ob die Lücken bereits aus Vorlagen für den Kommentar ererbt sind, läßt sich kaum entscheiden, vor allem nicht, bevor sich solche Vorlagen nachweisen lassen. Gegen bewußte Auslassung spricht Gregors sonstiges Bemühen um Vollständigkeit; auch Wiederholungen im Lemmatext zitiert er sorgfältig und weist darauf hin, daß er diese Passage oder dieses Wort bereits erklärt habe[16].

Auch ob die Vorwegnahmen[17] der Verse 1,6 vor 1,5 und 1,7b vor 1,7a bereits von Gregor vorgefunden wurden oder durch den Argumentationsverlauf des Kontextes verursacht sind, steht nicht fest.

Die Zuordnung zu einem altlateinischen Texttyp fällt nicht schwer; zu offensichtlich ist die Verwandtschaft mit der in der Handschrift 169 gebotenen Version, wobei die Übereinstimmungen selbst deutliche Fehler und Zusätze umfassen[18]. Aber ebenso, wie sogleich nach dem Auffinden der Handschrift 169 diese Ähnlichkeit erkannt wurde, bemerkte man die Unterschiede und auf der anderen Seite Übereinstimmungen Gregors mit Lesarten des Ambrosius[19]. Außerdem enthält Gregors Version auch Varianten, die aus keiner anderen Quelle bekannt sind.

[16] So zum Beispiel in 4,11 (zu *columba*) und in 4,21 (zu *exsurge, veni, soror, speciosa, columba*).
[17] *Cf.* die Reihenfolge in 1,25/1,27b und in 2,5/2,7.
[18] Eine Liste der wichtigsten Übereinstimmungen folgt weiter unten.
[19] D. De Bruyne, *Les anciennes versions latines du Cantique des Cantiques*: Revue Bénédictine 38 (1926) 106-108, behandelt die Ähnlichkeiten zwischen 169 und Gregor; A. Wilmart, *L'ancienne version latine du Cantique* I-III, 4: Revue Bénédictine 28 (1911) 14 Anm.1, weist auf die Verwandtschaft mit Ambrosius hin.

Dabei handelt es sich um folgende Stellen (nicht berücksichtigt sind die Omissionen, da ihre Genese nicht feststeht):

1,4a *et adtraxerunt se post te* (*et adtraxerunt te. Retro ... 169 adtrahe nos post te* AM)
1,4c *laetemur in eum* (*laetemur in te* 169 AM)
1,6 *oppugnaverunt* (*pugnaverunt* 169 AM)
1,7c *circumamicta tamquam super greges* (*sicut operta super greges* 169 x *circumamicta super greges* AM)
1,9a *equae haec*[20] (*equae meae* 169 AM)
1,10b *redimiculum ornamenti* (*redimicula* x 169 AM)
1,12a *quousque rex sedeat* (*quoadusque rex sit* 169 *quoadusque rex* x AM)
in declinatorium suum (*in recubitu suo* 169 sed *cf.*: *in declinatione sua* AM)
1,16b *asseres nostri* (*tigna domum nostrarum* 169 *trabes domorum nostrarum* AM)
2,7 *in potestatibus* (*in viribus* 169 *in fortitudinibus* AM)
2,12 *tempus metendi* (*tempus secandi* 169 *tempus incisionis/secandi/messis* AM)
2,13c *soror mea* (*proxima mea* 169 *def* AM)
2,14 *in protectione* (*in velamento* 169 *in tegimento* AM *in operimento* RUF)

Mit Ambrosius stimmt Gregor an folgenden Stellen gegen 169 überein (Lesarten, die sich ausschließlich bei diesen beiden Autoren finden, sind mit ! gekennzeichnet):

GR-I, AM
1,4 *propterea* (ideo 169)
adtrahe nos post te[21]! (*et adtraxerunt te. Retro odorem unguen-*

[20] Die Lesart *equae haec* in der Erstfassung ist allerdings zweifelhaft (haec A hac B mee P = ω²), aber der (fast) gleiche Fehler in den unabhängigen Handschriften A und B weist eher auf einen Fehler in der Vorlage Gregors hin als auf spätere Verderbnis.
[21] Im Lemmatext bietet Gregor allerdings die singuläre Lesart *et adtraxerunt se*

	torum tuorum curramus 169)
1,5	*decora* (*bona* 169)
1,6	*non est intuitus me sol*[22]! (*despexit me sol* 169)
1,7	*manes in meridiano*[23]! (*cubile habebis in meridie* 169)
	circumamicta (*operta* 169)
2,3	*tamquam*! (*sicut* 169)
2,4	*dilectionem*! (*caritatem* 169)
2,10	*exsurge* (*surge* 169); ebenso: 2,13; 3,2
3,4	*ipsis* (*eis* 169)
	relinquam! (*dimisi* 169)
	secretum! (*cubiculum* 169)

Auch die beiden folgenden Stellen zeigen größere Nähe zu Ambrosius als zu 169:

1,12	*in declinatorium suum* GR-I (*in recubitu suo* 169)
	in declinatione sua AM
2,12	*tempus metendi* GR-I (*tempus secandi* 169)
	tempus messis AM (1x)

Daß jedoch Gregors Bibeltext und die Textgestalt von 169 auf ein- und dieselbe gemeinsame Übersetzung zurückgehen, zeigen besonders deutlich folgende Übereinstimmungen:

GR-I, 169

1,14 *quae in Gaddin* (*quae in gaddi* 169* *quae in engaddi* 169[2]),

post te (ähnlich 169), (1,17), aber im folgenden Kontext zitiert (?) er: *illae ... rogant dominum dicentes: Adtrahe nos post te*, also den Wortlaut, den Ambrosius als Bibeltext bietet. Vielleicht ist hier durch Zufall, das heißt durch die innere Logik der Beweisführung Gregors, ein übereinstimmender Wortlaut entstanden?

22 Gregor kennt allerdings auch die Lesart von 169 und verwendet sie im Kontext (*tunc est fusca cum eam despexerat sol*, 1,25), diese andere Übersetzung wurde von einem späteren Bearbeiter in der Handschrift R an *non est intuitus me sol* angeglichen.

23 Diese Übersetzung findet sich nur in der zweiten Rezension (2,5 und 2,7), allerdings benutzt Gregor auch schon in der Erstfassung im Kontext *mansio* und *meridianus* (2,7).

die gesamte übrige Überlieferung hat hier lediglich 'Engaddi', entsprechend der griechischen Vorlage (*cf.* jedoch Symmachos: τοῖς ἐν Γαδδί)

1,15/ *vide si* (*ecce tu/ecce es* cett),
1,16 den Übersetzungsfehler ἰδοὺ εἶ = *vide si* hat die übrige Tradition erkannt und beseitigt

1,17 *praesaepia nostra cipressi* (*laquearia/ lacunaria/ trabes* cett), auch hier handelt es sich um einen Irrtum (φατνώματα = *praesaepia*), der nur von GR-I und 169 beibehalten wurde

2,2 + *filiorum et filiarum* (*filiarum* cett), der Zusatz findet sich nur bei GR-I und 169

2,13 *odorem + in omni loco odor mandragorae dederunt odorem* (*et in omni* etc 169) auch dieser Zusatz findet sich nur bei GR-I und 169

2,14 *in protectione petrae continuatae muro* (*in velamento petrae continuata usque ante muros* 169), die Übersetzung des griechischen ἐχόμενα τοῦ προτειχίσματος durch *continuatae muro* überliefern nur Arnobius[24], Gregor von Elvira und - bereits etwas abgewandelt - 169 (*iuxta promurale* aut sim cett)

Zu diesen Beispielen tritt noch Ct 5,10, das Gregor zwar nicht im Epithalamium, aber tr 12,29 zitiert:

5,10 *inde illic candidus et rubicundus frater conpunctus lancea a militibus (frater meus candidus et rubeus est ac discretus a multitudine lancea vulneratus a multitudine* 169)

Auch Ambrosius zitiert Ct 5,10 nach dieser Version: *ille discretus a militibus, ille lancea vulneratus*[25]. Aus dem Vergleich des Wortlautes dieser Zitate läßt sich das Verhältnis des Bibeltextes der Handschrift 169, des Gregor und des Ambrosius zueinander erkennen.

[24] AR cfl 1,15 (112,32) in der Ausgabe von F. Gori, *Arnobio il Giovane, Disputa tra Arnobio e Serapione*, Corona Patrum 14, Torino 1993.
[25] AM vg 1,47.

Unverkennbar ist, daß alle auf eine Übersetzung zurückgehen, die das schwierige Wort der griechischen Vorlage ἐκλελοχισμένος mißverstand[26] und mit *lancea compunctus/ vulneratus* wiedergab. Dabei ist *compunctus* (unter Einfluß von Jo 19,34) als die ältere Vokabel anzusehen, die (unter Einfluß von Is 53,4.5) durch *vulneratus* ersetzt wurde. Ebenso zeigt *a militibus* ein früheres Stadium an, *a multitudine* ist bereits Korrekturversuch nach der Vorlage.

Sowohl 169 als auch Ambrosius bezeugen eine Doublette für *lancea compunctus/ vulneratus*, nämlich *discretus*, die ebenfalls als Korrektur nach dem Griechischen zu verstehen ist.

Gregor kennt also die Übersetzung noch im ursprünglichen Zustand ohne Korrektur und Doublette, Ambrosius fand die Doublette *discretus* und die »modernere« Vokabel *vulneratus* vor, nicht aber die Korrektur *a multitudine*. Der Text der Handschrift 169 enthält dagegen sämtliche Neuerungen: *vulneratus* für *compunctus*, *a multitudine* statt *a militibus* und überdies die Doublette *discretus* zu *lancea vulneratus/compunctus*.

Daß 169 einen überarbeiteten Zustand der ursprünglichen Übersetzung bietet, erweist sich an vielen Stellen, an denen Gregor und 169 auseinandergehen, und zwar so, daß 169 bereits eine Entwicklung in Richtung auf die hexaplarische Rezension des Hieronymus darstellt, während Gregors Text an den ursprünglichen Lesarten festhält. Das gilt vermutlich für die meisten der oben aufgeführten singulären Lesarten Gregors, wie auch für einen Teil der Übereinstimmungen mit Ambrosius gegen 169.

Allerdings bietet auch Gregor an einigen Stellen einen »moderneren« Text als 169, wie zum Beispiel *cedrini* statt *caedri* (Ct 1,17); *in* cum Abl. statt *inter* (Ct 2,5), *aromatum* statt *sucorum* (Ct 2,12). Besonders Ct 3,3 zeigt, daß auch der Canticum-Text Gregors gegenü-

[26] Das überlieferte ἐκλελοχισμένος ist sonst nicht bekannt, aber vermutlich von λόχος abgeleitet. Zu der Übersetzung dieser Stelle *cf.* E. Schulz-Flügel, *Interpretatio, zur Wechselwirkung von Übersetzung und Auslegung im lateinischen Canticum canticorum*, in: Philologia Sacra, Biblische und patristische Studien für Hermann J. Frede und W. Thiele zu ihrem siebzigsten Geburtstag, ed. R. Gryson, Vetus Latina. Aus der Geschichte der lateinischen Bibel 24/1, Freiburg 1993, 131-149, besonders 134-137.

ber der ursprünglichen Übersetzung eine Entwicklung durchgemacht hatte, wenn auch eine andere als diejenige der Handschrift 169.

Ct 3,3

LXX	εὕροσάν	με	οἱ τηροῦντες	οἱ κυκλοῦντες	ἐν τῇ πόλει
169	*invenerunt*	*me*	*qui custodiunt*	x x	*civitatem*
HI	*invenerunt*	*me*	*custodes*	*qui circumeunt*	*civitatem*
EP-SC	*invenerunt*	*me*	*qui servant*	*qui circumeunt*	*in civitatem*
GR-I	*invenerunt*	*me*	*custodes qui servant*	*qui circumeunt*	*in civitatem*
AM	*»invenit custodes, qui in ministerio sunt«*[27]				

Da diese Textform samt der Doublette *custodes qui servant* in den beiden voneinander unabhängigen Überlieferungszweigen BP und AR[28] gleichermaßen tradiert wird, muß man davon ausgehen, daß Gregor selbst diesen Text in seiner Bibel vorfand. Hier ist also bereits gegenüber 169 das fehlende Glied *qui circumeunt* eingefügt und außerdem zu *custodes* eine Alternativlesart. Diese Variante *qui servant* ist zwar nur bei Epiphanius Scholasticus erhalten, der ja bekanntlich der hexaplarischen Rezension folgt[29], das muß aber nicht besagen, daß diese Lesart nicht schon vor der Arbeit des Hieronymus um 387 existiert hat. Daher ist ihr Erscheinen bei Gregor kein Grund, das Epithalamium nach 387 zu datieren, zumal sich sonst keinerlei Spuren der hexaplarischen Rezension in diesem Werk finden.

Auch der Canticum-Text des Ambrosius[30] hat eine eigene Entwicklung durchgemacht. Daß dieser mit textkritischen Kenntnissen

[27] Für diesen Vers bietet Ambrosius kein explizites Zitat, daher ist der Vergleich hier nicht möglich.
[28] Zu den beiden Zweigen der Überlieferung *cf.* S. 134–139.
[29] *Cf.* A. Vaccari, *Cantici Canticorum vetus latina translatio a S. Hieronymo ad graecum textum hexaplarem emendata*, Roma 1959.
[30] Hier sei noch einmal darauf hingewiesen, daß es einen festen Canticum-Text des Ambrosius nicht geben kann, (*cf.* Anmerkung 13). Zu dem Problem auch S. Sagot, *Le 'Cantique des Cantiques' dans le 'De Isaac' d'Ambroise de Milan*: Recherches Augustiniennes 16 (1981) 5 mit Anmerkung 6.

und Vertrautheit mit griechischen Codices ausgestattete Autor die offensichtlichen Fehler (siehe oben) nicht übernimmt, ist verständlich. Darüberhinaus finden sich einige Verbesserungen gegenüber der älteren Schicht, für die teilweise Ambrosius selbst verantwortlich sein kann, so ganz besonders für die überraschende Lesart in Ct 1,4: *adtrahe nos post te,* überraschend[31] deswegen, weil diese dem Hebräischen entsprechende Übersetzung kaum auf die verbreitete griechische Überlieferung zurückgehen kann, die εἵλκυσάν σε ὀπίσω σου (σε] με *Var*) bietet. Darauf beruht die sonst bekannte altlateinische Übersetzung *et adtraxerunt te. Retro ...* (169)[32] und auch die hexaplarische Rezension *traxerunt te post se.*[33] Auch der Wortlaut von Ct 1,7 *ubi manes in meridiano* scheint von Ambrosius selbst zu stammen. Die übrige altlateinische Überlieferung bietet *ubi cubile(m) habes in meridie* (169; RUF), bzw. *ubi cubas in meridie* (HI; AU und andere)[34].

Gerade diese beiden auffälligen Lesarten tauchen auch bei Gregor von Elvira auf, und zwar im Zusammenhang mit der Rezension ω^2, wobei allerdings bereits in der Erstfassung im Kontext die Vokabeln *mansio* und *meridianus* verwendet werden; und Gregor paraphrasiert das Lemma *et adtraxerunt se post te* auch schon in der Rezension ω^2 mit *dicentes: adtrahe nos post te*[35]. Ebenso kennt er hier schon für Ct 1,6 neben der üblichen altlateinischen Version *despexit* die nur noch bei Ambrosius erscheinende Variante *non est intuitus*[36].

[31] Auf eine andere Übereinstimmung zwischen Ambrosius und dem hebräischen Text gegen die LXX macht S. Sagot, *op.cit.* 13-15 aufmerksam. Is 8,71 spielt Ambrosius auf die Wendung in Ct 8,2 *docebis me* an, die im griechischen Text nicht enthalten ist. Als Ergänzung dazu zwei Zitate, die nicht nur Anspielungen sind: AM my 40; 118 Ps 19,25. Ambrosius hatte also offenbar Zugang zu griechischen Vorlagen, die dem Hebräischen näherstanden als die uns erhaltenen.

[32] So zitieren auch Hieronymus und der Physiologus B.

[33] Diese Version bezeugen Epiphanius Scholasticus und Rufin.

[34] Die Verwendung von *mansio* und *meridianus* im Kontext der Fassung ω^1 könnte allerdings auch ein Anzeichen dafür sein, daß in der ω^1-Überlieferung sehr früh eine Korrektur der ungewöhnlichen Form des Zitates Ct 1,7b erfolgt ist, wie es für einige andere Schriftzitate wahrscheinlich ist; *cf.* dazu S. 94–99.

[35] GR-I 2,5 und 1,17.

[36] GR-I Ct 1,24.25; dabei benutzt er *non est intuitus* als Lemmatext.

Auch setzt er in den Kontext des Lemma Ct 1,7 *ne forte efficiar circumamicta (ne forte fiam circumamicta* AM) die von Hieronymus bekannte Variante *cooperta* (operta 169)[37].

Gregor kannte folglich, wie er mit dem *verum quod alibi ait: unguentum effusum nomen tuum*[38] deutlich zum Ausdruck bringt, mehrere Versionen des Canticum oder zumindest zu etlichen Stellen Alternativlesarten.

Zusammenfassend läßt sich sagen: Gregors Canticum-Text entstammt der ältesten uns bekannten Übersetzungsschicht, die geringfügig überarbeitet war. Diese Fassung legte er als Lemmatext der Erstfassung des Epithalamium zugrunde. Ihr Verhältnis zu den Texten der Handschrift 169 und den Zitaten des Ambrosius läßt sich am besten in folgenden Stemma[39] darstellen:

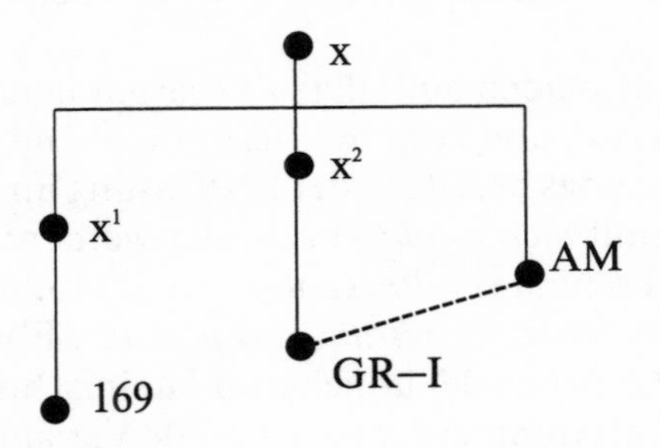

Der gemeinsame Vorfahr für alle drei Fassungen war also ein in Europa verbreiteter Text, der jeweils mehr oder weniger starken

[37] GR-I Ct 2,10.12.13; allerdings ist hier nicht eindeutig klar, ob *cooperta* nicht Adjektiv zu *veritate* ist: *ne fiar ... circumamicta id est ne ... efficiar so‹rd›ida veritate cooperta* (*cf.* zur Stelle S. 149sq).

[38] GR-I Ct 1,16; eine Kenntnis und Erwähnung der beiden Übersetzungen *exinanitum/effusum* findet sich auch bei Chromatius, allerdings hier *diffusum* statt *effusum* (CHRO h Lem 11,3).

[39] Durch x^1 werden die Korrekturen nach dem griechischen Text bezeichnet, die eine Vorstufe zur hexaplarischen Rezension bilden (*cf.* VL 10/3,14 sq). Die Schicht der Korrekturen am Text des gemeinsamen Vorfahrs x, die Gregor in seinem Bibeltext fand, ist mit x^2 gekennzeichnet.

Korrekturen unterworfen war. Da sich ein »afrikanischer« Texttyp[40] mangels Material nicht deutlich erkennen läßt, kann man nicht sagen, ob dieser gemeinsame Vorfahr nicht die einzige Übersetzung war, die bis zur hexaplarischen Rezension existierte. Da sie im europäischen Raum erkennbar wird, wird sie dem Texttyp D[41] zugeordnet. Neben diesem Grundtext kannte Gregor von Elvira auch Lesarten, die speziell in Italien (von HI; RUF und anderen) benutzt wurden. Von einem typisch spanischen Canticum - Text Gregors zu sprechen, erlauben die geschilderten Zusammenhänge nicht.

SPUREN VON RUBRIKEN ZUM LEMMATEXT

Schon der griechische Canticum-Text ist in Bibelhandschriften von Rubriken[1] begleitet, durch die die einzelnen Redepartien den *dramatis personis* zugewiesen werden. Vermutlich geht diese Rollenverteilung bereits auf Origenes zurück[2].

Auch für die altlateinischen Versionen des Canticum müssen wir annehmen, daß hier und da solche Rubriken vorhanden waren. So wird auch das Canticum Canticorum in der Handschrift 169 von einer Rubrikenreihe begleitet, die schwerlich erst zur Zeit der Niederschrift (8. Jh.) hinzugefügt wurde. Diese Reihe zeigt kein einheitli-

[40] Cyprian und sein Umkreis zitieren das Canticum Canticorum nur selten und mit einigen ausgewählten Versen, die uns kein Bild von der benutzten Textgestalt vermitteln können.

[41] Zum Texttyp D *cf.* H. J. Frede, VL 24/1, Freiburg 1962-1964, 32* und VL 25, Freiburg 1975-1982, 147-150. Zum D-Typ für den Text des Canticum *cf.* E. Schulz-Flügel, VL 10/3, Freiburg 1992, 14.

[1] D. De Bruyne, ‹*Sommaires, Divisions et Rubriques de la Bible latine*›, Namur 1914, prägte die Bezeichnung »rubrique« für die Randnotizen, die nicht - wie die *Capitula* - Überschriften zu einzelnen Abschnitten darstellen, sondern im Fall des Canticum Canticorum Rollenzuweisungen an die Protagonisten des als »Drama« verstandenen Hohenliedes sind.

[2] Origenes beschäftigte sich bereits in einem (verlorenen) Jugendwerk mit dieser Rollenverteilung *(Cf.* HI ill 39: *in Canticum Canticorum libros X et alios thomos II, quos insuper scripsit in adolescentia).* Von diesem Werk ist nur ein Fragment in der Philocalia erhalten: VIII. περὶ τοῦ ἰδιώματος τῶν προσώπων τῆς θείας γραφῆς, ἐκ τοῦ εἰς τὸ ᾆσμα μικροῦ τόμου, ὃν ἐν τῇ νεότετι ἔγραψεν. Etliche der uns überlieferten Rubriken tragen deutlich den Stempel der Rollenzuweisungen, die Origenes in den Homilien und im Kommentar vornimmt.

ches Bild, sondern ist aus zwei Typen zusammengesetzt, einem mit dem Schema *vox Christi/Ecclesiae/Synagogae etc.* und einem zweiten Typ *Christus/Ecclesia dicit.* Dieser zweite Typus erscheint jedoch erst ab Ct 3,10, also kurz nach der Stelle, mit der Gregors Lemmatext endet.

Auch Gregor scheint in seiner Bibel Rubriken vorgefunden zu haben, die dem ersten Typ *vox Christi/Ecclesiae* gleichen. Allerdings entsprechen die Spuren von Rubriken, die man aus dem Kontext Gregors erschließen kann, nur an wenigen Stellen den Rubriken der Handschrift 169; und auch da ist die Übereinstimmung nicht unbedingt ein Zeichen für eine Abhängigkeit, weil der Text selbst hier einen Sprecherwechsel geradezu fordert.

In der folgenden Übersicht werden die erschlossenen Rubriken bei Gregor denen der Handschrift 169 gegenübergestellt, die Zahlen geben Kapitel- und Verszählung des Canticum an; in Klammern sind die jeweils folgenden Wörter verzeichnet.

Auf die auffällige Formulierung Ct 1,8 (*comminantis vox*) und ihre Nähe zu Origenes wurde bereits hingewiesen[3].

GR-I		*Hs.169*
1,2	Ecclesiae ... vox est ad Christum (osculetur)	
1,4	hoc Ecclesia loquitur (introduxit)	
1,5	... ex voce Ecclesiae (fusca sum)	vox synagogae
1,6	»Ecclesiae ... mater« (filii matris meae)	
1,7	Ecclesia loquitur (adnuntia)	vox Ecclesiae
1,8	quid ei dominus comminetur/comminantis vox est/ adhuc quasi comminantis vox (nisi cognoveris)	vox Christi *(man. alt.)*

[3] *Cf.* S. 60sq.

1,10	vox haec Christi est ad Ecclesiam (quam speciosae)	
1,13		vox Ecclesiae (frater meus mihi)
1,14	hoc Ecclesia de Christo loquitur (botrus cipri)	
1,15	hoc Christus pro Ecclesia dicit (vide si speciosa)	vox Christi
1,16		vox Ecclesiae (vide si speciosus)
2,1	»Christus« (ego flos campi)	vox Christi
2,2	»Ecclesia« (ut lilium in medio)	
2,3	»Ecclesia« (tamquam malum)	vox Ecclesiae
2,5	»Ecclesia« (constipate me)	
2,7	adiurat ... plebes synagogae spiritus sanctus (adiuravi)	
2,8		vox Ecclesiae (vox fratris mei)
2,9	vox Ecclesiae dicit (frater meus per retia auscultat)	
2,10	vox haec Christi ad Ecclesiam (respondit frater meus)	vox Ecclesiae
2,13		vox Christi (surge veni proxima)
2,15		vox ad hereses (capite nobis)
3,1	ex voce Ecclesiae (in cubiculo)	
3,4	haec vox Ecclesiae est (donec inducam)	

DIE ANDEREN BIBELZITATE

Gregor bietet im Epithalamium ein breites Spektrum von Schriftzitaten und Anspielungen, unter denen die Evangelien und die Paulusbriefe besonders häufig vertreten sind[1], davon wiederum werden der Römer- und Epheserbrief bevorzugt. Daß der Epheserbrief sozusagen auch das »Leitmotiv« des ganzen Werkes liefert, wurde im Kapitel »Form und Inhalt« bereits ausgeführt[2].

Die handschriftliche Überlieferung ist mit den Schriftzitaten unterschiedlich umgegangen; während sich viele altlateinische und im Wortlaut auffällige Zitate unverändert erhalten haben, wurde in den Handschriften P, A und R teilweise versucht, an die Vulgata anzugleichen, die letztgenannte bietet auch einige vollständig unsinnige Veränderungen, wie zum Beispiel in 3,12 *in plaga hominis nesciens ferre inbecillitatem homo est dictus* anstelle von *homo in plaga et sciens ferre inbecillitatem est dictus* (Is 53,3.2). Diese Angleichungen und Entstellungen, die auf handschriftliche Überlieferung zurückgehen, sind jedoch gut zu erkennen und zu unterscheiden von den Varianten in Schriftzitaten, die vermutlich aus der Rezensionsarbeit des Autors selbst heraus entstanden sind. Sie erscheinen nur in den beiden ersten Büchern und bieten teilweise eine uns sonst nicht bekannte Gestalt; auf sie wird weiter unten eingegangen.

Wie aus dem Vergleich des Lemmatextes mit dem der Handschrift 169 und mit Ambrosius zu ersehen war[3], darf man Gregor von Elvira für einen verläßlichen Zitator halten.

Allerdings gibt es zwei Ausnahmen. Die erste betrifft den Themenkomplex um Eph 1,22.23; 5,23.30.31 (bzw. Col 1,18.24), also den bereits oben erwähnten Lieblingsgedanken Gregors von der Inkarnation als Unterpfand des Einswerdens von Christus und der Kirche, aus dem die Auferstehung des Fleisches logisch folgt[4]. Paulus und auch der Verfasser des Epheserbriefes wählen in diesem Zusammenhang stets σῶμα und nicht σάρξ, ebenso bietet die gesamte uns bekannte altlateinische Überlieferung wie auch die Vulgata immer *corpus*, nicht aber *caro*. Nur in Eph 5,29 ist eine gewisse Gleichsetzung von σώμα und σάρξ vorgegeben: οὐδεὶς γάρ ποτε τὴν ἑαυ-

[1] *Cf.* dazu den Index locorum Sacrae Scripturae.
[2] *Cf.* S. 31sqq.
[3] *Cf.* S. 74–80.
[4] *Cf.* S. 32–35.

τοῦ <u>σάρκα</u> ἐμίσησεν, ἀλλὰ ἐκτρέφει καὶ θάλπει αὐτὴν καθῶς καὶ ὁ Χριστὸς τὴν ἐκκλησίαν, ὅτι μέλη ἐσμὲν τοῦ <u>σώματος</u> αὐτοῦ, weiter in 5,38.31.

Gregor dagegen zitiert schon in seinen Tractatus Origenis[5] Eph 1.22.23 dreimal mit *caro* statt corpus (tr 5,26; 9,10 *bis*) gegen ebensoviele Male mit *corpus* (tr 3,5; 11,30; 12,8). Ganz ähnlich ist das Verhältnis im Epithalamium. Achtmal bietet Gregor die entsprechenden Zitate mit *caro* (Ct 1,7.20.29.30; 2,1; 3,11.29; 4,12) wobei er in 1,7.20.29; 2,1 diesen Wortlaut ausdrücklich Paulus zuschreibt. Dagegen stehen sieben Zitate mit dem ursprünglichen *corpus* (1,7; 2,37.39; 3,7; 4,11.28; 5,12). Mit ziemlicher Sicherheit kann man sagen, daß es Gregor selbst war, der den biblischen Wortlaut nach seinen eigenen Bedürfnissen manipuliert hat, und daß ihm die Gleichsetzung von *caro* und *corpus* nicht im Gegensatz zu Paulus zu stehen schien.

Der andere Anlaß, zu dem sich Gregor vom biblischen Wortlaut entfernt – bzw. nur scheinbar entfernt –, betrifft die Fälle, in denen er aus mehreren Schriftzitaten ein einziges kombiniert, wie es auch sonst aus der patristischen Literatur bekannt ist. Ein Beispiel ist Ct 2,8 ω², wo er Teile aus Rm 11,33 und 4,17 zu einem stimmigen Ganzen verbindet. Problematischer erschien offenbar der Fall in Ct 5,15:

modo arram spiritus
accepimus
tunc plenitudinem
modo ex parte
tunc totum
modo in speculo in aenigmate
tunc facie ad faciem

Hier hat Gregor eine Mischung aus 2 Cor 1,22 (bzw. 5,5) mit Jo 1,16 verbunden mit einer ziemlich freien Wiedergabe von 1 Cor

[5] *Cf.* auch S. 32.

13,12, so daß es kein Wunder ist, wenn in der Handschrift R versucht wurde, das »Zitat« an 1 Cor 13,12 anzugleichen:

modo ... arram spiritus
accipimus
tunc plenitudinem
modo cognoscimus ex parte
tunc ex toto
modo videmus in enigmate et speculo
tunc facie ad faciem

Insgesamt kann man sagen, daß der Wortlaut der biblischen Zitate und Anspielungen im Epithalamium aus der handschriftlichen Tradition ohne große Mühe erschlossen werden kann, zumal in den meisten Fällen zeitgenössische Parallelen aus der patristischen Literatur die Entscheidung erleichtern. Gerade diese Parallelen beweisen auch, daß Gregors Bibeltexte im allgemeinen denen seiner großen Zeitgenossen Ambrosius, Hieronymus und Rufin vergleichbar sind, er also mit den in Italien benutzten Textformen vertraut war.

Es gibt jedoch eine Gruppe von Schriftzitaten, die sich in diese Beobachtungen nicht einfügen. Es handelt sich um die Zitate, die in den ersten beiden Büchern in der Erstfassung und der Rezension ω^2 eine jeweils andere Gestalt aufweisen:

1. Ct 1,1 (Jo 3,29)
   stat et audit eum et gaudio gaudet propter vocem sponsi ω^1
   stans et audiens vocem eius prae gaudio exhilaratur ω^2

2. Ct 1,4 (Ps 44,3)
   speciosum forma prae filiis hominum ω^1
   decorum forma prae filiis hominum ω^2
   (decorum speciosum etc. BEA)

3. Ct 2,10 (Jo 15,14)
   si feceritis ea, quae mando vobis ω^1
   si feceritis ea, quae dico vobis ω^2

4. Ct 2,13 (Mt 18,6 *parr*)
 qui unum ex istis minimis in me credentibus fuisset scandalizatus, oportebat illi homini ligari lapidem molarem et mitti in profundo ω^1
 qui unum ex istis minimis in me credentibus fuerit scandalizatus, oportebat illi homini ligari lapidem molarem et mitti in pelago ω^2
5. *Ct 2,17 (Jdc 2,17; 1 Par 5,25)*
 fornicatam eam esse saepenumero post deos alienos ω^1
 quas ‹moechatas?› (meretricatas R) saepenumero post deos alienos ... testatur ω^2
6. Ct 2,19 (1 Cor 10,5)
 sed non bene in illis complacuit domino ω^1
 sed non bene illis opinatus est dominus ω^2
7. Ct 2,20 (Mt 25,33)
 statuet agnos a dextris haedos autem a sinistris ω^1
 statuam iustos ut oves ad dexteram peccatores ut haedos ad sinistram ω^2
8. Ct 2,30 (Ps 118,105)
 lucerna pedibus meis verbum tuum et lumen semitis meis ω^1
 lucerna pedibus meis lex tua et lux semitis meis ω^2
9. Ct 2,35 (Mt 11,28 *parr)*
 venite ad me omnes qui onerati estis et ego vos reficiam ω^1
 venite ad me omnes qui onerati estis et ero vobis requies ω^2
10. Ct 2,40 (Mt 8,20)
 vulpes cubilia habent et volucres caeli nidos ω^1
 vulpes cubilia (cubicula R) habent et volatilia caeli nidos ω^2

Natürlich erhebt sich die Frage nach der Provenienz dieser unterschiedlichen Fassungen. Die Abweichungen als willkürliche »Verbesserungen« eines späteren Bearbeiters von ω^2 zu verstehen, verbietet einmal die Tatsache, daß sich auch bei Beatus von Liébana, der ja von der späteren handschriftlichen Tradition noch unberührt ist, eine der ungewöhnlichen Fassungen findet[6]. Zum anderen ha-

[6] BEA El 2,78: *... amicus autem sponsi stans et audiens vocem eius prae gaudio exhilaratur* (Jo 3,29) = Gr-I Ct 1,1 ω^2.

ben die Veränderungen an den Schriftzitaten durch die Überlieferung einen vollständig anderen Charakter: entweder sind es Versuche, an die Vulgata anzugleichen, oder aber deutlich erkennbar aus Mißverständnissen erklärbare Korruptelen, niemals aber wird ein gebräuchliches Wort durch ein ungewöhnliches ersetzt.

Da sich die aufgeführten Stellen alle in den ersten beiden Büchern befinden, liegt es nahe, die Veränderungen mit der Rezensionsarbeit des Verfassers selbst in Verbindung zu bringen, der punktuell ihm veraltet erscheinende Fassungen durch neuere und bessere ersetzte. Nun sind aber gerade die Lesarten der zweiten Rezension nach unserem Kenntnisstand die älteren, ja sogar in den meisten Fällen sonst völlig unbekannt[7], besonders bei Nr. 6 auch deutlich ungeschickter und altertümlich anmutend. Aus welchem Grunde sollte Gregor Schriftzitate, deren Wortlaut so oder doch ähnlich durch Zeitgenossen bezeugt ist, in eine altertümliche Form abwandeln?

Wie aus Gregors Umgang mit dem Lemmatext zu sehen ist, war er der Vielgestaltigkeit von Bibeltexten gegenüber aufgeschlossen. So ist es durchaus vorstellbar, daß Gregor zur Zeit der Arbeiten an der Rezension des Epithalamium Kenntnis von für ihn neuen Fassungen erlangt hat und sie für seine Umarbeitung benutzte. Diese »für Gregor neuen Fassungen« der Textschicht der aus spanischen Bibelhandschriften bekannten Glossen[8] zuzuordnen, ist selbstverständlich eine pure Hypothese, solange diese Zitate - die in der Mehrzahl aus den Evangelien stammen - nicht anderweitig als Glossen nachgewiesen werden können. Bis dahin läßt sich nichts als die Parallele zwischen den fraglichen Lesarten Gregors und den

[7] Überprüft am Material des Vetus Latina Institutes. Allerdings konnte ich bei Isidor zwei der ungewöhnlichen Bibelzitate Gregors wiederfinden: *ista mulier figura erat Synagogae, quae saepe, sicut scriptum est, moechata est post deos alienos* (IS Gn 3,11 = GR-I Ct 2,17) und die Kombination von Lc 13,6 mit Mt 21,33 (IS Jdc 6,7 = GR-I Ct 4,17). Ob Isidor hier direkt aus Gregors Werken oder einer gemeinsamen Quelle schöpfte, ist noch nicht geklärt; *cf.* auch Appendix 1, Anm. 7.

[8] Zu den Glossen *cf.* zum Beispiel B. Fischer, *Lateinische Bibelhandschriften im frühen Mittelalter*, Vetus Latina. Aus der Geschichte der lateinischen Bibel 11, Freiburg 1985, 72-76.

spanischen Glossen feststellen, daß beide offenbar aus alten Textschichten stammen und erst relativ spät in Spanien auftauchen.

Denkbar ist jedoch auch eine andere Entstehungsgeschichte der abweichenden Lesarten in den beiden Fassungen des Epithalamium. Das unter Nr. 7 aufgeführte Zitat für Mt 25,33: *statuam iustos ut oves ad dexteram peccatores ut haedos ad sinistram* ist in dieser Form nicht überliefert, abgesehen von drei Belegen aus den Tractatus Origenis des Gregor von Elvira (tr 9,5; 13,16, 13, 31)[9] und dazu eben einmal in der zweiten Rezension des Epithalamium. Als verwandte Formen sind uns nur zwei bekannt: *cum iustos a dextris, peccatores vero a sinistris collocandos esse declarat* (CHRO Mt 26,5,3) und *deus iustos quidem ad dextram constituet et peccatores ad sinistram* (AN Mt h 54); die Textgestalt der Erstfassung Gregors *statuet agnos a dextris haedos autem a sinistris* dagegen ist seit Cyprian (*oves* statt *agnos*, sonst gleichlautend) bis hin zur Vulgata die geläufigste Form gewesen. A. Wilmart rechnet die Zweitfassung zu den Beispielen für »conflation« von Zitaten, die für Gregor typisch ist[10].

In etwa vergleichbar ist die Nr. 5. Zwar ist nicht klar erkennbar, ob hier 1 Par 5,25 oder Jdc 2,17 oder eine ähnliche Stelle zitiert werden soll, fest steht jedoch, daß *meretricor* (so der einzige Zeuge R) in keinem der in Frage kommenden Fälle belegt ist[11]. Aber Gregor von Elvira verwendet dasselbe Zitat auch in tr 5,19 in folgendem Wortlaut: *mulier illa figura erat synagogae, quae saepe, sicut scriptum est, moechata est post deos alienos* und in tr 13,21: *velut mulieri allofylae, id est sacrilegae, idolatrae coniunctus est (scil. Samson), sicut scriptum est: Moechati sunt, inquit, post deos alienos.* So scheint der Schreiber der auch sonst unzuverlässigen Handschrift R[12] *meretricatas* aus *moechatas* verlesen zu haben, so daß auch in Ct 2,17 *moechatas* zu konjizieren ist. Auch *moechor* ist zwar an den entsprechenden Stellen

[9] Schon A. Wilmart, *Les 'Tractatus' sur le Cantique attribués à Grégoire d'Elvire*, Bulletin de littérature ecclésiastique 1906, 251, macht auf diese ungewöhnliche Gestalt des Zitates aufmerksam.

[10] A. Wilmart, *op. cit.* 251; als weiteres Beispiel nennt Wilmart die Kombination von Lc 13,6 und Mt 21,33, in Gregors Epithalamium: 4,17.

[11] Überprüft mit dem Material des Vetus Latina Institutes.

[12] *Cf.* S. 125sq und 138sq.

sonst nicht belegt, aber doch im biblischen Sprachgebrauch häufig[13]. Auf jeden Fall finden wir auch hier in der Erstfassung die geläufige Form mit *fornicor*, in der zweiten Rezension eine singuläre, die so (oder ähnlich) auch sonst bei Gregor belegt ist.

Leider fehlen für die anderen Zitate, die in zwei Fassungen überliefert sind, Parallelstellen in den Werken Gregors; zu konstatieren ist jedoch, daß bei den Nummern 1,4,6,7 und 9 die zweite Rezension singuläre Lesarten bietet, während die Erstfassung zwar altlateinischen, aber durchaus gängigen Wortlaut bringt.

Für die Nummern 8 und 10 gilt in abgemilderter Form das gleiche Prinzip: die Lesarten der zweiten Rezension sind zwar nicht singulär, aber seltener und altertümlicher als die der Erstfassung.

Wenn nun für zwei Zitate der Rezension ω^2 erwiesen ist, daß sie dem Wortlaut in anderen Werken Gregors entsprechen, für andere, daß sie die seltenere und urtümlichere Form bieten, legt sich der Verdacht nahe, daß diese Zitate in der Überlieferung der Erstfassung korrigiert worden sind. Diese Korrektur wird kaum Gregor selbst vorgenommen haben, sie muß aber zu einem sehr frühen Zeitpunkt geschehen sein, da sie keinen Einfluß der Vulgata verrät und überdies in allen drei ω^1-Handschriften übereinstimmend enthalten ist. Das heißt, daß die Korrektur noch vor der Trennung in die beiden Überlieferungszweige von ω^1 (γ und χ)[14] vorgenommen worden ist, etwa so, daß der erste Abschreiber des Epithalamium einige besonders auffällige Schriftzitate der ihm geläufigen Form anglich. Da dieser erste Abschreiber durchaus noch ein Zeitgenosse Gregors gewesen sein kann, verwundert es nicht, daß der ihm vertraute Bibeltext ein altlateinischer war.

Das Exemplar, in das Gregor vermutlich selbst die Zusätze und Änderungen seiner Rezension eintrug[15], war von den Korrekturen an den Schriftzitaten natürlich unberührt, so daß sich in der Überlieferung dieser Zweitfassung[16] der originale Bibeltext des Autors

[13] Darunter so wichtige Zitate wie Ex 20,14; Dt 5,18; Jr 3,9; Mt 5,27; Lc 18,20.
[14] Zu den beiden Zweigen der Überlieferung ω^1 *cf.* S. 123.
[15] Zur Entstehung des Textes von ω^2 *cf.* S. 41–51.
[16] *Cf.* S. 123–134.

erhalten konnte. So ist der Text von ω^2 trotz seines allgemein schlechten Zustandes an einigen Stellen dem von ω^1 vorzuziehen.

Wenn in der vorliegenden Edition des Textes ω^1 die betreffenden Schriftzitate nicht in die vermutlich originale Form zurückkorrigiert worden sind, hat dies zwei Gründe: zum einen bietet die schmale und dazu allgemein schlechte Tradition von ω^2 eine unsichere Basis für einen so starken Eingriff in die gut bezeugte Fassung ω^1, zum anderen wird so der ebenfalls altlateinische Bibeltext des zeitgenössischen Korrektors nicht in den Apparat verbannt. Dort wird jedoch jeweils auf die hier dargestellte Problematik hingewiesen.

Sollte die These einer frühen Korrektur in der Erstfassung richtig sein, müßte man auch für die Bücher drei bis fünf dasselbe vermuten, da der Korrektor sich gewiß nicht nur auf die beiden ersten Bücher beschränkt hat. Diese Korrekturen sind aber nicht mehr kenntlich, weil für die restlichen Bücher der Zeuge R der zweiten Rezension als Kontrolle ausfällt[17]. Auf diese Weise mögen einige nur bei Gregor bezeugte Lesarten verlorengegangen sein.

Der begründete Verdacht, daß der Bibeltext in den Werken Gregors schon zu einem frühen Zeitpunkt verändert worden ist, zwingt uns zu einer gewissen Zurückhaltung in der Beurteilung der Gestalt von Schriftzitaten, wie wir sie in der handschriftlichen Tradition seiner Werke vorfinden.

DIE ÜBERLIEFERUNG

ÜBERSICHT

Der Kommentar des Gregor von Elvira ist uns in sechs Handschriften überliefert, die ausnahmslos von der iberischen Halbinsel stammen. Ob diese Kargheit der Überlieferung darauf zurückgeht, daß weitere Handschriften verlorengegangen sind, oder ob dieses Werk Gregors nicht weit verbreitet war und deshalb nur wenige Abschriften existierten, ist unsicher.

[17] Zur Herkunft des Textes von R in den Büchern 3-5 *cf.* S. 102sq; 114sq; 136-139.

Aus der Art der Überlieferung kann man allerdings schließen, daß in einer frühen Schicht noch mindestens fünf Exemplare existiert haben, die verlorengegangen sind (α, γ, ϰ, χ, ξ, *cf.* die Stemmata).

Drei Codices entdeckte G. Heine auf seinen »litterarischen Reisen in Spanien«[1], nämlich B, P und R. Die übrigen drei (A, N und U) fand A. Vega in Madrider Bibliotheken[2]. A. Wilmart machte 1906 darauf aufmerksam, daß ein Teil des ersten Buches aus dem Werk Gregors von Beatus von Liébana in *Adversus Elipandum* übernommen wurde (BEA El 2,75.78-83a entspricht GR-I 1,1.2.4-16.20)[3]. Da Beatus die Passage beinahe Wort für Wort ausschreibt, ist er der älteste und - wie die Analyse zeigen wird - zugleich ein verläßlicher Zeuge. Die Schrift *Adversus Elipandum* ist in der Handschrift Madrid, Biblioteca Nacional 10018, foll. 1R-88R, aus dem 9./10. Jahrhundert, erhalten[4].

Die Handschriften bieten den Text des Canticum-Kommentars in verschiedenen Formen. Wie bereits gesagt, hat vermutlich Gregor von Elvira selbst die ersten beiden Bücher in einer zweiten Rezension überarbeitet und erweitert. Die kürzere Erstfassung wird von den beiden Handschriften A (Madrid, Biblioteca de la Real Academia de la Historia, Emil. 80, saec. 9) und B (Barcelona, Biblioteca de la Iglesia Catedral de Barcelona, Cod. 64, saec. 11/12) geboten.

Die Handschriften R (Lleida, Archivo de la Catedral 2, saec. 10/11), N (Madrid, Biblioteca Nacional 3996, saec. 16) und U (Madrid, Biblioteca Nacional 8873, saec. 12) enthalten den Text der zweiten Rezension. N und U sind direkt von R abhängig[5] und haben daher für die Textwiederherstellung keinen Wert.

Einen Mischtext repräsentiert die Handschrift P (Porto, Bibliotéca Pública Municipal do Porto 800, saec. 11/12): ein Teil der Er-

[1] *Cf.* G. Heine, Bibliotheca Anecdotorum 1, Leipzig 1848, 132 sq.

[2] *Cf.* A. Vega, *Advertencia preliminar a la edición critica de la exposición 'In canticum canticorum' de Gregorio obispo de Eliberri*: Espanã Sagrada t.55, Madrid 1957, 2.

[3] *Cf.* A. Wilmart, *Les 'Tractatus' sur le Cantique attribués à Gregoire d'Elvire*: Bulletin de littérature ecclésiastique 1906, 236.

[4] *Cf.* B. Löfstedt, ed., *Beati Liebanensis et Eterii Oxomensis Adversus Elipandum libri duo*, CCcm 59, Turnhout 1984, V/VI.

[5] Der Nachweis für die Abhängigkeit der Handschriften U und N von R findet sich auf den Seiten 124 - 125.

weiterungen der zweiten Rezension in den Büchern eins und zwei ist hier in die Erstfassung eingearbeitet worden, die derjenigen der Handschrift B nahesteht.

Beatus von Liébana benutzte ein Exemplar der zweiten Rezension, das der Zweitvorlage von P näherstand als der Textgestalt von R.

Den originalen Titel *Epithalamium*, der durch die Selbstaussage des Autors in tr 12,14 für das Canticum belegt ist[6], hat nur die Handschrift B bewahrt, in dem kontaminierten Titel in der Handschrift R *Incipit tractatus Gregorii Papae eiusdem Epithalamii* ist er noch andeutungsweise erhalten. Die Kontamination erklärt sich daraus, daß der Canticum-Kommentar in einem Zweig der Überlieferung gemeinsam mit Exzerptsammlungen des Taio aus den Werken Gregors des Großen zu den »Salomonischen Büchern« tradiert wurde. Den ursprünglichen Aufbau der Sammlung hat vermutlich die Handschrift P bewahrt, wo den Exzerpten Taios zu Prv und Ecl diejenigen zu Ct folgen; Taios Exzerpten zu Ct ist der Kommentar des Gregor von Elvira vorangestellt, es folgen die Exzerpte des Taio zu Sap und Sir, dieser Sammlung angehängt erscheint der Canticum-Kommentar des Justus von Urgel[7]. Hier ist also die biblische Reihenfolge der »Salomonischen Bücher« eingehalten. In R dagegen stehen die Exzerpte Taios zu Prv Ecl Sap und Sir voran, die Texte zum Canticum sind zusammengefaßt und an den Schluß gestellt, und zwar so, daß nun Gregor von Elviras Werk hinter die Exzerpte Taios gewandert ist[8], danach folgt, wie in P, der Kommentar des Justus. Durch diese Umordnung der Sammlung wurden die Titel zu den Exzerpten Taios und dem Kommentar des Gregor von Elvira vertauscht, bzw. miteinander vermengt. In P ist als Titel für TA Ct bezeugt: *incipit tractatus beati Gregorii Papae Romensis de Cantica Canticorum*[9]. Die Namensgleichheit des römischen Papstes und des

[6] Allerdings gibt Gregor hier 'Epithalamium' als Titel für das biblische Buch an, nicht für seinen Kommentar, der zu Zeit der Niederschrift von tr 12 vermutlich auch noch nicht existierte.
[7] *Cf.* die Inhaltsangabe für den Codex P, S. 112.
[8] *Cf.*die Inhaltsangabe für den Codex R, S. 113.
[9] Der Titel für TA Ct findet sich auf fol 115V.

eliberritanischen Bischofs begünstigte die Vermengung, so daß in R der oben zitierte Wortlaut entstand: *incipit tractatus Gregorii Papae eiusdem Epithalamii.*

In der erwähnten Sammlung von Exzerpten Taios aus Werken Gregors des Großen einerseits und den beiden Canticum-Kommentaren von Gregor von Elvira und Justus von Urgel andererseits wurde nach aller Wahrscheinlichkeit nur der Teil tradiert, den Gregor von Elvira überarbeitet hatte, das heißt die Bücher eins und zwei seines Kommentars. Zwei Anzeichen für diese Überlieferung nur der ersten beiden Bücher innerhalb der Sammlung liefert die Handschrift R. Die Textgruppe TA Ct/ GR-I Ct wird hier angeführt von *Capitulationes* zu den folgenden Werken. Diese *Capitulationes* bestehen aus den Canticum-Lemmata, die in den beiden Werken behandelt werden. Auf die Lemmata zu TA Ct, die den Bibeltext in der Vulgataversion bieten und das gesamte Canticum umfassen, folgen, von neuem mit Ct 1,2 beginnend, weitere neun *Capitulationes*, wobei die Zählung ohne Unterbrechung fortgeführt wird:[10]

		GR-I Ct
XLVII.	*Osculetur me osculo oris sui*	1,1-16
XLVIII.	*Propter ea adolescentulae dilexerunt*	1,17-19
XLVIIII.	*Introduxerunt me*[11] *in cubiculum suum*	1,20-22
L.	*Fusca sum inquit et decora*	1,23-30
LI.	*Filii matris meae pugnaverunt adversum me*	2,1-4
LII.	*Ubi pascis ubi manes in meridiano, ne forte fiam*[12] *circumamicta*	2,5-28
LIII.	*Quam speciosae genae tuae sicut turturis*	2,29-34
LIV.	*Cervix tua sicut redimiculum ornamenti*	2,35-37
LV.	*Similitudinem auri faciemus tibi*	2,38-43

[10] Ich zitiere hier den Abdruck der *Capitulationes* nach A. Vega, España Sagrada 56, 1957, 269 sq = PLS 4, 1682. Da ich diese Stelle der Handschrift nicht selbst eingesehen habe, gebe ich den Wortlaut nur unter Vorbehalt, da ich nicht weiß, ob die Abweichungen vom Text Gregors der Handschrift selbst oder irrtümlicher Lesung zuzuschreiben sind.

[11] Bei Gregor lautet der Text, wie üblich: *introduxit me rex* statt *introduxerunt me.*

[12] Statt *fiam* steht bei Gregor *fiar* und *efficiar.*

Wie man sieht, umfassen die *Capitulationes* genau den Umfang der ersten beiden Bücher. Daß sie sich auf das Werk Gregors beziehen, beweisen zwei Besonderheiten des Wortlautes.

Die Junktur *redimiculum ornamenti* in LIV findet sich nur im Bibeltext Gregors, ebenso ist der Ausfall von *tamquam* vor *circumamicta* (bzw. die auch hier vorauszusetzende Umstellung *circumamicta tamquam*[13]) in LII nur bei Gregor bezeugt. Daß die *Capitulationes* auf die zweite Rezension verweisen, wird durch den Wortlaut von LII ... *ubi manes in meridiano* deutlich, der in der Erstfassung *ubi cubas in meridie* lautet, in der hier gegebenen Gestalt jedoch nur bei Ambrosius und eben in der Zweitfassung Gregors auftaucht.

Daß der Kommentar Gregors in der Vorlage von R (bzw. in der Sammlung) mit Buch zwei endete, erhält eine zweite Bestätigung dadurch, daß der Schreiber der Handschrift R den Text der Bücher drei bis fünf ganz offensichtlich einer anderen Vorlage entnahm[14] und mittels dieses Exemplars die ersten beiden Bücher durchkorrigierte. So darf man annehmen, daß bis zur Wiederzusammenfügung in der Handschrift R die (vollständige) Erstfassung und die nur zwei Bücher umfassende Rezension ω^2 unabhängig voneinander tradiert wurden.

Die zweite Rezension wird von einem Prolog begleitet, wie die Handschriften R und P bezeugen. Dieser Prolog ist sicherlich unecht. Abgesehen davon, daß es sich um ein Cento aus HI Ct 1 und GR-M Jb 27,34 handelt, also schon aus chronologischen Gründen nicht von Gregor von Elvira stammen kann, paßt auch der Inhalt nicht zum Kommentar des spanischen Bischofs. Wie weiter oben betont wurde, übernimmt Gregor weder die Rollenverteilung auf vier Personen noch die Gleichsetzung der Braut mit der Einzelseele des Gläubigen von Origenes, gerade diese Punkte aber sind Inhalt des fraglichen Prologs. Es ist also zu vermuten, daß dieser ursprünglich für einen anderen Text zusammengestellt wurde; Urheber und Zeitpunkt lassen sich nicht mehr ermitteln. Allerdings deutet das

[13] *Cf.* zu dieser Stelle die Rekonstruktion des Lemmatextes, S. 74–80.
[14] *Cf.* weiter unten S. 114sq.

Zitat Gregors des Großen *(tangat me dulcedine praesentiae unigeniti filii redemptoris mei*, GR-M Jb 27,34) darauf hin, daß der Prolog ursprünglich für einen »Kommentar« bestimmt war, der aus den Werken des römischen Papstes kompiliert war. So beginnt beispielsweise der Canticum-Kommentar des Alkuin[15] mit einer Variante eben dieses Zitates (*tangat me dulcedine praesentiae suae, quem saepius a prophetis promissum audivi*). Der Prolog mag dann irrtümlich dem Werk des spanischen Namensvetters zugeordnet worden sein[16].

Bei der Rekonstruktion des Epithalamium des Gregor von Elvira muß man also beachten, daß die handschriftliche Überlieferung der Bücher eins und zwei einen anderen - und doppelten - Weg nahm als die der übrigen Bücher. Besonders die Stellung der Handschrift R ist in den Büchern drei, vier und fünf grundsätzlich anders als im ersten Teil des Werkes. Aber auch die Handschrift P hat in diesem ersten Teil eine andere Funktion als im restlichen Teil des Textes.

Daher wird anschließend an die Beschreibung der einzelnen Zeugen die Tradition der Bücher eins und zwei gesondert behandelt, gegliedert in Erstfassung und zweite Rezension, während die Bücher drei, vier und fünf entsprechend ihrer einspurigen Überlieferung gemeinschaftlich betrachtet werden.

[15] Dieser 'Kommentar', der einen der komprimierten Auszüge aus dem Canticum-Kommentar des Beda darstellt, der wiederum sich an das Vorbild Gregors des Großen hält, ist unter dem Namen Isidors von Sevilla abgedruckt in PL 83, 1119-1132 = Clavis Nr. 1220, unter den Spuria Isidors. Als Arbeit Alkuins erkannte den Kommentar J. Seemüller, *Die Handschriften und Quellen von Willirams deutscher Paraphrase des Hohenliedes*, Quellen und Forschungen 24, Straßburg 1877, 84 sqq. *Cf.* dazu F. Ohly, *Hoheliedstudien*, Wiesbaden 1958, 71 sq mit Anm. 4.

[16] Allerdings ist bei der Zuordnung ein Detail des Prologes an das Epithalamium Gregors von Elvira angeglichen worden: während von Origenes die *sodales sponsi* als *angeli* gedeutet werden, sind es bei Gregor die Apostel, die als wahre Gefährten Christi bezeichnet werden (*cf.* 2,10.11); dementsprechend sind im Prolog die *angeli* durch die *apostoli* ersetzt worden (*cf.* Prolog, Zeile 10).

DIE HANDSCHRIFTEN UND DAS EXZERPT DES BEATUS

A Madrid, Biblioteca de la Real Academia de la Historia Emilianensis 80 (olim 12-II:3)

Freire, J. G., *A versão latina por Pascásio de Dume dos Apophthegmata Patrum*, t.2, Coimbra 1971, 7-10

Soriano, J. G., *Un códice visigótico del siglo IX*: Boletín de la Academia de la Historia 106 (1935) 479-484

Vega, A. C., *Advertencia preliminar a la edición critica de la exposición 'In canticum canticorum' de Gregorio obispo de Eliberri:* España Sagrada t.55, Madrid 1957, 11-13

Zarco Cuevas, F., El nuevo códice visigótico de la Academia de la Historia: Boletín de la Academia de la Historia 106 (1935) 389-442

Saec. 9, foll. 151, 515 x 380 mm, drei Spalten, Pergament, visigothische Minuskel.

Am Anfang des Codex fehlen 61 Folien, die die moderne Zählung nicht berücksichtigt. Fol. 125R enthält eine Notiz, die mit ziemlicher Sicherheit von der Hand des Álvaro Paulo de Córdoba stammt, der 861 starb.

Die Handschrift gehörte vielleicht einem Jesuitenkolleg[1] und gelangte von dort zum Colegio Imperial, darauf in die Biblioteca de Cortes. 1850 kam sie an ihren heutigen Standort.

Der Codex enthält:
GEN ill (mutilus am Anfang); IS ill; ILD ill
PS-IS hae
[AU] ep 221; AU ep 222; QU: [AU] ep 223; AU ep 224
AU hae
Epistulae von HI und anderen
IS pro
JUS-U Ct (mit den beiden Widmungsbriefen und dem Prolog)
GR-I Ct
HI Mt
Eine Catene zu Jo
Eine Catene zur Passion

[1] *Cf.* J. G. Freire, *op. cit.* 7.

HI Apc (mit Erweiterungen aus BED; APR; PRIM; GR-M)
PAS-D
»Liber secundus de Vitas Patrum«[2]

GR-I Ct beginnt fol. 56R in der zweiten Spalte nach dem Explicit für JUS-U Ct: EXPLICIT EXPOSITIO SCI IUSTI EPSCI IN LIBRO CANTICA CANTICORUM FELICITER mit: ITEM INCIPIT ALIUM EXPOSITUM IN CANTICA CANTICORUM *Liber primus.* Der Text endet auf fol. 63R in der mittleren Spalte mit: *Explicit feliciter.*

Die fünf Bücher sind jeweils durch EXPLICIT LIBER PRIMUS. INCIPIT LIBER SECUNDUS (*mutatis mutandis*) getrennt; die Initiale des INCIPIT und der erste Buchstabe des Textes sind ornamental gestaltet. Die Lemmata des Canticum sind durch andersfarbige Tinte hervorgehoben. Die Schrift des Textes ist durch Wasserflecken an vielen Stellen ausgewaschen bzw. verblaßt, so daß ganze Passagen nahezu unleserlich sind.

Es finden sich kaum Korrekturen, abgesehen davon, daß einige verwaschene Buchstaben nachgezogen worden sind. Auf fol. 62R ist eine Randglosse zu 4,20 eingetragen: *utique quia membra diaboli eraXX.*

B Barcelona, Biblioteca de la Iglesia Catedral de Barcelona, Cod. 64

Heine, G. *Zweiter Bericht des Dr. G. Heine in Berlin über seine litterarische Reise in Spanien, gerichtet an Hofrath und Prof. Dr. Gustav Hänel und von letzterem mitgeteilt*: Serapeum 8 (1847) Nr. 6, 94 sq.

Stegmüller, F., *Repertorium Biblicum Medii Aevi*, Tom. 6, Madrid 1958, 57-75 (Nr. 8550-8581)

Vega, A. C., *Advertencia preliminar a la edición critica de la exposición 'In canticum canticorum' de Gregorio obispo de Eliberri*: España sagrada, tom.55, Madrid 1957, 3 sq.

Villanueva, J., *Viaje literario à las Iglesias de España*, tom.18 (1851) 96 sqq.

Wilmart, A., *Les 'Tractatus' sur le Cantique attribués à Grégoire d'Elvire*: Bulletin de littérature ecclésiastique de Toulouse (1906), 234 sq., Anm. 1 (nach: Caresmar, J.: *Indice cronologico de los antiguos códices que existen en la Biblioteca de la Iglesia Catedral de Barcelona* (ohne Orts- und Jahresangabe, 18. Jh.)

[2] Es handelt sich um die von Paschasius von Dume ins Lateinische übersetzte Zusammenstellung von Apophthegmen (PAS-D) die J. G. Freire edierte (*op. cit.*)

Saec. 11/12 (Villanueva, *op.cit.*); saec. 10/11 (Caresmar, *op.cit.*); foll. 328, ursprünglich ohne Zählung; 430 x 290 mm; zwei Spalten; Minuskel mit nur wenigen visigothischen Anklängen, geschrieben von mehreren Händen; Pergament; Titel des Codex: *Homilie super Ezechiel et super aliis libris.*

Die Handschrift enthält[1]:
IS Gn, Ex, Lv
Sententiae de libro Levitico expositae (anonym)
Quaestio de Mt 4,10 et Gal 5,13 (anonym)
AU s 8
IS Nm, Dt
De decem tentationibus Israel (anonym)
IS Jos, Jdc, Ru
1 Rg (anonym)
2 Rg (anonym)
3 Rg (anonym)
4 Rg (anonym)
1 Rg (anonym)
2 Rg (anonym)
1 Par (anonym)
2 Par (anonym)
Verba Ieremiae (anonym)
De doctrina ecclesiastica, lectio in vigilia Paschae (anonym)
PS-HI Lam 1,1-1,22
1 Mcc (anonym)
2 Mcc (anonym)
1 Par (anonym)
Angilmodus von Soissons, Libellus de ordine scrutinii ad Odonem episcopum

[1] Den Inhalt der Handschrift entnahm ich den Informationen, die ich freundlicherweise von der Biblioteca de la Iglesia Catedral erhielt, und aus den ausführlichen Notizen bei F. Stegmüller, *op.cit.*

Rabanus, Epistula ad Macarium monachum
BOE tr
BOE Pat
BOE fi
Remigius Altissiodorensis, In Joel
idem, In Amos
idem?, In Danielem
Haimo von Auxerre, In Isaiam 1,1-40,26 (PL 116, 715-913)
idem, in Oseam (PL 117, 11-98)
idem, In Abdiam (PL 117, 119-128)
HI Za
GR-M Ez, liber 1 et 2
Alcuin, Carmen in Canticum Canticorum[2]
Commentarius in Canticum Canticorum (Clavis Nr. 1220)[3]
GR-I Ct

Auf fol. 320V beginnt in der zweiten Spalte GR-I Ct mit der Überschrift: INCIPIT EPITOLAMIUM GREGORII und endet auf fol. 328V mit: EXPLICIT.

[2] Alcuins Gedicht zum Canticum lautet:

Hunc cecinit Salomon mira dulcedine librum,
Qui tenet egregias sponsi sponsaeque camenas,
Ecclesiae et Christi laudes hinc inde canentes;
Et thalami memorat socios sociasque fideles.
Has rogo menti tuae, iuvenis, mandare memento,
Cantica sunt nimium falsi haec meliora Maronis.
Haec tibi vera canunt vitae praecepta perennis;
Auribus ille tuis male frivola falsa sonabit.

(ediert bei: E. Duemmler, MG *Poetae latini aevi carolini* 1, 299; *cf.* auch D. De Bruyne, ‹*Sommaires, Divisions et Rubriques de la Bible latine*›, Namur 1914, 120).

[3] Es handelt sich um die verkürzte Form des Canticum-Kommentars von Alcuin (PL 100, 639-664). Dieser ist ein komprimierter Auszug aus dem Kommentar Bedas, der wiederum vornehmlich auf Gregor dem Großen beruht. Der Text beginnt: *Tangat me dulcedine praesentiae suae* und schließt: *me consolari memento* (abgedruckt unter den pseudo-isidorianischen Schriften in PL 83, 1119-1132; *cf.* F. Ohly, *Hoheliedstudien*, Wiesbaden 1958, 70-72).

Die einzelnen Bücher sind, wie in der Handschrift A, durch EXPLICIT LIBER PRIMUS. INCIPIT LIBER SECUNDUS (*mutatis mutandis*) voneinander getrennt. Die Lemmata sind durch einen fetteren und größeren Schrifttyp hervorgehoben, durch herausgerückte kleinere Initialen wird die Gliederung außerdem unterstrichen; auch die erklärenden Passagen selbst werden auf diese Weise unterteilt.

Am Ende des ersten Buches, nach dem Anfangslemma des zweiten Buches, innerhalb des Paragraphen 2,3 und am Ende des zweiten Buches hat der Schreiber jeweils einige Zeilen freigelassen. Vermutlich waren diese Passagen in der Vorlage für B nicht zu entziffern, daher ließ der Schreiber genügend Raum, um den Text aus einem anderen Exemplar ergänzen zu können. Dies ist jedoch nicht geschehen.

Einige Auslassungen sind von gleichzeitiger Hand interlinear nachgetragen, weitere Korrekturen finden sich nicht. Die Schrift der letzten Seite ist teilweise abgerieben und schwer lesbar.

Den verbleibenden freien Raum dieser letzten Seite benutzte der Kanonikus Petrus Arbert aus Barcelona (um 1240) für den Beginn eines Inhaltsverzeichnisses des Codex. Seine Unterschrift befindet sich auf dem unteren Rand der Seite.

N Madrid, Biblioteca Nacional 3996 (*olim* P. 38, aus dem Convento S. Vicente de Plasencia)

Garcia Villada, Z.,*Antiguos comentarios al Cantar de los Cantares desconocidos e inéditos*: Estudios Eclesiasticos 7 (1928) 106-113

Inventario General de Manuscritos de la Biblioteca Nacional, t.10 (3.027-5.699), Madrid 1984, 237 sq. (sine nomine auctoris)

Torre, M. y Longas, P., *Catálogo de códices latinos de la Biblioteca Nacional*, t.1 Bíblicos, Madrid 1935, 333 sq. (N^0 156)

Vega, A. C., *Advertencia preliminar a la edición critica de la exposición 'In canticum canticorum' de Gregorio obispo Eliberri*: España Sagrada t.55 (Madrid 1957) 7-9

Saec. 16 (auf fol 79V befindet sich eine Notiz, die mit 'Madrid, anno 1598, 25. Juny' datiert ist), 356 x 250 mm, Linea plena, Papier, spanische Schrift des 16. Jahrhunderts.

Die Handschrift enthält:
Ps Eusebius, Catene zum Canticum Canticorum
(lateinische Übersetzung von Clavis Nr. C 84 = Karo-Lietzmann 3, p. 3,18; Faulhaber: Typus E)[1]
TA Ct
GR-I Ct mit Prolog
JUS-U Ct (mit den beiden Widmungsbriefen und dem Prolog; dieser in zweifacher Fassung)
TA aen

[1] Die bisher über diesen Text gemachten Notizen sind überaus widersprüchlich, weit verstreut und teilweise falsch. Daher eine kurze Übersicht: Z. García Villada, *Antiguos comentarios al cantar de los cantares desconocidos e ineditos*: Estudios Eclesiasticos 7 (1928) 106-113, bezeichnete den Text als einen Kommentar, der von Eusebius, Philo von Karpasia, Gregor von Nyssa, Theophilus und Isidor (gemeint: von Sevilla) beeinflußt ist. Diese Meinung übernahm T. Ayuso Marazuela, *La Vetus Latina Hispana* 1, Madrid 1953, 465 sq, und betonte, daß der Lemmatext 'vorhieronymianisch und ohne Zweifel sehr archaisch' sei. 1934 edierte A. C. Vega den Text in der Beilage zu: Religion y Cultura, unter dem Titel: *Quorundam veterum commentariorum in Cantica Canticorum antiqua versio latina nunc primum edita*; diese Ausgabe ist mir leider nicht zugänglich. Wie aus einer Anmerkung bei A. Siegmund, *Die Überlieferung der griechischen christlichen Literatur*, München 1949, 180 Anm. 3, hervorgeht (dort irrtümlich: 'die Hss der Übersetzung sind erst s.XV' statt 'die Hs ... ist ... s.XVI), ist der Text nunmehr als Übersetzung einer griechischen Catene erkannt worden, aber – wohl wegen des scheinbar altlateinischen Bibeltextes – in das 10./11. Jahrhundert datiert worden. In der Clavis wird zum Catenentyp D (Catena Polychronii) auf diese Anmerkung Siegmunds verwiesen. Tatsächlich handelt es sich bei dem fraglichen Text um eine Übersetzung der Catene, die unter dem Namen des Eusebius überliefert ist (Karo-Lietzmann 3, p.318 sq; M. Faulhaber, *Hohelied-Proverbien- und Prediger-Catenen*, Wien 1902, 50-64; ediert von I. Meursius, *Eusebii, Polychronii, Pselli in Canticum Canticorum expositiones*, Leiden 1617, 1-74 und, mit lateinischer Übersetzung, in: J. Lamius, *I. Meursi operum volumen VIII ex recensione Johannis Lami*, Firenze 1746, 129-212. Der erste Prolog dieser Catene ist noch einmal ediert von J. B. Pitra, Analecta sacra 3, Venedig 1883, 529-537). Die Übersetzung scheint auf die Handschrift Salamanca Universitatis cod.1.1.19 (*cf.* Faulhaber, *op. cit.* 52 *sq*) oder eine Verwandte zurückzugehen, wie die Übereinstimmung des Titels ἐκ τοῦ Εὐσεβίου εἰς τὸ ᾆσμα/ Ex Eusebio in canticum canticorum (gegen die sonstige Überlieferung: Εὐσεβίου τοῦ Παμφίλου εἰς τὸ ...) zeigt, ebenso wie das Fehlen eines fünften Prologes, der für die spanische Überlieferung typisch ist (cf. Faulhaber, *op.cit.* 52-54). Allerdings umfaßt die Ps. Eusebius-Catene nur Ct 1-6,8, während die Übersetzung in der Handschrift N bis Ct 8,14, also bis zum Schluß, reicht. Der Übersetzer folgte Ps. Eusebius nur bis Ct 6,4 (fol 35V unten), danach ging er offenbar mit Ct 7,7 (fol 36R) zu einer anderen Vorlage über, die ich bis jetzt nicht identifizieren konnte; jedenfalls war auch diese Vorlage griechisch, wie die deutlichen Anzeichen einer ad-hoc-Übersetzung in diesem Teil genau wie im ersten zeigen. Überdies ist auch hier der Lemmatext direkt aus der LXX-Version übersetzt, wodurch das Canticum eine scheinbar altlateinische Gestalt bekommt und zu den erwähnten falschen frühen Datierungen verführte. Daß es sich keines-

GR-I Ct beginnt auf fol 55V mit: Prologus, Praefatio Epithalamii B. Gregorii Episcopi Illiberitani. Der Text folgt ohne eigene Überschrift auf den Prolog. Auf fol 64V endet GR-I Ct auf dem ersten Viertel der Seite ohne Explicit oder Autorenangabe. Der übrige Teil der Seite ist freigeblieben, weil die Schrift der Vorderseite stark durchgeschlagen ist.

Die fünf Bücher sind nicht voneinander abgesetzt, die Lemmata werden mit einem Zeichen (√) markiert, teilweise sind sie unterstrichen, wie auch häufig andere Bibelzitate. Die Fundstellen dieser Zitate sind auf dem Rand vermerkt, ebenso für einige Canticum-Verse die entsprechende Vulgataversion. Auch einige Randnotizen zeugen von der Gelehrsamkeit des Urhebers dieser Handschrift und eines ihrer Benutzer; die Notizen stammen teils vom Schreiber des Textes selbst, teils von einer Hand derselben Zeit. Ersterer hat vermutlich die Sammlung von Werken zum Canticum Canticorum zu seinen eigenen Zwecken zusammengestellt und abgeschrieben. Auch die lateinische Übersetzung der Catene unter dem Namen des Eusebius dürfte auf ihn selbst zurückgehen. Die vielen Korrekturen von erster Hand in dieser Übersetzung lassen darauf schließen, daß sie *ad hoc* für diese Sammlung angefertigt wurde.

P Porto, Bibliotéca Pública Municipal do Porto 800 (*olim* Convento de Santa Cruz de Coimbra)

Die folgenden Angaben beruhen in erster Linie auf den Mitteilungen des Direktors der Bibliotéca Pública Municipal[1].

De Carvacho, J., Boletim da Biblioteca da Universidade de Coimbra, Vol.8 (1926-1927), 373 sq.

Cruz, A., *Santa Cruz de Coimbra na Cultura Portuguesa da idade média*, Vol.1. Observações sobre o 'Scriptorium' e os estudos claustrais, Porto 1964, 126 sqq.

wegs um einen altlateinischen Text handelt, zeigen die deutlichen Vulgataeinflüsse einerseits und die Singularität des angeblich vorhieronymianischen Wortlautes andererseits. Wir müssen vielmehr annehmen, daß der unbekannte Sammler und Schreiber der Handschrift N selbst die griechische Catene für seine Sammlung von Canticum-Kommentaren übersetzte.

[1] Für diese freundliche Hilfe sei an dieser Stelle ausdrücklich Dank gesagt.

Saec.11/12, foll.160 (falsche ältere Zählung: 165), 'in folio min.', zwei Spalten, spanische Minuskel, Pergament. Der Titel des Codex ist: Capitulationes in Libro Eusebii: I: Hieronimi contra Iovinianum.

Der Codex enthält:
HI Jov
TA Prv (mit 'Annotationes Claudii Romandiolae Abb. S. Benedicti')
TA aen
TA Eccl
GR-I Ct (mit Prolog)
TA Ct
TA Sap
TA Sir
JUS-U Ct (mit den zwei Widmungsbriefen und dem Prolog)
AU »sermo in vinculis Beati Petri apostoli«[2]
Exzerpte aus FU fi

GR-I Ct beginnt auf fol.100R (alte Zählung 103) in der ersten Spalte mit dem Text des Prologs. Dieser besitzt zwar eine ausgeschmückte Initiale, aber keine Überschrift. Für diese, die wohl nachgetragen werden sollte, sind vier Zeilen freigelassen, ebensoviele auch zwischen Prolog und Beginn des Textes. Dieser endet auf fol.112V (frühere Zählung 115V) mit: Explicit liber quintus. Der folgende Text, die Exzerpte des Taio aus den Werken Gregors des Großen zum Canticum (TA Ct), beginnt mit dem Titel: INCIPIT TRACTATUS BEATI GREGORII PAPE ROMENSIS DE CANTICA CANTICORUM. PREFATIO EIUSDEM; diese Überschrift wird in der Handschrift R in nahezu identischer Form für GR-I Ct verwendet[3]. Die fünf Bücher sind durch ein *Explicit liber primus* in normaler Schrift und eine Schmuckzeile: INCIPIT LIBER SECUNDUS (*mutatis mutandis*) voneinander abgehoben. Die Lemmata sind durch andersfarbige Tinte be-

[2] Da ich diesen Teil der Handschrift nicht als Mikrofilm zur Verfügung habe, konnte ich nicht feststellen, um welchen augustinischen (oder pseudo-augustinischen?) Sermo es sich handelt.
[3] Dort lautet der Titel: *Incipit Tractatus Gregorii pape eiusdem Epithalamii.*

tont. Die kommentierende Passage zu jedem Lemma wird jeweils zu Beginn mit einer kleineren Initiale gekennzeichnet. Die wenigen Korrekturen tragen meist ausgelassene Silben oder Wörter nach.

R Lleida, Archivo de la Catedral 2 (*olim* Roda, S. Vicente)[1]

Beer, R., *Handschriftenschätze Spaniens*, Wien 1894, 416-418

Heine, G., *Zweiter Bericht des Dr. G. Heine in Berlin über seine litterarische Reise in Spanien gerichtet an Hofrath und Prof. Dr. Gustav Hänel und von letzerem mitgeteilt*: Serapeum 8 (1847) Nr.6,94 sq.

Vega, A. C., *Advertencia preliminar a la edición critica de la exposición 'In canticum canticorum' de Gregorio obispo des Eliberri*: España Sagrada t.55, Madrid 1957,5

Villanueva, J. *Viaje literario a las Iglesias de España* t.15 (1851) 169 sq.

Wilmart, A., *Les 'Tractatus' sur le Cantique attribués à Grégoire d'Elvira*: Bulletin de littérature ecclésiastique (1906) 235.

Saec.10/11, foll.145, 200 x 182 mm, Linea plena, Pergament, visigothische Minuskel.

Die Handschrift enthält:
IS Gn, Ex, Lv, Nm, Dt, Jos, Jdc, Ru, Rg, Esr, Mcc
TA Prv
TA Ecl
TA Sap
TA Sir
TA Ct (davor: *Capitulationes*[2] für TA Ct und GR-I Ct, Bücher 1 und 2)
GR-I Ct (mit Prolog)
JUS-U Ct (mit den beiden Widmungsbriefen und dem Prolog)
TA aen
AU ep 37
Ein kurzer Text zu Ecl

GR-I beginnt auf fol. 109R mit der Überschrift für den Prolog: INCIPIT PREFATIO EPITHALAMII A BEATO GREGORIO PAPA ROMENSI EDITO (*sic*). Auf den Prolog mit: Explicit prologus folgt der Titel: IN-

[1] Ausführliche Auskunft über die Herkunft des Codex verdanke ich der Freundlichkeit von M. Bajen Español, Lérida, dem hier herzlich gedankt sei.
[2] Zu den *Capitulationes* *cf.* S. 102sq.

CIPIT TRACTATUS GREGORII PAPE EIUSDEM EPITHALAMII. Auf fol.118V endet der Text mit der Unterschrift: *explicit explanac̄ bt̄i ḡgrii eliberritani ēpi in canticis canticorum.*

Mehrere Hände wechseln sich innerhalb des Textes von GR-I Ct ab. Die Bücher eins und zwei gehen ohne Markierung durch ein Explicit/Incipit oder eine Initiale ineinander über. Die Lemmata sind nur durch ein unauffälliges Zeichen (/) kenntlich gemacht. Unabhängig von diesen Lemmata ist der Text durch kleinere herausgerückte Initialen gegliedert. Besonders auffällig sind die zahlreichen Korrekturen, z. T. *in rasura*, teils interlinear; Zusätze auf den Rändern verstärken den Eindruck eines nachträglich durchkorrigierten Textes.

Mit dem Beginn des dritten Buches verändert sich das Bild: dieses bietet eine andersfarbige Halbzeile: EXPLICIT LIB II: INCIPIT LIB III und eine große Initiale N (*Nardum*). Die Lemmata dieses Buches sind mit andersfarbiger Tinte hervorgehoben. Korrekturen fehlen völlig. Das vierte Buch beginnt wie das dritte mit farbigem Explicit und Incipit und einer Initiale. Auch die ersten beiden Lemmata sind wie im dritten Buch farbig unterschieden, danach fällt der Schreiber in die Kennzeichnung mit einem einfachen Haken, wie sie in den Büchern eins und zwei verwendet wird, zurück. Die Schrift wird zunehmend kleiner. Ein Explicit für das vierte Buch fehlt. Buch fünf beginnt mit einem unscheinbaren INCIP̄ LIB̄ V und einer ungelenken Initiale. Bereits im letzten Teil des Buches vier beginnt eine andere Hand, die viele Abkürzungen benutzt (bis fol.118R). Der Rest des Textes ist wiederum von einer anderen Hand geschrieben, die dicht gedrängt erscheint und kaum Ränder freiläßt. Korrekturen finden sich - wie im Buch drei - nicht mehr.

Für das so unterschiedliche Bild, das die einzelnen Bücher bieten, ist nicht nur der Schreiberwechsel verantwortlich, sondern vor allem der Wechsel der Vorlage zwischen dem zweiten und dritten Buch. Wie die Analyse der Textgestalt (weiter unten) zeigt, stammen die ersten beiden Bücher aus einer Vorlage, die hier endete; die *Capitulationes*, die dem vorausgehenden Werk TA Ct vorangestellt sind, umfassen einmal das gesamte Canticum, danach noch einmal den Teil Ct 1,2 - 1,11. Dies ist genau der Umfang der Bücher eins und zwei von GR-I Ct. Die durchlaufende Zählung der *Capitulationes* von I-LV zeigt, daß TA Ct zusammen mit den ersten beiden Büchern von GR-I Ct als ein einziges Werk angesehen und überliefert wurde. Eine zweite Vorlage lieferte den Text der Bücher drei bis fünf, ebenso nach dieser Vorlage wurden die ersten beiden Bücher gründlich durchkorrigiert[3].

U Madrid, Biblioteca Nacional 8873 (*olim* Cod. XXXXII Biblioteca Uclense, Archivo Histórico Nacional, aus dem Kloster S. Iacobus, Uclès)

Torre, M., Longas, P., *Catálogo de códices latínos de la Biblioteca Nacional*, t.1. Bíblicos, Madrid 1935, 256 (Nr. 77)
García Villada, Z., *Antiguos Commentarios al Cantar de los Cantares desconocidos e inéditos:* Estúdios Ecclesiásticos, t.7 (1928) 104
Vega, A. C., *Advertencia preliminar a la edición critica de la exposición 'In canticum canticorum' de Gregorio obispo de Eliberri*: España Sagrada t.55, Madrid 1957, 9-11

Saec. 12, foll.190, 254 x 160 mm, Linea plena, »gotisch-spanische Schrift«, Pergament:

Die Handschrift enthält:
IS Gn, Ex, Lv, Nm, Dt, Jos, Jdc, Ru, Rg, Esr, Mcc
GR-I Ct (mit Prolog)
TA aen
AU ep 37
Hugo von St. Victor, de verbo incarnato (Fragment)

GR-I Ct beginnt auf fol. 156R mit dem Prolog; auf fol. 155V, das im übrigen unbeschrieben ist, hat eine andere Hand am unteren Rand als Titel nachgetragen: *Incipit prephatio epithalamii a bt̄o ḡgorio p̄p̄ edita.* Zwischen Prolog und Text findet sich die Überschrift: *Explicit prologus. Incipit tractatus gregorii p̄p̄ eiusdem epithalamii.* Auf fol. 172V endet der Text mit: *Explicit liber quintus*; eine andere Hand hat hinzugefügt: *in canticis canticorum salomonis.*

[3] Zur Textgestalt dieser Korrekturen *cf.* S. 121-123.

Durch den Ausfall von zwei Blättern (zwischen fol. 157 und 158) ist der Übergang von Buch eins zu zwei verlorengegangen; die anderen Bücher werden jeweils durch EXPLICIT LIBER II INCIPIT LIBER TERTIUS (*mutatis mutandis*) voneinander abgesetzt. Der Text jeden Buches beginnt mit einer bescheidenen Initiale. Die Lemmata sind nicht besonders gekennzeichnet, erst ab 2,29 (fol. 161R) wird mit einem Zeichen (√) Anfang und Ende des Canticumtextes angezeigt.

Der Text stammt von einer Hand, eine zweite hat einige Korrekturen angebracht, auf fol. 160V hat dieser andere Schreiber den Paragraphen 2,24b und 25,b auf dem Rand nachgetragen[1].

BEA Exzerpt aus GR-I Ct, Buch 1, in: *Beati Liebanensis et Eterii Oxomensis Adversus Elipandum libri duo* ed. B. Löfstedt, CCcm 59 (1984)

Das Exzerpt umfaßt GR-I Ct 1,1.4-16.20 und findet sich BEA El 2,75 (1883-1892); 2,78-83 (1947-2059).

Die Edition beruht auf der Handschrift T, Madrid, Biblioteca Nacional 10018, saec. 9/10.

B. Löfstedt benutzt zum Vergleich mit dem Text Gregors von Elvira den Wortlaut der Edition J. Fraiponts[1]. In einigen Fällen bestätigen jedoch Lesarten von T, die Löfstedt in den Apparat verweist, die bessere, von Fraipont vernachlässigte Überlieferung.

[1] Möglicherweise hat der erste Schreiber von U diese Passage als Doublette erkannt; *cf.* S. 152.

[1] CC 69 (1967) 169-210. Zum Wert dieser Edition *cf.* S. 17-19.

DIE BEZIEHUNGEN DER ZEUGEN ZUEINANDER

DIE BÜCHER EINS UND ZWEI (ω[1])

Die Handschrift B

Obwohl diese Handschrift nicht der älteste Zeuge der kürzeren Fassung ist, hat sie den originalen Wortlaut am getreuesten bewahrt. Das gilt trotz der zahlreichen Sonderfehler, denn sie lassen meist den zugrundeliegenden Text noch erkennen. Die Fehler entstanden häufig aus falscher Worttrennung oder Verlesung von Buchstaben der Vorlage. Da jedoch der Schreiber kaum jemals versuchte, Unverständliches zu korrigieren, bewahrt er das Original zwar entstellt, aber rekonstruierbar.

Hier einige Beispiele solcher für B typischer Fehler:

1,2 *admiratione*] *animi ratione* B
1,4 *gratia*] *gloria* B (falsch aufgelöste Abkürzung)
1,8 *nuptiarum*] *nunciarum* B
clarum edidit] *clarum me dedit* B
1,11 *aqua*] *alium* B
1,16 *veri*] *viri* B
2,13 *fuco*] *fusco* B
2,26 *praecipites urgerentur*] *precepite surgerentur* B
2,29 *decor elucet*] *de chore lucet* B
2,33 *plumis*] *plurimis* B

Außerdem ist der Text in B durch mehrere Omissionen entstellt, die teilweise jedoch auf die Vorlage zurückgehen, denn sie finden sich ebenso in der Handschrift P (siehe weiter unten). Andere Lükken in B haben vermutlich eine davon verschiedene Ursache; darauf läßt das Erscheinungsbild der Handschrift B schließen. An der Nahtstelle zwischen erstem und zweiten Buch, in dessen anfänglichem

Teil und am Ende des zweiten Buches hat der Schreiber großzügig mehrere Zeilen freigelassen (fol 323R und fol 325R), offenbar um einige Passagen, die in seiner Vorlage durch Beschädigung (Wasser oder Feuer) unleserlich waren, später aus einem intakten Exemplar ergänzen zu können. Dies ist jedoch nicht mehr geschehen. So fehlen heute in dem Text von B der Schluß des Buches 1, etliche Wörter der Paragraphen 2,1; 2,3; 2,4 und der Schluß des zweiten Buches, das heißt: das Ende des Paragraphen 2,43.

Eine Omission findet sich auch in 2,5 (*esse et quia illic infantia Christi delituit*); diese Lücke konnte P vermutlich aus der Sekundärvorlage auffüllen. Andere dagegen haben B und P gemeinsam:

1,12 *et odore. Proinde hoc in loco meliora ubera domini, id est doctrinam evangelicam, dicit super vinum veteris prophetiae* om B P
1,26 *iam Christi sanguine rubicunda* om B P
1,29 *pellem Salomonis* om B *Salomonis* om P

Außerdem enthalten die Bücher 1 und 2 in B und P folgende gemeinsame Fehler:

1,14 *tamen*] *tam* B P
1,15 ~ *sancti spiritus* B P
completa] *completum* B P
1,24 *erat*] *erant* B P
2,7 *adnuntiationem*] *adnunciatione* B P
offenderat] *ostenderat* B P
2,29 *genuum*] *genarum* B *genuarum* P
2,31 *metit*] *metet* B P
2,39 *subiectam*] *subiecta* B P

In den übrigen Büchern wird diese Verwandtschaft noch deutlicher[1], während im ersten Teil in P durch die Sekundärvorlage Fehler ausgeglichen werden konnten.

[1] *Cf.* die Beispiele S. 134sq.

Die Primärvorlage der Handschrift P

Neben den Bindefehlern mit B enthält P, soweit der Erstfassung gefolgt wird, auch Sonderfehler, die jedoch eher der Unaufmerksamkeit des Schreibers als einer anderen Vorlage zu verdanken sind. Außerdem neigt dieser Schreiber auch zu »Verbesserungen«, was besonders bei den Schriftzitaten spürbar wird, wie zum Beispiel in den Ergänzungen

2,5 + *Adnuntia michi quem dilexit anima mea*
2,35 + *laboratis et* (so auch A)
+ *et honus meum leve*

und den Korrekturen

2,40 *cubilia*] *foveas* (*cf.* Vulg)
declinaret] *reclinaret* (*cf.* Vulg)
(der Ersatz *reclinare* für *declinare* auch in 2,41 und 2,43)

So »verbessert« P vermutlich auch, unter anderem,
1,6 *cessarunt*] *cessaverunt* P
1,9 *lapideis*] *lapidibus* P
1,27 *requirere*] *inquirere* P
2,6 *saeculi*] *mundi* P
2,13 *fuisset*] *fuerit* P
ab apostolica plebe] *apostolicas plebes* P

Wenn auch P dieselbe Vorlage benutzt zu haben scheint wie B, so hat der Schreiber diese Vorlage noch in einem besseren Zustand vorgefunden als der Schreiber von B. Die Passagen, die dieser offenbar nicht mehr lesen konnte (siehe oben unter B), sind in P vollständig vorhanden. Wenn auch die Sekundärvorlage hier aushelfen konnte, so muß der Schreiber von P doch den nur in ω^1 vorhandenen Schluß des ersten Buches *qui est benedictus in saecula saeculorum* noch aus seiner Primärvorlage entnommen haben, B dagegen beendet den Text bereits einige Zeilen früher.

Die Handschrift A

Die älteste Handschrift des Epithalamium ist partienweise nur noch mit Mühe oder gar nicht mehr zu lesen, weil vermutlich ein Wasserschaden Teile der Schrift gelöscht hat.

Die Textgestalt vermittelt durch die stark spanisch beeinflußte Orthographie einen hohen Grad von Urtümlichkeit, ein Eindruck, dem die Analyse des Textes jedoch nicht standhält. In den ersten beiden Büchern bietet A folgende Abweichungen gegenüber B und P auf der einen Seite und R* BEA auf der anderen (da nämlich, wo der Text von der Bearbeitung der zweiten Rezension unberührt geblieben ist):

1,1 *bona*] *optima* A
1,2 *pronuntiatur*] *prelocutum* A
1,4 *praesentis* + *Christi* A
1,6 *accipere*] *accepit* A
1,7 *veritas et pax amplexae sunt se*] *iustitia et pax complexae sunt se* + *et de quo dixit apostolus qui est pax nostra et ipse dicit* A
1,8 *inviolata*] *immaculata* A
fetum] *partum* A
1,9 *digito dei*] *difinitum dei* A*
1,11 *anima hominis*] *animam sive hominem* A
vinum + *veterem* A
1,16 *apud Graecos*] *aput greco sermone* A
1,18 *stultae*] *steriles* A
1,21 *Christo* + *sponsa* A
1,25 *Malachiel*] *malaXchias* A
1,29 *fuscam*] *fusca* A
decoram] *decora* A
fide et sanctitate] *fidem et sanctitatem* A
2,1 *oppugnaverunt*] *pugnaberunt* A
2,5 *Christi delituit*] *delituit salbatoris* A
ex Aegypto] *ab africo ex egypto* A
2,7 *mansionem*] *passionem* A
hominem deo] *hominem et deum* A

2,14 *plebes*] *greges* A
2,19 *descenderunt*] *devenerunt* A
2,31 *seminaverunt*] *laboraverunt* A

Es handelt sich also in der Mehrzahl nicht um Irrtümer und Verschreibungen, sondern um bewußte Änderungen. Wie die Doppellesart *ab africo ex egypto* (2,5) zu erkennen gibt, war die Vorlage von A mit Alternativlesarten versehen, vermutlich auch mit sonstigen Korrekturen, die den Text von A beeinflußten; einige der Änderungen betreffen die Gestalt der Bibelzitate, andere versuchen zu glätten oder durch verändertes Vokabular den Inhalt zu verdeutlichen.

Daß nicht der Schreiber der Handschrift A selbst für diese Veränderungen verantwortlich ist, sondern sie bereits in einer Vorlage fand, zeigt das Auftreten dieser Fehler auch in den Korrekturen der Handschrift R. Diese Korrekturen können jedoch nicht nach A vorgenommen worden sein – wie anschließend gezeigt wird –, sondern nach einer mit A lediglich verwandten Vorlage.

Die Korrekturen in der Handschrift R

Der Text der ersten beiden Bücher in der Handschrift R (siehe weiter unten) ist nicht sehr sorgfältig geschrieben. Besonders fallen die zahlreichen Omissionen auf, die häufig ganze Wortgruppen umfassen. Diese Lücken wurden anschließend mit einem ω^1-Text aufgefüllt und gleichzeitig auch weitere Stellen mit Alternativlesarten aus dieser Vorlage versehen bzw. nach dieser korrigiert. Ein Teil dieser zahlreichen Korrekturen[2] ist mit den oben aufgeführten Sonderlesarten in A identisch. Hier die wichtigsten:

1,7 *de quo dicit apostolus qui est pax nostra et ipse dicit* add R^2 non habent B P

[2] Die beiden ersten Bücher enthalten rund hundert Korrekturen.

1,8 *cuius fetum copiosissimum* om R* *cuius partum copiosum* add R^2 (*partum* = A)

1,11 *anima hominis copulavit*] *cum anima hominis copulavit* R* *animam sive hominem* add in mg R^2 (*animam sive hominem* = A)

1,15 *regum* R* *et regnum* add supra lineam R^2 (*regnum* = A, *regXum* B *regum* P)

1,18 *vetulae et stultae*] R* *et steriles* add in mg R^2 (*vetulae et steriles* = A)

1,25 *Malachiel*] *Ezechiel* R* *Malachias* add in mg R^2 (*malaXchias* = A)

2,7 *mansionem*] R* *passionem* add supra lineam R^2 (*passionem* = A)

Dagegen zeigt eine andere Stelle, daß die Korrekturen nicht aus A selbst stammen können:

1,29.30

A	R^2 *in mg*
Fusca itaque se dicit	*fuscam itaque se dicit*
propter transgressionem	XXXXXX *transgressionem*
ade et peccata parentum	*ade et peccata parentum*
sed et decora	*sed et decoram*
propter conversionem Christi	*propter conversationem*
quam habet in fidem	*qua sanctificatur*
et sanctitatem	*in Christi fide*
denique in templo Salomonis	
rubicunde et iacintinae	
pelles erant	*nam et pelles*
unde tabernaculum	*quibus tabernaculum*
tegebatur	*tegebatur*
rubicunde propter passionem	*rubicunde propter passionem*
sanguinis Christi	*sanguinis Christi*
et iacintinae propter	*et iacintinae propter*
operum sanctitatem	*operum sanctitatem*

Während das abschließende *propter operum sanctitatem* Verwandtschaft mit A vermuten läßt (*propter firmitatem et splendorem virgineae sanctitatis* P R *propter conversionem* B), spricht die markierte Passage, die sich so in der übrigen Überlieferung nicht wiederfindet, für eine von A verschiedene Vorlage.

Folglich muß man neben A ein weiteres (verlorenes) Exemplar α annehmen, das die in A enthaltenen Fehler und willkürlichen Änderungen zumindest zu einem Teil enthielt, aber auch von A abweichende Lesarten aufwies (weitere Beweise dafür weiter unten: Die Bücher 3-5). Diese verlorene Handschrift α stammt vermutlich als Schwesternhandschrift zu A von einer gemeinsamen Vorlage χ, die von einem Bearbeiter mit Notizen und Korrekturen versehen war.

Für die Bücher eins und zwei der Erstfassung ω^1 läßt sich also folgende Überlieferung rekonstruieren: es existierten von dieser Fassung mindestens zwei Abschriften, γ und χ. Von γ, einem offenbar ohne Worttrennung geschriebenen und bereits durch Omissionen verderbten Exemplar, wurde zuerst P abgeschrieben; später, als γ durch Wasser- oder Feuerschaden noch schwerer lesbar geworden war, die Handschrift B. Die zweite Abschrift χ wurde von einem Bearbeiter an vielen Stellen korrigiert und mit Alternativlesarten versehen. Von diesem Exemplar stammen A und die Vorlage für die Korrekturen in R, α.

DIE BÜCHER EINS UND ZWEI (ω^2)

Die Handschrift R und die davon abhängigen Handschriften U und N

R benutzt in den Büchern eins und zwei als Primärtext eine Vorlage der Rezension ω^2, der Text der ersten Hand ist nicht sehr sorgfältig geschrieben und weist mehrere Omissionen auf, die eher auf die mangelnde Sorgfalt als auf Fehler in der Vorlage zurückzuführen sind[1]. Von einer anderen Hand sind sie aus einer ω^1-Vorlage er-

[1] Zwar spricht die Beschränkung dieser Omissionen auf die ersten beiden Bücher scheinbar dafür, daß der Schreiber sie bereits in seiner Vorlage fand. Man muß jedoch berücksichtigen, daß die Bücher drei bis fünf von anderen, offensichtlich sorgfältigeren, Schreibern stammen. Außerdem hatten sie eine eindeutige Vorlage vor sich, während der Schreiber der Bücher eins und zwei mit den Schwierigkeiten der Überlieferung der Überarbeitung zu kämpfen hatte.

gänzt, zugleich wurde der Text nach dieser Vorlage durchkorrigiert[2].

Von diesem korrigierten Text von R, saec.10/11, sind die Handschriften U, saec. 12, und N, saec. 16, abhängig. Die direkte Abhängigkeit wird erwiesen durch zahlreiche Stellen, an denen U und/ oder N die erwähnten Korrekturen nach ω^2 oder offensichtliche Fehler von R übernehmen[3].

R und U (vor der Klammer die ω-Lesart)

1,6 *Iohannem*] *baptistam* add R^2 *Iohannem baptistam* U

1,7 *amplexae*] *complexae* R* praemittit in mg *sibi invicem* R^2 *sibi invicem complexae* U

1,8 *artem*] *artificium* R* *vel artem* add in mg R^2 *artificium vel artem* U

R und N

1,8 *artem* alt] vix legi potest in R* *matrem* in mg R^2 *matrem* N

1,8 *opifex ratio*] vix legi potest in R* *perfecta ratio* in mg R^2 *perfecta ratio* N

1,11 *anima hominis*] *cum anima hominis* R* *animam sive hominem* add in mg R^2 *animam sive hominem* N

1,29 hier bietet R^2 in margine neben der ω^2-Version dieses Paragraphen die Erstfassung und verweist mit einem Zeichen darauf, daß diese Passage nach *fuscabatur* eingefügt werden soll. N bietet an eben dieser Stelle im genauen Wortlaut[4] den Zusatz aus R^2, gefolgt von der ω^2-Fassung (U hat durch Blattausfall hier eine größere Lücke)

2,3 *hanc vineam populi Israelis noluit custodire Ecclesia*] *hanc vineam populus Israel noluit custodire. Equidem* R N (*Et quidem* N)

[2] Zu den Korrekturen *cf.* S. 121sq.
[3] Die folgende Auswahl beschränkt sich auf besonders deutliche Beispiele.
[4] Nur in R^2 erscheint diese Passage in dem Wortlaut, den auch N bietet, *cf.* dazu S. 132.

R und U und N

2,17/ 2,18 hier ließ der erste Schreiber die Worte *cum enim subiunxit Exi tu in vestigXX gregum dicere videtur* aus, eine zweite Hand ergänzte den Text in margine mit einem Zeichen, ihn (fälschlicherweise) nach *insertis* einzufügen. Sowohl U wie N folgen dieser falschen Anweisung

2,17 *sancta scriptura*] *caelestis scriptura* R* add *sancta* R² *caelestis sancta scriptura* U *caelestis sacra scriptura* N

2,30 *dua istae genae oculorum luminibus cum suo decore subiectae*] *duo ista oculorum lumina decori subiecta* R* *duae istae genae ... subiectae* add in mg R² *aliter due iste gene ... subiecte* add post *subiecta* U *duae istae genae ... subiectae* add post finem sententiae, id est post *dinoscuntur* N (tatsächlich ist in R unklar, wo die Ergänzung eingefügt werden soll)

3,12 *homo in plaga et sciens ferre imbecillitatem* (Is 53,2)] *in plaga hominis nesciens ferre imbecillitatem homo* R U *in plaga hominis positus patiens inbecillitatem homo* coni N

Dort, wo N gegen R den richtigen oder zumindest einen besseren Text bietet, müssen wir mit Konjekturen des gelehrten Schreibers rechnen, nicht aber mit Einflüssen aus einer anderen Vorlage.

Nach diesem Befund scheiden die Handschriften U und N für die Textherstellung aus.

Die verbleibende Handschrift R, die als einzige den Text der zweiten Rezension vollständig enthält, gibt kein klares Bild von deren ursprünglicher Gestalt, da die erwähnten Korrekturen nach einer ω^1-Vorlage häufig die erste Lesart nicht mehr erkennen lassen. Die vielen Lücken sind ebenfalls nach der Erstfassung ergänzt worden, so daß eventuell vorhandene Abweichungen in ω^2 an diesen Stellen verlorengegangen sein können. Die größte Beeinträchtigung erfuhr die Textgestalt jedoch durch gutgemeinte, aber sehr willkürliche Änderungen, die vermutlich ein Bearbeiter vornahm, der die Vorlagen für die Handschrift R aufbereitete. Diese Änderungen, meist Versuche, schwierige Stellen zu glätten oder grammatisch der Norm anzupassen, finden sich nicht nur in den ersten beiden Büchern, sondern auch den drei übrigen, die aus einer anderen Vorlage stammen[5]. Daraus ergibt sich, daß die Änderungen erst mit der Entstehung von R in den Text gekommen sind.

Während in den Büchern drei, vier und fünf diese Fehler durch den Vergleich mit der übrigen Tradition leicht erkannt werden können, ist die Unterscheidung zwischen ihnen und den Autorenvarianten, die durch die Zweitfassung entstanden, manchmal schwierig, ganz besonders deswegen, weil ein zweiter vollständiger Zeuge dieser Rezension zum Vergleich fehlt.

Einige Beispiele, die mit ausreichender Sicherheit dieser Fehlerschicht der willkürlichen Veränderungen zugeordnet werden können, sind:

(Vor der Klammer aus P, BEA - wo vorhanden- und ω[1] (zum Vergleich) erschlossener ω[2]-Text)

1,2 *dei et Ecclesiae vox psallentis*] *dei et Ecclesiae vox psallentum* R

1,13 *quae super* OMNIA *synagogae fraglat*] *quae super omnia aromata synagogae fraglat* R

1,14 *tuum + Sed alibi unguentum inquit diffusum nomen tuum* R
exinanitum + et qua re alibi diffusum dicit scriptura divina R
(Diese weder bei P noch bei BEA überlieferten Zusätze sollen den Inhalt - unnötigerweise - verdeutlichen)

1,7 *ut Christi vestigia bona et iusta sequantur*] *ut Christi vestigia per acta bona et iustitiam sequantur* R

1,24 *cum* EAM DESPEXERAT SOL] *quoniam nondum me intuitus fuerat sol* R
(Hier hat der Bearbeiter den altlateinischen Lemmatext, den Gregor als zweiten neben seinem Bibeltext benutzte, an den letzteren angeglichen)

1,25 *Malachiel propheta*] *Ezechiel propheta* R
(»Korrektur« wegen der altertümlichen Namensform)

2,6 *licet sit permixta ... substantia et quasi meridiani climatis temperamentum, praestat tamen plus calor spiritalis quam carnalis fragilitas operatur*] *licet sit permixta ... substantia et quasi meri-*

[5] Zu der Vorlage für R in den Büchern drei bis fünf *cf.* S. 114–115; 136sq.

diani climatis temperamentum + spiritalis gratia praestet, tamen plus calor spiritalis quam carnalis fragilitas operatur R (Der Bearbeiter mißverstand *praestat* als »bietet dar« statt »überwiegt«)

2,12 *fiar* bis] *fiam* bis R
amictum vocat] *amictus vocatur* R
superinduas] *superinducatur non* R

2,13 *ne ... efficiar so‹rd›ida veritate cooperta*] *ne ... efficiar a sola veritate segregata* R
(Willkürliche Veränderung des *cooperta*, um das verderbte *a sola* verständlich zu machen)

2,30 *legis autem praecepta in ‹oculis› ecclesiastici corporis deputari*] *legis autem praecepta in ecclesiasticis corporibus deputare* R
(Die Lacuna ist durch - allerdings sinnlose - Korrektur des Kasus ausgeglichen worden)

Diese Auswahl mag genügen, um den Charakter der Veränderungen deutlich zu machen. Daneben enthält R aber auch eine Reihe von Lesarten, die auf eine etwas andere Vorlage zurückgehen als diejenige für P und BEA, darüberhinaus auch vermutlich originalen Wortlaut Gregors, der in der ω[1]-Überlieferung verlorengegangen ist, besonders einige Bibelzitate.

Daß R eine andere Vorlage hatte als P und BEA, beweisen unter anderem diese Stellen:

1,1 *epithalamium* P BEA *epitalamii* R
per Salomonem P BEA *per vatem integrum Salomonem* R
coniugii voluntatem P BEA *coniunctionem* R

1,3 der gesamte Paragraph ist nur durch R überliefert, ob P und BEA ihn in ihrer Vorlage nicht fanden oder ihn aus jeweils anderen Gründen ausließen, ist nicht zu entscheiden

1,8 *est adimpletum per quod anulum fidei et* BEA *adest impletum XXX per anulum fidei quod quasi* R* textum recensionis ω[1] praebet P

1,8 *artem nascendi vel potius renascendi sentias* P BEA *artificium nascendi sentias vel potius renascendi* R*

1,20 *unde inquiens addidit* P *unde et sequitur* BEA *et adiecit* R
2,3 *eiecisti gentes et plantasti eam* R om P
2,11 *per separationem nominis tui* R om P
2,14 *per doctrinam ob commissionem illicitam* R om P
2,17 *labes* (= *plebes* ?) *haereticorum et sinagoge congregationes* R *haereticorum et Iudaeorum congregationes* P
2,30 *duo ista oculorum lumina decori subiecta* R* *duae istae genae oculorum luminibus cum suo decore subiectae* P

Bei den Stellen, die BEA nicht enthält (also hier ab 2,3) können die Abweichungen von P auch immer auf Einfluß von ω^1 zurückgehen (siehe weiter unten unter P). Es ist aber nicht wahrscheinlich, daß gerade die Zusätze zum ω^1-Text in 2,3; 2,11 und 2,14 absichtlich nicht übernommen wurden, wenn der Schreiber von P sie in seiner ω^2-Vorlage gefunden hätte.

Anders ist es gewiß mit den im Kapitel »Gregors Bibeltext« erwähnten Schriftzitaten in außergewöhnlicher Form[6], die uns nur die Handschrift R überliefert. Hier ist es verständlich, daß der Schreiber von P die geläufigeren Formen aus seiner ω^1-Vorlage denen seiner Sekundärvorlage vorzog. Ein Beweis dafür, daß auch die Überlieferung, von der sowohl BEA als auch die Sekundärvorlage für P abhängig sind[7], die altertümlichen Schriftzitate enthielt, ist 1,1 *amicus sponsi stans et audiens vocem eius prae gaudio exhilaratur* (Jo 3,29), das in diesem Wortlaut übereinstimmend R und BEA bieten, während P offensichtlich der Primärvorlage folgt.

Das Exzerpt des Beatus von Liébana (BEA)

Obwohl Beatus den Textabschnitt aus dem Epithalamium in sein eigenes Werk einbaut und nicht als Zitat kennzeichnet, hat er offensichtlich keine schwerwiegenden Änderungen daran vorgenommen. Einige erklärende Zusätze in 1,4; 1,9 und 1,10 stammen sicher-

[6] *Cf.* dazu S. 94 - 99.
[7] Zu dieser Vorlage $\varkappa$ *cf.* das Stemma S. 139sq.

lich von ihm. Ebenso hat er gewiß absichtlich einige Passagen fortgelassen, weil sie im Kontext seines eigenen Werkes unpassend oder überflüssig waren, wie der letzte Satz des Paragraphen 16 und die beiden folgenden Paragraphen 17, 18 und 19. Auch den Abschnitt in 1,15 *exinanitum est nomen eorum regum ... diffusum est* wird Beatus wissentlich übergangen haben, weil er ihn als Doublette erkannte[8]. Ähnlich verhält es sich mit dem zweiten Teil des Paragraphen 1,13, der außer einem Isaias-Zitat und der Wiederholung des Lemma nichts neues bringt.

Folgende Abweichungen gegenüber dem Text der Rezension ω^2 sind vermutlich Beatus zuzuschreiben:

(vor der Klammer die ω^2-Version, danach die Lesarten des Beatus)

1,1 *divina scriptura*] *scriptura divina*
1,2 *ut sciatis*] om
Ecclesia] *Ecclesiam*
super] *supra*
populi] *proelii*
hominum P om R] *populi*
et] om
1,4 *Et*] om
ideo] *et ideo*
hic] om
ipsam praesentis Christi vocem audire] *ipsa eclesia praesentem sponsum habere et praesentis vocem audire*
enim] *enim tempore*
alienum os] *alieno hore*
1,5 *et caritatis*] om
1,6 *hominis*] om
1,7 *matre*] om
1,8 *diu*] *longa*
1,9 *futuri aevi*] *saeculi futuri*
capra] *capra quae duo ubera habet*
vacca] *vacca quae quattuor*

[8] *Cf.* dazu S. 148.

1,10 *propheticae*] *prophetiae*
praedicationis] *praedicationis qua lex vinum vetus intelligitur, evangelium vinum novum*
melius] *magis*
aqua] *aqua vinum*
1,11 *evangelicum*] *evangelium*
1,11 *dicti*] *isti*
1,12 *quod*] om
1,13 *ex*] *ex septiformi*
sicut per Esayam loquitur – meliorem esse designat] om
1,14 *Et*] *Unde et*
perfectionem] *perfectiorem*
1,15 *exinanivit – dicebantur*] om
1,16 *Denique ex quo – nomen tuum*] om
Christi enim nomen – censetur] om
1,17 om
1,18 om
1,19 om
1,20 *Et adiecit*] *Unde et sequitur*
in aditum R *penetralia* P <ω^1] *de abdita*
Ecclesiam] *Ecclesia*
dixit] *dicit*

Einige Omissionen dagegen, die Beatus mit der Handschrift P gemeinsam hat, deuten darauf hin, daß beide aus der gleichen Tradition geschöpft haben, die Unterschiede zu der Vorlage für R aufweist.

1,12 *et proinde hoc in loco meliora ubera domini, id est doctrinam evangelicam, dicit super vinum veteris prophetiae* R om BEA P (auffällig ist, daß sowohl BEA als auch P dazu das *et adiecit* auslassen und kurz darauf beide statt *aromata synagogae* (R) nur *synagoga* bieten)

1,1 *desponsabo te mihi in spe et iterum desponsabo te mihi in fide et caritate* R *desponsabo te mihi in spe et iterum* om BEA P (es ist unwahrscheinlich, daß dieselbe Omission in beiden Zeugen unabhängig voneinander entstanden ist. Zu Anfang des Paragraphen lassen sowohl BEA als auch P außerdem *vatem integrum* fort; auch das scheint auf einen Fehler in der gemeinsamen Tradition zurückzugehen)

1,3 BEA und P bieten den gesamten Paragraphen nicht. Das kann wiederum auf ein- und dieselbe Überlieferung zurückgehen. Denkbar ist in diesem Fall aber auch, daß Beatus diese Ausführungen für seine Zwecke überflüssig fand, der Schreiber von P andererseits zu Beginn des Textes noch stärker an seine Primärvorlage gebunden war, die diesen ω^2-Zusatz nicht enthielt.

Einige weniger auffällige Übereinstimmungen zwischen BEA und P verstärken den Eindruck, sie stammten aus einer von R verschiedenen Überlieferung:

1,5 *contenta* R mit ω^1] *contempta* BEA P
1,8 *edidit* R mit ω^1] *dederit* BEA P
1,13 *etenim* R mit ω^1] *enim* BEA P

Leider ist der Textabschnitt, den BEA und P gemeinsam bieten, zu kurz, um weitere Gemeinsamkeiten aufzeigen zu können; und auch für den Abschnitt selbst ist der Vergleich nicht durchgehend möglich, da in P die ω^2-Vorlage nur selektiv benutzt worden ist.

Die Sekundärvorlage der Handschrift P

Für die Handschrift P standen zwei Vorlagen zur Verfügung, deren erste die Erstfassung des Epithalamium in einer mit B verwandten Gestalt war. Die zweite entstammte der ω^2-Tradition und war, wie im vorigen Abschnitt gezeigt, mit der Vorlage des Beatus verschwistert. Diese wurde für den Text von P unterschiedlich stark benutzt. Zwar übernimmt P aus dieser Vorlage den (unechten) Prolog, danach aber bis 1,15 kaum eine Spur, die man der zweiten Rezension zuordnen kann.

Im folgenden werden zwar fast alle Erweiterungen der Zweitfassung übernommen, nicht aber die Mehrzahl der geringfügigeren

Zusätze und Veränderungen. Daß P auf diese Weise einen Mischtext bietet, zeigt besonders eine Stelle, an der mitten im Satz von der einen Fassung in die andere übergewechselt wird:

1,29

ω^1	P	R
Nam idola gentium Astarten et Camos sed et lucos idolis fabricavit. Amavit quippe mulieres Moabitidas et Amaniti- das, quas secutus a priscae legis conver- satione declinavit	Quod ipse Salomon ido- la gentium instar tenet camos et lucos idolorum sidoniorum et cetera simulacra coluerat vel quod amator fuit mulierum moabitidas et amonnitidas quas secutus a prisce legis conver- satione declinavit	Quod ipse salomon ido- la gentium astar tenet camos sed et lucos ydolorum sidoniorum et cetera simulacra coluerit vel quod amator fuerit mulierum id est ab earum carne revelli non poterat, quoniam necdum fuisset adsumpta et quia generalem summam humani corporis dominus in semet ipso suscepit etc.

Auch den Schlußsatz des ersten Buches kombiniert P aus erster und zweiter Rezension:

1,31 (Text der Handschrift P mit allen Fehlern)

... accepimus.	ω^1 und ω^2
Sed iam sufficit modo istis capitulis disseruisse	aus ω^2
Relicum quid sequitur favente dei nomine et clementia	
caritate vestre disserere non se dardare	
Deo itaque patri omnipotenti gratias	
per Iesum Christum	ω^1 und ω^2
dominum nostrum	ω^2
qui est benedictus in saecula saeculorum	ω^1

P übernimmt aus ω^2 nicht die kleineren Zusätze in 1,26; 1,27; 2,14, ebensowenig die Schriftzitate in altertümlicher Form, die die ω^2-Tradition bewahrt hat[9].
Bei Passagen, die offenbar in dieser Überlieferung korrupt waren, wie zum Beispiel der Übergang vom Paragraphen 2,3 zum nächsten[10], hält sich P an die Erstfassung.

[9] Zu den auffälligen Bibelzitaten *cf.* S. 94 - 99.
[10] In der Handschrift R ist versucht worden, diese Korruptel zu heilen, allerdings wird dadurch der Inhalt widersinnig (*cf.* S. 148sq).

Trotz dieser selektiven Arbeitsweise läßt sich das Verhältnis der Vorlage von P und der von R charakterisieren. Zweifellos stammen beide von einem gemeinsamen Vorfahren ab, der bereits folgende Fehler enthielt:

2,11 *factionem* ω^2] *actionem* R P

2,15 *vesti‹bus› ... in quibus*] *vestigio ... in quibus* P
vestigio ... ut R

2,19 *haec in figura contingerunt illis* om R P
(R läßt auch den folgenden Teil des Zitates aus)

2,43 *‹verbum› dei caro fieret*] *verbum* om R P
filius add in mg P

Daß jedoch P und R nicht unmittelbar dieses Exemplar vor sich hatten, sondern je ein Zwischenglied, beweisen einmal die oben aufgeführten Übereinstimmungen von P und BEA gegen R*, zum anderen weitere Unterschiede zwischen P und R in den eindeutig zu ω^2 gehörenden Abschnitten, in denen P also nicht die Primärvorlage zuhilfenehmen konnte.

(Vor der Klammer die vermutlich richtige Lesart, danach jeweils die fehlerhafte Abweichung von P oder R*)

2,8 *‹ac tali›*] *actuali* R *partuali* P

2,9 *rationem et definitionem totamque* P] *ratione et definitione notam* R

2,15 *falsos* R] *falso* P
corruptores R] *corruptos* P
‹certa› coni N] *ceteri* P *cetera* R

2,21 *pascere deberet* P] *pasceret* R

2,27 *tenemus* P] *teneamus* R

2,31 *posteriores apostolos* R] *a posteriores apostolis* P

2,36b *operum* P] om R

2,37 *credentes* P] *sedentes* R

2,42 *in hunc mundum* R] *in homine* P
Iesus R] om P

Es ergibt sich aus diesen Befunden folgendes Bild der Überlieferung, die uns von der zweiten Rezension erhalten geblieben ist: das Exemplar des Epithalamium, das Gregor mit seinen vorläufigen Notizen und Zusätzen versehen hatte (ω^2), wurde mindestens zweimal abgeschrieben (ϰ und ξ). Dabei wurden möglicherweise in ϰ nicht alle Veränderungen aufgenommen. Den Text von ϰ benutzte Beatus; dieselbe Abschrift oder eine Schwesterhandschrift stand als Sekundärvorlage für die Handschrift P zur Verfügung. Für die Handschrift R wurde die Vorlage ξ benutzt, wobei die Textgestalt an vielen Stellen willkürlich verändert wurde. Daher ist zur Herstellung des ω^2-Textes in den meisten Fällen BEA und P mehr zu vertrauen als R; eine Ausnahme bilden die altertümlichen Formen der Bibelzitate[11].

DIE BÜCHER DREI, VIER UND FÜNF

Die Beziehungen der Zeugen B, P, A und R untereinander entsprechen denen der Überlieferung für die ersten beiden Bücher der Fassung ω^1, mit der Einschränkung, daß für die folgenden Bücher R ausschließlich der Vorlage α folgt, da ja die Primärvorlage ξ des ω^2-Textes nur die ersten beiden Bücher enthielt[1].

B und P weisen auch in den Büchern drei bis fünf jeweils eine Reihe typischer Sonderfehler auf, sind jedoch durch eindeutige Bindefehler weiterhin einer Vorlage zuzuordnen. Die wichtigsten sind:

3,1 *ligno permixtum* om B P
praestat. Nardum enim chrismatis gratiam om B P
dicit] *dedit* B P
3,5 *grana*] *regna* B P
3,10 *DCCC* om B P
3,13 *Qua re non habebat speciem suam neque decorem* om B P
3,18 *in depressa*] *inde praesa* B *inde pressa* P

[11] *Cf.* dazu S. 94-99.
[1] *Cf.* dazu S. 102sq.

3,23 *umbra hoc in locis Christi passio est ... sed quod ait fructus eius dulcis in faucibus meis* om B P
4,11 *exsurge*] *exsurgens* B P
4,15 *futurum dei regnum*] *futuri deX urginum* B *futuri de uirginum* P
4,27 *qua virtute superatur*] *quia virtutes operatur* B P
4,27 *convertendo*] *conquirendo* B P
5,13 † *in antiqua* † B P † *itaque* † A R

B bietet auch hier als Sonderfehler Verlesungen, die auf schlechte Lesbarkeit der Vorlage schließen lassen, zum Beispiel:

3,14 *asseres*] *asserens* B
3,23 *umbra*] *membra* B
fructus] *vultus* B
4,13 *rigantur*] *regnatur* B
4,28 *agilitatem*] *habilitate* B
4,30 *elevati omnem*] *elevationem* B

P kennt solche Irrtümer auch, wie zum Beispiel:

3,11 *in claritate*] *inclitate* P
4,9 *regnum*] *requiem* P
5,14 *arra gratiae*] *narratio* P

Daneben gibt es aber auch bewußte Änderungen, wie 5,11 *intolerabilem passionem* statt *venerabilem passionem*; besonders häufig sind Korrekturen und Aktualisierungen der Bibelzitate:

3,4 *quae in Gaddin*] *en Gaddi* P (ebenso 3,7)
3,4 *vidit lucem magnam* add supra lineam P
3,18 *pronuntiavit*] *pronuntiat* P
3,23 *umbra eius* + *concupivi et sedi* P
4,1 *adiuravi*] *adiurabo* P
excitetis + *suscitetis* P
4,14 *invocavi*] *invocabo* P
4,24 *caput suum declinare*] *reclinare caput suum* P

5,1 *in cubiculo + in noctibus* P
obaudivit] *audivit* P
5,12 *quae concepit me + Quę me concepit*

So bleibt auch in den Büchern drei bis fünf B die verläßlichere Handschrift gegenüber P.

Das Handschriftenpaar A und R bietet in diesem Teil des Textes – entsprechend dem nunmehr reinen ω^1-Text in R – bedeutend mehr Übereinstimmungen, die aus dem textkritischen Apparat leicht zu ersehen sind. Hier nur einige besonders deutliche Beispiele:

3,6 *apostolus*] *evangelista apostolus* A *evangelista* R
3,9 *de specie autem*] *dei speciem autem* A R
3,12 *homo in plaga et sciens ferre imbecillitatem*] *hom̄ in plaga et sciens ferre invecillitatem homo* A
in plaga hominis nesciens ferre imbecillitatem homo R
3,13 *deitatem*] *dignitatem* A R
3,25 *si habeam potestatem*] *si habeam inquit omnem fidem* A R
4,2 *ad oves perditas*] *ad oves quae perierunt* A R
4,9 *dicit + simile est regnum caelorum et reliqua idem dicit* A R
4,15 *adveniet vernum tempus verni grata temperies*] *advenientem laetum tempus verni grata temperies* A *adveniente post letum tempus verni grata temperie* R
sepultionis terra] *sepulcris terrae* A R
4,16 *ostendere*] *significari quod ostendimus* A R
4,18 *Iohannes*] *liber Iohannes* A *liber Iohannis* R
4,19 *et dederunt inquit odorem suum*] *mandragorae inquit dederunt odorem* A *mandragorae inquit dederunt odorem suum* R
4,24 *mortale absorptum est*] *absortum est mortale absortum est* A *absortum est mortale* R
5,7 *bonae + utilitatem* A R
5,10 *circumeunt*] *custodiunt* A R
5,12/5,13 *ipsa est mater ecclesiae illa ergo caelestis Iherusalem* om A R
5,13 *Christus in secretum eius*] *qui habet in se Christum deus in secretum cordis eius* A R

Unter den Veränderungen sind auch hier zahlreiche Bibelzitate (3,12; 3,25; 4,2; 4,19; 4,24), die teilweise in χ einer moderneren Form angepaßt wurden, teils aber auch nur entstellt wurden. Nicht wenige der Veränderungen sind unsinnig, wie zum Beispiel die Ergänzung des Bibelzitates an eben dieser Stelle (4,9) oder der Zusatz *liber* zu Iohannes (4,18). Die Doppellesart *evangelista apostolus* (3,6, übernommen von A) spiegelt noch den Charakter der Vorlage, ebenso die Wiederholung des *mortale* in 4,24.

Daß A und die Vorlage für R, α, den Text in χ mit seinen Veränderungen jeweils manchmal anders deuteten oder übernahmen, beweisen folgende Stellen:

3,5 *gentium* R (mit B P)] *gentilium* A
3,8 *corpus* R (mit B P)] *caro* A
3,10 ΓΕRYCΘHRA R (als einzige in griechischen Buchstaben)] *pistera* A
3,20 *generant* R (mit B P)] *germinant* A
3,27 *me in malis*] *me imō malis* R *me immo* A
in malis alt] *immo dum* R *in medio* A
4,24 *homines* R (mit B P)] *omnes* A
hominum R (mit B P)] *omnium* A
pectoribus R (mit B P)] *pectorum* A
5,5 *saecularis* R (mit B P)] *singularis* A
5,15 *modo + cognoscimus* R] *modo + concepit* A

Besonders die Stellen, an denen die jüngere Handschrift R den richtigeren Text hat als A, untermauern, daß R nicht direkt von A abhängig ist[2]. Eine Bestätigung dafür liefert das Explicit: *Explanacio Beati Gregorii eliberritani episcopi in Canticis Canticorum* (R), das – wenn nicht ursprünglich – so doch sicher alt ist und offenbar nur in χ überliefert wurde und von da aus in α, aber nicht in A aufgenommen wurde.

[2] R stammt aus dem 10./11. Jahrhundert, A aus dem 9.; R muß also eine Vorlage gehabt haben, die die Fehler von A nicht enthielt.

Natürlich bietet auch die Handschrift R Sonderfehler, die zumeist Verbesserungsversuche darstellen, um grammatische Unebenheiten zu beseitigen. Diese Neigung war bereits in den ersten beiden Büchern zu beobachten[3], allerdings bot dort die Vorlage mit den Schwierigkeiten der ω^2-Zusätze mehr Anlaß zu Eingriffen in den Text. Auch die zahlreichen Omissionen (siehe oben) sind in den Büchern drei bis fünf in R nicht mehr zu beobachten; abgesehen davon, daß mit Buch drei andere Schreiber am Werk waren, ermöglichte auch in dieser Hinsicht die bessere Vorlage α eine sorgfältigere Arbeit.

Hier eine Auswahl der typischen Sonderlesarten von R:

3,3 *emulguntur*] *emulgentur* R[4]
3,6 *israelitarum et ruth moabitidem id est* R (Heilungsversuch der Korruptel)
3,10 *summa*] *summam* R
3,13 *qua*] *quasi* R
in caelis] *in caelos* R
3,14 *cubilem*] *cubile* R
3,16 *ciprissum*] *cypressus* R
maius] *magis* R
cedrum] *cedrus* R
3,20 *saecularis potentiae*] *per seculares potentias* R
3,26 *sucus fidei*] *sumptae fidei* R
4,3 *hoc amore*] *ob amorem* R
4,4 *colles* + *id est* R
4,6 *auscultatur*] *auscultat* R
4,8 *retiae* (Dat.) *quae*] *reti quod* R
4,22 Ergänzung des Lemmatextes nach der Vulgata: *columba mea in foraminibus petrae in caverna maceriae* R

[3] *Cf.* die Beispiele S. 126sq.
[4] Gregor benutzt sowohl in 1,22 als auch in 3,3 *emulgo* (*cf.* H. Rönsch, *Itala und Vulgata*, Marburg 1875, 283 sq mit anderen Beispielen für dritte Konjugation statt der zweiten und ThLL 5/2,539,33.48-52). R korrigiert nach dem gängigen Gebrauch.

5,1 *cubiculo + meo per noctes* R
dilexit] *diligit* R
5,7 *vicos + id est* R
legem + id est R

Der Text der Bücher drei bis fünf ist nach dem geschilderten Befund ebenso wie der ω[1]-Text der Bücher eins und zwei über die beiden Hyparchetypen γ und χ überliefert worden, von denen der letztere viele willkürliche Eingriffe erfahren hat. Daher ist auch für diesen Teil des Epithalamium das Handschriftenpaar B P als besserer Zeuge zu bevorzugen.

In den beiden Stemmata werden die Beziehungen der uns zur Verfügung stehenden Handschriften noch einmal verdeutlicht:

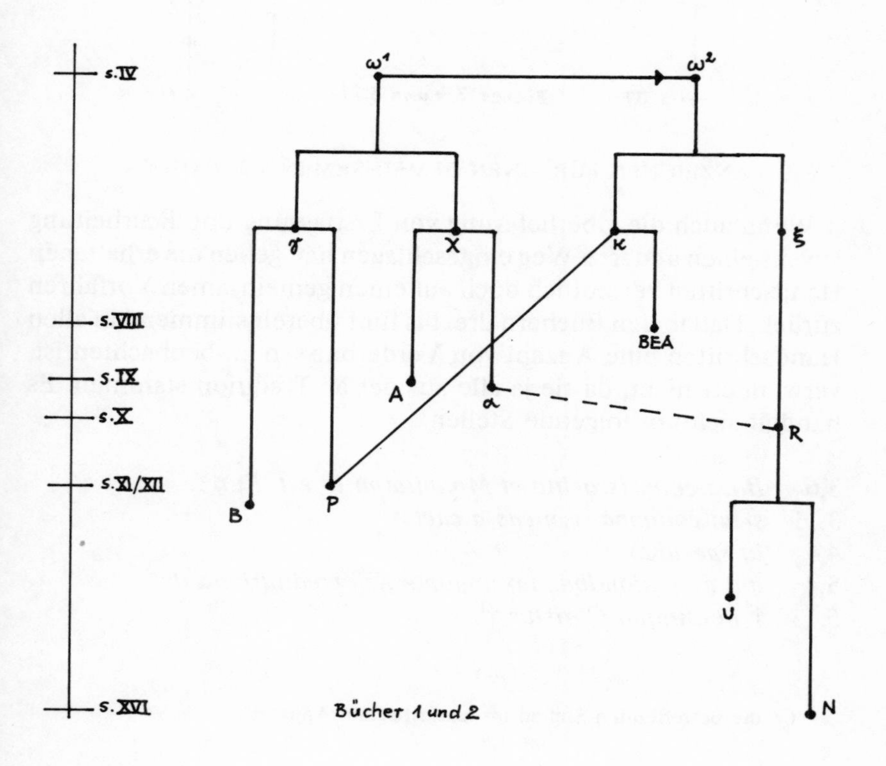

Bücher 1 und 2

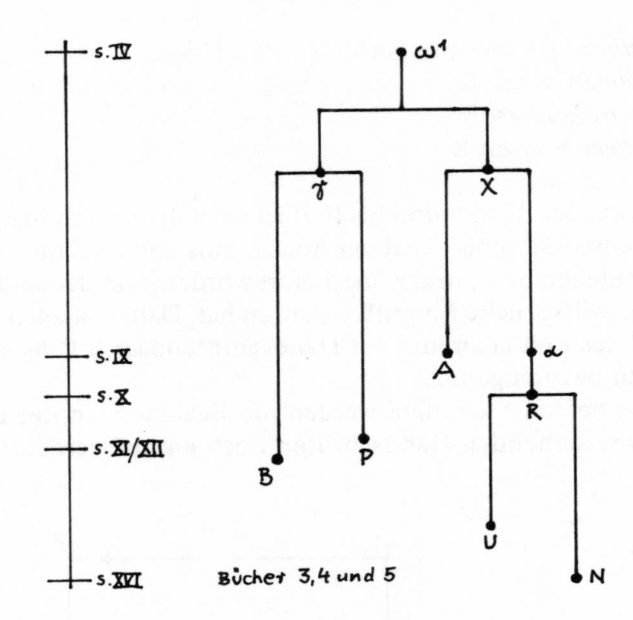

ANZEICHEN FÜR EINEN GEMEINSAMEN VORFAHREN

Wenn auch die Überlieferung von Erstfassung und Bearbeitung jeweils einen anderen Weg eingeschlagen hat, gehen die erhaltenen Handschriften vermutlich doch auf einen gemeinsamen Vorfahren zurück. Daß in den Büchern drei bis fünf übereinstimmend in allen Handschriften eine Anzahl von Verderbnissen zu beobachten ist, verwundert nicht, da sie ja alle aus der ω¹-Tradition stammen. Es handelt sich um folgende Stellen:

3,6 *Booz enim Israelita et Moabita⟨m⟩ id est ⟨Rut⟩ ...*
3,11 *sicut columba ⟨veniens a caelo⟩*
4,4 *in specul⟨a⟩*
5,4 *qui ex nation⟨ibus in⟩ nomin⟨e Xrī⟩ credituri erant*
5,13 † *in antiqua Christus* †[1]

[1] *Cf.* die betreffenden Stellen im textkritischen Apparat.

An diesen Stellen wird deutlich, daß die verschiedenen Lesarten der Handschriften auf Verderbnisse in einer frühen Vorlage zurückgehen, die jeweils anders geheilt werden sollten.

Jedoch auch im zweiten Buch gibt es drei Stellen, die auf eine gemeinsame Fehlerquelle hindeuten.

1. 2,30 *in ‹oculis› ecclesiastici corporis deputari probat*
Hier fehlt in allen Handschriften ein von Inhalt und Syntax des Satzes gefordertes Substantiv im Ablativ. Es ist schwer vorzustellen, daß diese Omission unabhängig voneinander in den Vorlagen für BP, A und R entstanden sein soll.

2. 2,13 *ne ... efficiar so‹rd›ida veritate cooperta*
An dieser Stelle ist das von BP überlieferte *solida* gewiß ebenso falsch wie das *asolida* in A und die – vermutlich korrigierte – Form *a sola* in R*. Allen diesen Lesarten scheint dieselbe paläographische Fehlerquelle zugrunde zu liegen:
(efficiarſordida , das anlautende (lange) s fiel wegen der Ähnlichkeit mit dem (ebenfalls langen) r fort. Das erste d in sordida wurde zu ol verlesen, das or konnte dazu leicht als as verlesen werden; a/o Verlesungen sind auch sonst häufig)

3. 2,39 *virgines et confessores ... qui ecclesiastici corporis cervicem ... virtutum suarum ‹orna›mentis pulcro decore adornant*
Das Wort *ornamentis* muß schon sehr früh verstümmelt worden sein; in der ältesten Handschrift A ist noch *mentis* erhalten, das von anderen durch i/e-Verschreibung in *mentes* abgewandelt wurde. Doch weder der Gen.Sg. noch der Nom. oder Acc.Pl. von *mens* ergibt hier einen Sinn. Folgerichtig ist in R* das Wort auch ausgelassen worden. Die Parallelstelle 2,36 ermöglicht die Heilung der Korruptel.

Für die Geschichte der Überlieferung bedeuten diese in beiden Rezensionen vorhandenen Verderbnisse, daß diese bereits vor der Trennung der beiden Traditionsströme in den Text geraten sein müssen. Dann müßten wir annehmen, daß Gregor selbst die Zusätze und Veränderungen seiner zweiten Rezension in ein ω^1-Exemplar eingetragen hätte, das diese Korruptelen schon enthielt, und daß dieses Exemplar zur Vorlage der uns erhaltenen ω^2-Tradition wurde. Daß Gregor eine bereits etwas fehlerhafte Abschrift seines Werkes für seine Eintragungen benutzte, ohne die Mängel zu bemerken, ist durchaus vorstellbar. Denkbar ist aber auch, daß erst ein Späterer aus für uns verlorenen Texten der zweiten Rezension die Zusätze und Veränderungen in ein ω^1-Exemplar übertrug. Damit würde sich allerdings auch die Wahrscheinlichkeit vergrößern, daß die uns vorliegende Gestalt der zweiten Rezension von den Absichten Gregors in vielen Einzelheiten abweicht.

DIE HERSTELLUNG DES TEXTES UND SEINE DARBIETUNG

Der Text des Epithalamium Gregors ist – für die beiden ersten Bücher – in zweifacher Gestalt überliefert. Hierbei haben wir es mit einer bewußten Umarbeitung des Autors zu tun, der nicht so sehr einem ihm unzureichend erscheinenden Werk die endgültige Form geben wollte, sondern eine zweite Fassung mit einer anderen Zielrichtung anstrebte. Während die ursprüngliche Fassung ganz und gar auf die Kommentierung des Bibeltextes ausgerichtet war, sollte die Umarbeitung der Abwehr häretischer Ideen dienen.

Dadurch ergibt sich, daß Gregor selbst seine Erstfassung gewiß nicht als überholt ansah. Deswegen sind wir verpflichtet, uns um die Herstellung beider Textformen gleichermaßen zu bemühen.

In der vorliegenden Edition sind beide Fassungen deshalb nebeneinander abgedruckt; sie stimmen streckenweise genau überein, da es sich ja nicht um eine vollständige Neuformulierung, sondern nur um Ergänzungen und Umformulierungen einzelner Passagen handelt. Trotzdem war es notwendig, beide Texte vollständig wiederzugeben, um die Lesbarkeit und den Vergleich zwischen beiden möglich zu machen.

Bei der Herstellung des Textes der Erstfassung ω^1 sind die Lesarten bevorzugt worden, die sich aus der Übereinstimmung von B und P ergeben; wenn diese Übereinstimmung auch noch von A begleitet wird, haben wir mit ziemlicher Sicherheit den originalen Text vor uns. Die Übereinstimmungen von A mit R gegen B P sind dagegen immer mit Vorsicht zu betrachten, da der Überlieferungzweig, aus dem diese Handschriften stammen, in χ einer Bearbeitung unterworfen war. R allein gegen B P A ist kaum jemals richtig, in den meisten Fällen handelt es sich um Spuren des Bearbeiters der Handschrift R.

Der Text der zweiten Rezension (ω^2) ist nicht mit der gleichen Sicherheit herzustellen wie ω^1, einmal wegen der zu vermutenden Entstehungsgeschichte dieser Fassung, zum anderen wegen des schlechten Zustandes des Hauptzeugen R. Der Abschnitt, der auch durch das Exzerpt des Beatus von Liébana bezeugt ist, kann jedoch mit einiger Gewißheit als der originale wiederhergestellt werden.

Ich habe den Versuch gemacht, die zweite Rezension so zu rekonstruieren, wie Gregor sie vermutlich beabsichtigt hatte, nicht so, wie die offenbar von Anfang an durch Mißverständnisse entstellte Überlieferung sie bietet. So sind die sicher nicht beabsichtigten Doubletten zwar nicht aus dem Text herausgenommen worden, jedoch durch eckige Klammern gekennzeichnet. Eine irrtümlich falsche Reihenfolge von Textabschnitten ist nach Vorbild der Erstfassung korrigiert worden; der textkritische Apparat gibt darüber Auskunft.

Natürlich bleiben bei einer solchen Überlieferungssituation Unsicherheiten, da sich nicht immer entscheiden läßt, an welchen Stellen es sich um echte Autorenvarianten handelt, an welchen dagegen um »Korrekturen« der Bearbeiter innerhalb der handschriftlichen Überlieferung. Oft verhalf die Unlogik, mit der diese »Korrekturen« vorgenommen wurde, zu einer Entscheidung, vielfach auch der Vergleich mit Gregors Sprachgebrauch in seinen anderen Werken.

Um eine gewisse Normierung der Orthographie kommt man – will man nicht diejenige einer einzelnen Handschrift übernehmen – nicht herum. Ich habe versucht, so vieles wie möglich zu erhalten, was Gregor nach unserem Kenntnisstand zuzuschreiben ist, besonders in der Schreibung der Eigennamen. Die Eigenheiten spanischer Orthographie sind unberücksichtigt geblieben, da hierbei eine

Trennung zwischen Autor und den Schreibern der Handschriften nahezu unmöglich ist.

Die geringe Zahl der Handschriften empfiehlt es, die Lesarten in einem negativen kritischen Apparat anzugeben, der damit allzu großen Umfang vermeidet und trotzdem immer eindeutig und gut verständlich bleibt. Im Apparat zur Erstfassung sind bei der Handschrift P diejenigen Lesarten mit (ω^2) besonders vermerkt, die aus der zweiten Rezension übernommen sind, ebenso im Apparat zu ω^2, wenn P bei seiner Primärvorlage bleibt (ω^1). Auch wird bei Lesarten der Korrekturen in den ersten beiden Büchern in der Handschrift R (R^2) auf gleichlautende Lesarten in A, beziehungsweise in ω^1, aufmerksam gemacht.

Um den textkritischen Apparat nicht zu überlasten, sind Entscheidungen, die eine ausführliche Erklärung fordern, gesondert behandelt (S. 145 - 158); im textkritischen Apparat wird jeweils darauf verwiesen.

Fragliche Lesarten, das heißt im heutigen Zustand nicht eindeutig lesbare, sind mit einem Fragezeichen versehen. Vollkommen unleserliche Buchstaben sind mit XXXX (je nach Zahl der vermuteten Buchstaben) markiert.

Die Paragrapheneinteilung folgt derjenigen J. Fraiponts (CC 69). Obwohl diese Einteilung nicht überall glücklich gewählt ist, empfiehlt sich im Interesse des Benutzers die Beibehaltung. Nur ausnahmsweise (so 2,39.40) ist eine allzu unlogische Abtrennung geringfügig verschoben worden.

In den Similienapparat sind auch Querverweise auf Parallelen in den Werken Gregors aufgenommen, um auf die starke Verknüpfung des *Epithalamium* besonders mit den *Tractatus Origenis* aufmerksam zu machen. Im übrigen wird nicht zwischen Vorlage und Übernahme unterschieden; in den meisten Fällen ergibt sich das Abhängigkeitsverhältnis aus der Chronologie. Bei Zeitgenossen Gregors – soweit sich das bei der unsicheren Datierung von Gregors Lebenszeit und der Abfassung des *Epithalamium* feststellen läßt – ist oft nicht zu entscheiden, wer der Gebende, wer der Nehmende war, oder ob es sich um eine gemeinsame (verlorene) Quelle handelt.

Die Abkürzungen für die Autoren und ihre Werke entsprechen den in der Vetus Latina Edition benutzten. Mit *Comm anon* ist der anonyme (irische ?) Kommentar bezeichnet, der in den Handschriften Wolfenbüttel, Novi 535,18 und Orléans 56 (33) überliefert, aber noch nicht ediert ist (*cf.* Appendix 2, S. 268 - 273). Zitiert wird nach Folienzahl der Wolfenbütteler Handschrift.

Eine Konkordanz (S. 287 - 310) gibt Aufschluß über den Wortschatz und bietet leichteren Zugang zu den Eigenheiten in Gregors Sprachgebrauch. Aufgenommen sind alle Substantive, Adjektive, Adverbien und Verben; die Eigennamen sind gesondert aufgeführt. Für jedes Lemma sind zuerst die Vorkommen in der Erstfassung notiert, danach die zusätzlichen in der zweiten Rezension. Wenn hier eine Vokabel durch eine andere ersetzt wurde, ist in Klammern der Wortlaut der Erstfassung beigegeben.

BESONDERE PROBLEME DES TEXTES

Hieronymus bezeichnete die Sprachebene, auf der sich Gregor mit seinen Traktaten bewegt, als *sermo mediocris*[1]. V. Bulhart hat für seine Edition der sogenannten *Tractatus Origenis* eine Fülle von Beispielen dieses *sermo mediocris* gesammelt[2]; ein großer Teil dieser Besonderheiten findet sich auch im Epithalamium wieder.

Für die vorliegende Textherstellung diente die Arbeit Bulharts häufig als Entscheidungshilfe, scheinbar falsche Lesarten als ursprüngliche zu bewahren und die »richtigeren« der Handschriften R und A als Korrekturen auszuscheiden.

Ich habe mich bemüht, die Unebenheiten der Sprache Gregors zu erhalten, wo immer sie durch die handschriftliche Überlieferung einigermaßen gesichert sind. So hat besonders die Handschrift B an

[1] HI ill 105; *cf.* dazu die Charakterisierung Rhet Her 4,8,11: *quae constat ex humiliore neque tamen ex infima ... verborum dignitate*

[2] CC 69 (1967) IX – LII. Natürlich läßt sich nicht für alle hier genannten Abweichungen nachweisen, ob sie auf Gregor selbst zurückgehen oder auf die Eigenwilligkeit der Schreiber der beiden einzigen Handschriften. Das betrifft besonders die Orthographie.

vielen Stellen, teilweise auch A, ursprüngliche Lesarten bewahrt, während R zu deren »Verbesserung« neigt.

Letzte Zweifel an sprachlichen und orthographischen Erscheinungen konnten jedoch nicht überall ausgeräumt werden, weil der Zustand der Handschriften und ihre individuellen, teils stark spanisch gefärbten, orthographischen Besonderheiten samt den daraus folgenden Korrekturen die ursprünglichen Lesarten nicht mehr erkennen lassen. Daher war eine gewisse Normalisierung der Grammatik wie der Orthographie unumgänglich. So sind die häufigen e/i-, o/u- und b/v-Vertauschungen nicht berücksichtigt worden, die Orthographie ein- und desselben Wortes ist meist vereinheitlicht, nicht aber die verschiedenen Schreibungen von Eigennamen. Der öfter auftretende Wechsel unterschiedlicher Formen desselben Wortes, besonders zwischen Lemmatext und Kommentarteil (zum Beispiel *rete/retia*, 4,6.8.9) ist natürlich nicht harmonisiert worden. Nicht angetastet wurden auch grammatische Besonderheiten wie der Gebrauch von *auscultari* (Deponens) neben *auscultare* (4,6.8.9), *perscrutabo* (5,8), *scandalizor* (Deponens, 2,13) und *emulgere* (nach der dritten Konjugation 1,22; 3,3), obwohl besonders die Handschriften A und R hier oft die »normale« Form anbieten. Daß wir hier mit Korrekturen rechnen müssen, zeigt zum Beispiel auch der Ersatz des ungewöhnlichen *de sepultionis terra* durch *de sepulcris terrae* (4,15), wodurch der Wortlaut des (unerkannten) Zitates gestört wird (*cf.* Forcellini s. v. *sepultio*).
Die Abweichungen vom gewöhnlichen Kasusgebrauch sind, soweit deutlich erkennbar, nicht normalisiert worden[4], sie sind aber vermutlich teilweise bereits in der handschriftlichen Tradition »Verbesserungen« zum Opfer gefallen[5].

[3] Eine ähnliche Sachlage findet sich in der Überlieferung der Tractatus Origenis; auch hier sind viele ungewöhnliche Lesarten, die die Handschrift F bietet, in der Handschrift B der grammatischen und orthographischen Norm angeglichen, *cf.* V. Bulhart, CC 69 (1967) VII-IX.

[4] So besonders der Wechsel von Accusativ und Ablativ und der Accusativus fixus bei Eigennamen, *cf.* auch V. Bulhart, *op. cit.* Nr. 35 und 108; 109.

[5] Auch die Vermischung der Praefixe per-, prae- und pro-, die sich in geringen Spuren noch in der Überlieferung findet, ist möglicherweise ursprünglich häufiger gewesen, *cf.* dazu auch B. Löfstedt, *Beati Liebanensis ... adversus Elipandum libri duo*, CCcm 59 (1984) XIX *sq.*

Etliche textkritische Entscheidungen, die gegen den »normalen« Sprachgebrauch und manchmal auch gegen den Augenschein der Überlieferung gefällt wurden, bedürfen einer längeren Erklärung, als es der Übersichtlichkeit des textkritischen Apparats zuträglich wäre. Ebenso zwingt der komplizierte und überaus schlechte Überlieferungszustand der Rezension ω^2 dazu, besonders einige Streichungen und Umstellungen zu erläutern. Alle diese Stellen werden deshalb hier in der Reihenfolge ihres Auftretens im Text gesondert behandelt; im textkritischen Apparat wird jeweils auf die betreffende Seitenzahl in diesem Abschnitt verwiesen.

Zweite Rezension ω^2

1,3 Nur die Handschrift R überliefert diesen Abschnitt, wobei das *meram* der Ergänzung durch ein feminines Substantiv bedarf. Die Änderung in *merum*, die paläographisch naheliegt, scheitert an den nachfolgenden femininen Adjektiven. Die Konjektur *metam* (Vega) ergibt zusammen mit den Verben *persequi, comprehendere, retinere* keinen befriedigenden Sinn, selbst wenn man an 1 Cor 9,24 denkt. Dagegen belegen Parallelstellen in fi 1 (64,9) und tr 5,17 die Junktur *mera fides* bei Gregor. (M. Simonetti rezensiert allerdings fi 1 gegen die Überlieferung der Erstfassung mit den Handschriften der rezensierten Form *veram*, doch ergibt *ac si veneni gutta meram illam ac simplicem fidem ... inficiunt* den eindeutig besseren Sinn).

1,8 Wie in tr 12,15 steht *pronubus* für *pronubus anulus*, der unerwartete Dativ (in der Parallelstelle tr 12,15 *cui et anulum fidei qua nuptiarum spiritalium pronubum consignavit* glatter konstruiert) ist in allen Handschriften und sogar bei Beatus bezeugt und muß daher gehalten werden.

1,12 Auch der zusammenfassende Zusatz *Et proinde hoc in loco meliora ubera domini, id est doctrinam evangelicam, dicit super vinum veteris prophetiae* wird nur von R tradiert. Trotzdem handelt es sich vermutlich nicht um einen Zusatz des Bearbeiters, sondern gehört zur Zweitfassung Gregors. Es ist möglich daß er in der Vorlage für P und BEA, ϰ, nicht enthalten war, weil die Notiz übersehen wurde.

1,14 Der Zusatz *et qua re alibi diffusum dicit scriptura divina* ist offensichtlich ein Erklärungsversuch des Bearbeiters von R, der damit die Doppelübersetzung *exinanitum/effusum* vorwegnahm.

1,15 Die Passage *exinanitum est nomen eorum regum – diffusum est* steht an dieser Stelle auch in der Erstfassung. Der nachfolgende Satz der Zweitfassung *exinanivit et evacuavit – exinanitum nomen tuum* besagt inhaltlich genau dasselbe, so daß man annehmen muß, diese Neuformulierung sollte lediglich die erwähnte Passage ersetzen. Eine Bestätigung liefert Beatus, der die Doublette offensichtlich erkannte und seinerseits die an zweiter Stelle stehende Neuformulierung der Zweitfassung wegließ.

1,16 Zum Perfekt mit Beibehaltung des Präsens-N *cf.* Rönsch, 287; die zweite Hand in R hat auch hier versucht zu normalisieren.

1,17 Der Lemmatext *et adtraxerunt se* war in dieser altlateinischen Gestalt dem Bearbeiter von R nicht mehr vertraut, darum glich er ihn an die Vulgata an.

1,29 An dieser Stelle hatte die Vorlage von R korrekterweise die ω^1-Fassung durch die Neuformulierung ersetzt. Der Korrektor von R erkannte in seiner Vorlage nicht, daß es sich um denselben Inhalt handelt und fügte die ω^1-Version auf dem unteren Rand hinzu. Der Wortlaut entspricht fast dem der Handschrift A, enthält aber auch einen Hinweis auf eine von A verschiedene Vorlage, *cf.* dazu die Gegenüberstellung S. 122.

1,29 Hier wird deutlich, daß P zwei Vorlagen benutzt, die mitten im Satz gewechselt werden, das heißt nach *mulierum* (ω^2) geht P zur Erstfassung über, *cf.* die Gegenüberstellung S. 132.

2,3 Durch die Umformulierung des folgenden Paragraphen in der zweiten Rezension war in der Vorlage für R der Übergangssatz *sed hanc vineam populi Israelis noluit custodire Ecclesia* wohl unklar geworden, vielleicht auch schon im Ursprungsexemplar (*cf.* S. 12) unleserlich. Der Bearbeiter von R versuchte die Stelle zu heilen, wobei er allerdings ganz gegen den Kontext *populus Israel* zum Subjekt machte.

2,5 Die Wörter *quia velut ignorans* aus der Erstfassung werden durch die Neuformulierung *quasi ipsa nesciret* überflüssig, sind jedoch irrtümlich im Text geblieben.

2,5 Die Handschrift P übernimmt die Gestalt des Zitates aus der Primärvorlage. Die also nur durch R überlieferte Fassung *dixit ad Ioseph et ad Mariam matrem domini, ut tollerent etc* ist Gregor kaum zuzutrauen. Allerdings wollte er wohl in der zweiten Rezension dieses Zitat in indirekte Rede umwandeln. Dabei - oder durch eine Omission und nachträgliche falsche Ergänzung - mag die Reihenfolge durcheinandergeraten sein.

2,6 Hier verstand der Bearbeiter *praestat* = »bietet dar« statt »überwiegt«, also: *licet ... temperamentum* (Accusativ) *praestet (sic)*, und ergänzte als (scheinbar fehlendes) Subjekt *spiritalis gratia*, ein typisches Beispiel für die Arbeitsweise dieses Bearbeiters.

2,8 und 2,10 Die Passage *o altitudo - totamque veritatem ostende mihi* ist ein Zusatz der zweiten Rezension, der zweifellos Bezug nimmt auf die typologische Bedeutung von *meridianus/mediator dei et hominum*, wie die Wiederaufnahme von *temperamentum* aus Paragraph 7 zum Schluß des Einschubs deutlich zeigt (*pro temperamento dei et hominis/in evangelii tui temperamento*). Der Zusatz ist irrtümlich an die falsche Stelle geraten, das heißt hinter das nächste Lemma. Dieses taucht noch einmal, und zwar in verstümmelter Form, nach dem Zusatz auf. Da sowohl P wie R diese Fehler haben, müssen diese schon im ersten Exemplar dieser Fassung durch nicht eindeutige Notierung angelegt gewesen sein.

2,13 Diese Stelle gehört zu den Korruptelen, die sich in der gesamten Überlieferung finden. Das durch B und P tradierte *solida* scheint zwar unverdächtig, macht aber größte Schwierigkeiten beim

Verständnis des Satzes. Wie aus dem Kontext zu erschließen ist , muß *solida* - ganz gleich, ob es zu *efficiar* oder zu *veritate* gehörig gedacht wird - einen negativen Sinn haben. Weder ist verständlich, daß die Kirche sich fürchtet, *solida* (Synonym zu *circumamicta*) zu werden, dadurch, daß die Wahrheit verdeckt ist, noch, daß sie fürchtet »verdeckt« (*cooperta* taucht allerdings in einer anderen Canticum-Übersetzung anstelle des *circumamicta* auf) zu werden durch die Wahrheit, die *solida* ist. Eine negative Bedeutung von *solidus* wäre singulär; wie H. Beikircher, der liebenswürdigerweise für mich das Material des Thesaurus Linguae Latinae einsah, mir mitteilte, ist auch in der christlichen Literatur dafür kein Beleg zu erwarten. Die Lesart von R *a sola* ist noch weniger sinnvoll und zog daher die Korrektur *segregata* statt *cooperta* nach sich. Die Lesart *a sola* ist von A: *asolida* beeinflußt. Hier ist vermutlich das *a* aus der Vorlage erhalten geblieben. Sowohl paläographisch als auch inhaltlich bietet sich die Emendation *sordida* an. *Efficiar sordida* kann, wenn man sich sämtliche r uns s in langer Form und damit fast gleich aussehend vorstellt, leicht in *efficiar osolida* verlesen werden (Ausfall des s nach dem r und sol statt rd); die Umformung des o in a war dann nur ein kleiner Schritt und ist überdies oft zu beobachten.
Inhaltlich bietet GR-I tr 19,8-13 eine gute Stütze. Hier interpretiert Gregor die Stelle Zacharias 3,3: *indutus erat Ihesus vestimentis sordidis*. Dieses »schmutzige Kleid« ist das menschliche Sündenfleisch (*caro hominis obnoxia peccato/ corpus illud ... humani generis* tr 19,9.13), das Christus bei der Inkarnation anzog (*induerat*, tr 19,9 und öfter). Beschmutzt/verdunkelt (*sordidata*) ist es durch den Fall der Ureltern und durch die Sünde der Übertretung überhaupt (tr 19,10 und 13). Die Kirche, die eben dadurch *fusca/offuscata* war (GR-I Ct 1,24-30), bis sie von der Sonne der Wahrheit angeschaut und in der Taufe gereinigt wurde (Ct 1,25.26), fürchtet nun, wiederum von dem schmutzigen Gewand umgeben zu werden (*circumamicta, id est ... sordida*), wenn sie durch die Annahme häretischer Lehren wiederum von Gott abfällt. Es ist also zu übersetzen: damit ich nicht ... beschmutzt/verdunkelt werde dadurch, daß die (Sonne der) Wahrheit verdeckt ist (auf die häufige Junktur *veritas operta* machte mich R. Heine aufmerksam).

2,11 *Per separationem nominis tui* war vermutlich eine Notiz Gregors, die er noch besser formulieren wollte. Zu verstehen ist sie im Kontext der antihäretischen Absichten des Autors, die er auch in dem Zusatz 2,15 zum Ausdruck bringt: *ne quis per verisimilia exempla aut deum ab homine aut hominem a deo separaret*, das heißt, durch der Wahrheit nur scheinbar gleichkommende Formulierungen das Verhältnis der göttlichen und menschlichen Substanz in Christus falsch darzustellen. Eine ähnliche Zielstzung wird auch hinter der *separatio nominis* stecken, wenn sie auch in diesem knappen Ausdruck kaum erkannt werden kann.

2,14 Ähnlich verhält es sich mit dem Zusatz *per doctrinam ob commissionem illicitam. Doctrina illicita* verwendet Gregor auch sonst für 'häretische Lehre' (tr 5,21), *ob commissionem* kann man entweder als *peccatum* (*cf.* ThLL 3, 1900, 37-39) verstehen, was jedoch etwas blaß wäre. Ich neige eher zu der Bedeutung *coniunctio* (ThLL 3, 1900,40-48), nämlich auch hier wieder die Verbindung der beiden Substanzen in Christus. Möglich ist dann auch, daß *commissio* als orthographische Variante von *commixtio aufzufassen ist (cf. permixta dei et hominis substantia*, 2,6 und *commixtio = permixtio* ThLL 3, 1914,46 sqq).

2,17 Dieses Schriftzitat gehört zu denjenigen, die im Epithalamium in zweifacher Form überliefert sind (*cf.* S. 94sqq). Die Gestalt in ω^1 *quia fornicatam eam esse etc* ist auch sonst bezeugt, während für die in R tradierte *quas meretricatas* keine auch nur annähernde Parallele zu finden ist. Dagegen zitiert Gregor, wohl in Anlehnung an Dt 31,16; 1 Par 5,25 und Jr 16,11 *moechata est post deos alienos* (tr 5,19), beziehungsweise *moechati sunt ... post deos alienos* (tr 13,21). Eine Ähnlichkeit mit der vorliegenden Stelle liegt auf der Hand. Allerdings läßt sich für die genannten Schriftstellen *moechari* sonst nicht nachweisen, dies ist jedoch anderweitig biblisch belegt, so besonders Ex 20,14; Dt 5,18; Mt 5,27.28; Lc 16,18; Rm 2,22 und öfter (*cf.* auch ThLL 8,1323,2 sqq), *meretricor* dagegen wird äußerst selten benutzt (*cf.* ThLL 8,826,80 sqq). Es liegt also nahe, an unserer Stelle eine Verlesung von *meretricatas* aus *moechatas* zu sehen und dementsprechend zu emendieren, gestützt auch von IS Gn 30,11, der Gregor (oder eine gemeinsame Quelle) zitiert.

2,17 Gregor wollte offenbar das Zitat Rm 11,21 in seiner Zweitfassung ergänzen (*cf.* Rm 11,22b Vulg: *in te autem bonitatem dei si permanseris in bonitate*). Wie es scheint, war auch an dieser Stelle die Notierungsweise Gregors schwer verständlich, ein Abschreiber erfaßte das Verb nicht (*cf.* P: *nisi eadem bonitate* xxxxxxx, das notdürftig mit *qua subiungit* mit dem Folgenden verbunden wird); der zweite Abschreiber konnte es zumindest nicht deutlich lesen und riet *participaveris* (*cf.* R). Der Schreiber von R hatte überdies die folgenden Wörter *cum enim subiunxit exi tu in vestigiis gregum dicere videtur* ausgelassen und wollte sie später nach seiner ω^1-Vorlage einsetzen. Da in dieser die Zitatergänzung ja fehlte, geriet die vergessene Passage an die falsche Stelle, nämlich mitten in das Zitat Rm 11,21.22 (*cf.* die Editionen von A. Vega und J. Fraipont, die den unsinnigen Zusammenhang übernehmen). Welche Gestalt die Ergänzung aus Rm 11,22 tatsächlich haben sollte, läßt sich nur noch vermuten.

2,19 In der Textüberlieferung der zweiten Rezension ist das Schriftzitat 1 Cor 10,11 teils ganz, teils zur Hälfte ausgefallen. Der Bearbeiter von R versuchte, durch einen Anschluß *alii enim in deserto prostrati sunt* die Lücke zu überbrücken.

2,25 und 2,26 Hier sind durch die unklare Notierungsweise des Autors vermutlich zwei Fehler entstanden. Erstens ist auch hier die Formulierung der Erstfassung neben der neuen stehengeblieben: *Equas enim – tenebantur* (2,25b) sollte gewiß *Ac proinde cum equas – urgerentur* (2,26a) ersetzen. Außerdem wurde die Neuformulierung an falscher Stelle vor 2,25a (*Pharaonem – sanctos*) eingefügt. Wie die Fassung in ω^1 zeigt, erfordert der logische Zusammenhang die Reihenfolge der Erstfassung.

2,30 Auch diese Stelle gehört zu den Verderbnissen, die in der gesamten Überlieferung auftauchen. Offensichtlich ist *oculis* (vermutlich als Abkürzung) früh ausgefallen; *oculis* ist einerseits aus dem Anfang des Paragraphen (*oculorum luminibus*) als auch aus dem Zitat Ps 18,19 zu erschließen, ein Ausfall vor *ecclesiastici* (eventuell auch in Abkürzung) liegt nahe. Der Heilungsversuch *ecclesiasticis corporibus* in R ist sinnlos.

Erstfassung

2,1; 2,3 und 2,4 Die Handschrift B hat an diesen Stellen Lücken, die der Schreiber gewissenhaft freigelassen hat. Es ist zu vermuten, daß die Vorlage an diesen Stellen durch einen mechanischen Schaden (Wasser oder Feuer) beeinträchtigt war. Allerdings ist der freigelassene Raum erheblich größer, als ihn der fehlende Text beansprucht hätte. An eine Vorlage mit erweitertem Text zu denken, empfiehlt die sonstige Übereinstimmung von B mit den übrigen Handschriften jedoch nicht.

2,40 Die Wortform *declinatorium* wird im Thesaurus Linguae Latinae nicht verzeichnet. Die gute Überlieferung durch B P A zwingt jedoch zur Erhaltung, überdies ist auch für den folgenden Kommentartext in A *declinatorium* und in B eine hybride Bildung *declinatorio* bezeugt. Es handelt sich offenbar um eine der zahlreichen Bildungen auf *-orium* (*cf.* Rönsch, 31-37 und Nachträge 513, wie zum Beispiel das verwandte *adclinatorium* bei AM vg 3)

2,40 Die Handschrift B bietet statt *cubilia cubiles*, zwar müssen wir für Gregor den Accusativ *cubilem* annehmen (*cf.* ThLL 4,1269,63 sqq), aber der Accusativ Plural *cubiles* scheint doch ein Fehler der Handschrift zu sein.

2,43 Das Zitat Phil 2,8 verwendet Gregor auch in tr 19,4 ohne *factus*, so wie B* und R* es an der vorliegenden Stelle bieten. Eine Korrektur lag bei der häufigen Verwendung des Zitates nahe; die unterschiedliche Stellung des ergänzten *factus* in den Handschriften deutet auf sekundäre Entstehung.

2,43 In der Handschrift B fehlt der Schluß des zweiten Buches (*qua declinatione ingredi – habitat in vobis*). Auch hier hat der Schreiber den zur Ergänzung notwendigen Platz freigelassen (*cf.* zu 2,1; 2,3 und 2,4). Allerdings wurden dann *Explicit* des zweiten Buches und *Incipit* des dritten direkt hinter die letzten Wörter des zweiten Buches *autem crucis* gesetzt, so daß nun der Eindruck entsteht, es fehle der Beginn des dritten Buches. Dieses ist jedoch vollständig.

3,1 Die ausgefallene Form *prode est* (*cf.* Rönsch 468; Löfstedt, Syntactica 402 Anm. 2; Peregrinatio 184) bietet nur B, muß aber als *lectio difficilior* gehalten werden und ist ein typisches Beispiel für die Zuverlässigkeit von B.

3,4 *Ciprum enim Iudaea est* ist eine überraschende Aussage, *Chiprus/ciprus* in A R ist wohl ein Korrekturversuch. Offenbar hat Gregor hier irrtümlich den Namen der Spezerei mit der Landschaft gleichgesetzt, in der sie bevorzugt wuchs; (*cf.* ThLL Suppl.2,798,33sqq, zum Neutrum *ibidem* 798,53). So schreibt zum Beispiel Plinius, nat 12, 109 *optimum (scil cipros) e Canopica in ripis Nili nata, secundum Ascalone Iudaeae, tertium* ⟨*in*⟩ *Cypro insula.*

3,6 Diese offenbar korrupte Stelle hat R, wie so oft, versucht zu heilen. Die Übereinstimmung der Wortstellung in B P und A spricht aber gegen deren Lösung. Der vorliegende Emendationsversuch orientiert sich an der Parallelstelle in GR-I tr 9,6-9, dort finden sich die Namensformen *Israhelita* und *Moabita* (tr 9,6.7). Zu fragen ist, ob hinter *srl̄im/srh̄lim et* (B P) nicht ein abgekürztes *homo iustus (cf.* tr 9,6: *Booz autem Israhelita homo iustus*) verborgen ist.

3,8 *Botrus in palanga ... adlatus* ist nicht in *adlatum* (bezogen auf *corpus domini*) zu ändern. Die Überlieferung ist eindeutig, aber die Annahme, Gregor benutze hier *corpus* als Masculinum, wird von seinen sonstigen Werken nicht bestätigt. Vielmehr erzeugt die Verschränkung von Bild und Auslegung *botrus adlatus /corpus domini; palanga/crux; duo speculatores/duo populi* eine leichte Inkonzinnität des Satzes.

3,11 Das überlieferte *idem a domino per* ist gewiß korrupt. Gregor will auf die Taufszene anspielen (Mt 3,13; Mc 1,10; Lc 3,22; Jo 1,32). Bereits A. Wilmart vermutete hinter *idem: iens* (*Les 'Tractatus' sur le Cantique* ... 277), vorzuziehen ist aber das öfter belegte *venire* (*descendere* Vulg). *A domino* scheint mir deswegen korrupt, weil einmal die Evangelien davon nicht sprechen, sondern betonen, daß die Taube vom Himmel her erscheint, zweitens benutzt Gregor *dominus* bevorzugt für Christus, nicht für den Vater. Da sowohl *caelus* wie auch *dominus* abgekürzt erscheinen konnten, ist eine Verlesung möglich. Leider gibt es keine Parallelstelle zu der unsrigen im Werk Gregors, die zur Rekonstruktion dienen könnte.

3,14 Zum Accusativ *cubilem cf.* ThLL 4,1269,63 sqq. Die Unsicherheit über diese Form hat in diesem Paragraphen zu vielfachen Korrekturen geführt. *Cubilem* als erstarrten Normalkasus anzusehen und damit den Handschriften B und A zu folgen, die *cubilem* als Nominativ in den Lemmatext nehmen, scheint mir zu gewagt, trotz der guten Bezeugung.

3,16 Obwohl Gregor für den Lemmatext *cedrinus* (3,15) und *cipressus* (3,16) benutzt, wählt er für den Kontext *ciprissum* und *cedrum*, womit er, wie der Kontext zeigt, nicht die Bäume, sondern deren Produkt (hier das Holz) meint (*cf.* dazu *cerasus/cerasum; citrus/citrum; ebenus/ebenum; malus/malum*).

4,5 Die Worte *paulo ante ... disser[u]imus* sind häufig mißverstanden worden als Hinweis auf eine Erklärung von *cerva* und *hinnulus* weiter vorn im Text, die es jedoch nicht gibt. In der Handschrift A ist deshalb auch *ante* durch *post* ersetzt (mit Blick auf 4,27-29). Nun benutzt aber Gregor bei Rückverweisen stets *supra* oder *superius*, während an der vorliegenden Stelle gesagt werden soll, daß eine Erklärung von *cerva/hinnulus* nützlicherweise hier schon ein wenig vorweggenommen werden soll, weil hier das Hirschkalb für die Flucht in der Kindheit Jesu steht, in 4,29 dagegen für die Vielfalt innerhalb der Kirche. Das Mißverständnis von *ante* hat die 'Verbesserungen' *disseruimus, qui, inducitur* nach sich gezogen.

4,6.7 In diesem Abschnitt scheint Gregor seine Interpretation auf einer falsch gelesenen Bibelstelle aufzubauen. Aus Eph 2,14 entnimmt er, der Apostel habe *paries* und *corpus domini* gleichgesetzt[1], was natürlich der Intention von *et medium parietem maceriae solvens inimicitiam in carne sua* keineswegs entspricht. Gregor beschließt den Gedankengang mit *parietem nostrum, ut manifestaret corpus ipsius, quod paries dicebatur, nostrae conditionis et sortis materiam habere* (4,7), das heißt also mit seinem Leitmotiv von der Fleischwerdung als Voraussetzung der Heilstaten Christi. Logisch schließt sich der Kreis von Eph 2,14 zu dieser Aussage nur, wenn man statt *maceriae materiā* liest; noch stärker ist diese Notwendigkeit bei dem anderen Schriftzitat, das Gregor anführt: (Ps 61,4) *tamquam parieti inclinato et maceriae impulsae.* Wenn Gregor dies deutet *quod scilicet paries ille in maceria crucis inclinatus esse videatur*, bereitet eine Übersetzung »jene Wand, die geneigt ist an die Umzäunung des Kreuzes« ziemliche Schwierigkeiten, liest man dagegen *in materia crucis,* wird der Satz immerhin verständlicher: »die Wand, das heißt der Leib Christi, neigt sich am Holz des Kreuzes«; *materia = lignum* ist durchaus gebräuchlich, *cf.* ThLL 8,449,25 sqq, allerdings kaum für das Kreuzesholz; in einem anderen Zusammenhang TE nat 1,12,1. Trotzdem nehme ich wegen des oben genannten Sinnzusammenhangs an, daß Gregor in Eph 2,14 *materia* statt *maceriae* las und verstand: »wenn er (*scil apostolus*) ihn (*scil corpus domini*) die eine Wand in der Mitte nennt, die durch ihre Beschaffenheit die Feindschaften auflöst, nämlich in seinem Fleische«. Die ihm so willkommene Verlesung (übrigens sowohl paläographisch wie auch orthographisch möglich) nahm Gregor dann auch in das Psalmenzitat hinüber, um seinen Gedankengang fortführen zu können. Den Ausschlag für *materia* gibt die auch sonst verläßliche Handschrift B, die an allen Stellen *matheriā/matherie/in matheriam/matheria* bietet.

[1] Dieser Gedanke (*paries = corpus humanum Christi*) erscheint auch bei anderen Autoren, die nicht von Gregor von Elvira abhängig sein können, so zum Beispiel unter dem Namen des Nilus in der Canticum-Catene des Prokop (PG 87b, 1600B), aber auch in der lateinischen Tradition, zum Beispiel BED Ct 1 (220, 376); GR-M Jb 18,78. Gregors Vorbild konnte ich nicht eruieren.

4,15 In A und R ist das *velut* vor *flores* gesetzt, da *flores* ohne Vergleichspartikel direkt nach *corpora* zu hart erschien. Da aber Gregor auch an anderen Stellen diese Form der partitiven Apposition (*cf.* Svennung, *Palladius* 198-201) kennt, ist die Wortstellung der Handschriften B und P vorzuziehen. Allerdings folgt in den meisten anderen Fällen (*cf.* 2,25 ω² *equas ... plebes gentium*; 3,25 *unguentum hoc ... sucus fidei*; 4,4 *super omnes colles, prophetas*; 4,22 *hostes, daemones* 5,7 *hostes, daemonas, vicos, itinera vitae*) dem Bild an erster die Erklärung an zweiter Stelle. Im vorliegenden Fall versuchte jedoch Gregor, den vorangegangenen Lemmatext Wort für Wort in die Erklärung einzubauen: *hieme, id est mundi tribulatione; pluvia, id est praedicatione verbi; sanctorum corpora, flores; de sepultionis terra.* Wie man sieht, war Gregor um eine gewisse *variatio* bemüht, überdies wollte er auch auf einen zweiten Vergleich, den gängigen Topos von den Lilien und Rosen (*cf.* AM 118 Ps 5,7; Lc 7,128; 10,139) nicht verzichten, der aber seinerseits nach einer Vergleichspartikel verlangte.

4,19 Hier hat der nicht mehr bekannte altlateinische Canticum-Text Anlaß zu Verbesserungsversuchen gegeben. Wie die Bibelhandschrift 169 bezeugt, wurde Ct 2,13 mit folgendem Zusatz überliefert: *vites floriunt dederunt odorem + et in omni loco odor mandragorae dederunt odorem.* Auch Gregor bezeugt diesen Zusatz (*cf.* den Lemmatext in dieser Edition, S. 74 sqq). In den Handschriften A und R wurde dieser Zusatz als Bibeltext nicht mehr erkannt und daher wurde versucht, *mandragorae* aus dem folgenden Paragraphen bereits hier einzubauen.

4,22 *Cf.* die Erklärungen zu 4,15. Auch hier hatte Gregor Bild und Erklärung (*hostes/daemones*) unverbunden nebeneinander gesetzt. Während die Überlieferung B P durch ein *et* abmilderte, änderten A R in eine Genetivkonstruktion um, vermutlich beides unnötig, *cf.* die Parallelstelle 5,7

4,30 Die Endung auf -o (*vasto* A *variato* B *auriato* P) ist so gut bezeugt, daß man nicht darüber hinweggehen kann. Zu einen eventuellen Gebrauch von *moles* als Masculinum *cf.* ThLL 8, 1338,75-77, leider hilft das zweite Vorkommen von *moles* im Epithalamium (4,4) nicht weiter.

5,3 Die überlieferten Lesarten *ex natione nominum* B P und *ex nationum numero* scheinen auf einer Korruptel zu beruhen. Zu vermuten ist eine ähnliche Formulierung wie in GR-I tr 3,30 *qui ex sinagoga venientes in Christi nomine credidissent.*

5,13 Auch diese Korruptel der gesamten Überlieferung ist nicht zufriedenstellend zu heilen. Der umständliche Versuch *itaque qui habet in se Christum deus in secretum cordis eius ingreditur* (A und R) erklärt sich aus dem folgenden *nisi in se Christum habuerit*, geht aber über den ursprünglichen Textumfang, den vermutlich B und P bieten, viel zu sehr hinaus. *In secretum eius ingreditur* nimmt Bezug auf das vorhergehende Lemma und sollte daher nicht verändert werden. (G. Heine las in B statt *in secretum eius ingreditur/in secreto synagogae*, so von A. Vega im Apparat übernommen, aber trotz des schlechten Zustands von B an dieser Stelle ist deutlich zu lesen: *in secretxxxx s ingredixxx*). Der logische Zusammenhang mit dem vorausgehenden Zitat Gal 3,27 läßt vermuten, daß hinter *In antiqua* eine Verbindung zu diesem Zitat verborgen ist. Paläographisch böte sich *in aqua* an, das folgende Wort *Christus* mag eine falsche Auflösung einer Abkürzung von *baptismi* sein, beziehungsweise ein schlecht geschriebenes *cum Christo*?

ZEICHEN UND ABKÜRZUNGEN

A*	manus prima codicis A
A^2	manus altera codicis A
+	additur
~	transponitur
⟨ ... ⟩	vox aut littera ab editore suppleta
[...]	voces aut litterae delendae
xxx	litterae non legibiles
add	addit manus correctoris aut manus altera
alt	specimen alterum vocis in linea
cf	confer
corr ex	correxit ex
del	delevit
in mg	in margine
ms/mss	codex manu scriptus/codices manu scripti
prim	specimen primum vocis in linea
scil	scilicet
om	omittit/omittunt

Die Abkürzungen für die biblischen Bücher und für die Werke der christlichen lateinischen Autoren entsprechen denen der Vetus Latina-Edition (*cf.* Vetus Latina 1/1: H. J. Frede, *Kirchenschriftsteller, Verzeichnis der Sigel*, 3., neubearbeitete und erweiterte Auflage des 'Verzeichnis der Sigel für Kirchenschriftsteller' von Bonifatius Fischer, Freiburg 1981, mit den Aktualisierungsheften Freiburg 1984 und 1988.

Mit *Comm anon* wird der anonyme Canticum-Kommentar bezeichnet, der in den Handschriften Wolfenbüttel, Novi 535, 18, und Orléans 56 (33) enthalten ist (unediert). Zitiert wird nach den Foliozahlen der Wolfenbütteler Handschrift.

Die Verszählung des Canticum Canticorum richtet sich nach derjenigen der Septuaginta.

GREGORIUS ELIBERRITANUS

EPITHALAMIUM
SIVE
EXPLANATIO IN CANTICIS CANTICORUM

CONSPECTUS SIGLORUM

A	Madrid, Biblioteca de la Real Academia de la Historia, Emilianensis 80 (*olim* 12-II-I:3), saec. IX
B	Barcelona, Biblioteca de la Iglesia Catedral, Cod. 64, saec. XI/XII
N	Madrid, Biblioteca Nacional, Cod. 3996 (*olim* P.38), saec. XVI[1]
P	Porto, Biblioteca Pública Municipal, Cod. 800, saec. XI/XII
R	Lleida, Archivo de la Catedral, Cod. 2, saec. X/XI
U	Madrid, Biblioteca Nacional, Cod. 8873, saec. XII[1]
BEA	Beati Liebanensis et Eterii Oxomensis adversus Elipandum libri duo, ed. Bengt Löfstedt, CCcm 59 (1984) (Codex T: Madrid, Biblioteca Nacional 12998, saec. IX/X) Excerptum ex GR-I Ct: liber 2, 75-83 (151, 1882-156, 2059)
ω^1	Recensio Epithalamii prima: Codices A, B, P *partim*, R^2 (libri I et II)[2] Codices A, B, N, P, R, U (libri III, IV et V)
ω^2	Recensio Epithalamii altera: Codices N, P *partim*, R*, U et excerptum Beati BEA (libri I et II)[3]

Zu den übrigen in den Apparaten verwendeten Abkürzungen *cf.* S. 159.

[1] Die Handschriften N und U sind für die Textherstellung nicht benutzt worden, *cf.* S. 124sq.

[2] Der Text der ersten Rezension ω^1 in den ersten Büchern wird jeweils auf der linken Seite (S. 164 - 224) geboten.

[3] Der Text der zweiten Rezension ω^2 in den ersten beiden Büchern wird jeweils auf der rechten Seite (S. 165 - 225) geboten.

[INCIPIT PRAEFATIO EPITHALAMII A BEATO GREGORIO PAPA ROMENSI EDITO]

1 [Iam vero in Canticis canticorum figuraliter sub epithalamii carmine quattuor Salomon introducit personas, virum scilicet et sponsam, cum sponsa adolescentulas, cum sponso sodalium greges. Alia dicuntur ab sponsa, alia ab sponso, nonnulla a iuvencu-
5 lis, quaedam a sodalibus sponsi. Sponsus Christus significatur et Ecclesia sponsa sine macula et ruga, de qua scriptum est: *ut exhiberet sibi gloriosam ecclesiam non habentem maculam aut rugam.* Eos vero, qui, cum sint fideles, iuxta modum quendam adepti videntur salutem, animas significari credentium et adolescentulas
10 esse cum sponsa, apostolos vero et eos, qui pervenerunt *in virum perfectum* † sponsus † significari viros cum sponso. In hoc autem libro prius sponsa loquitur dicens: *osculetur me osculis oris sui*, ac si dicat: tangat me dulcedine praesentiae unigeniti filii redemptoris mei. Haec pauca de operibus Salomonis sub aenigmatibus
15 dicta lectori prologo exposuisse sufficiat.]

[Explicit Prologus]

Praefationem habent P R *om* B A

INCIPIT - EDITO *sic R om* P **2** carmine] carmen P Salomon] Salomonis P **3** cum sponsa] cum sponso *mss* sponsa HI Ct sponso + et R **5** significatur] figuratur R **6** ~ sponsa ecclesia R **7** aut] neque HI Ct **9** et] HI Ct ut *mss* adolescentulas] adulescentum ? R **10** cum sponsa] HI Ct cum sponso *mss* apostolos] apostolus P angelos HI Ct, *sed cf* GR-I Ct 2,10.11 *et* p. 104, Anm. 16 et *om* R **11** † sponsus †] spons' P sponsi R *om* HI Ct **12** osculis] osculo R **15** lectori + in R EXPLICIT PROLOGUS P R

6 Eph 5,27 **10** Eph 4,13 **12** Ct 1,2

2-5 quattuor Salomon - sodalibus sponsi HI Ct 1 (28,19-22) **5-7** Sponsus Christus - rugam HI Ct 1 (28,25-29,3) **8-11** Eos vero - cum sponso HI Ct 1 (29,4-8) **12-14** ac si dicat - redemptoris mei GR-M Jb 27,34 (1356,45)

INCIPIT EPITHALAMIUM GREGORII

(Recensio ω[1])

1 **1.** OSCULETUR ME AB OSCULO ORIS SUI, QUONIAM BONA SUNT UBERA TUA SUPER VINUM ET ODOR UNGUENTORUM TUORUM SUPER OMNIA AROMATA. Audistis epithalamium carmen, dilectissimi fratres, quod spiritus sanctus per Salomonem ex voce sponsi et 5 sponsae, id est Christi et Ecclesiae, pro caelestium nuptiarum allegorica decantatione praedixit, quando Christus sponsus et anima sponsa oppigneraverunt sibi invicem castam coniugii voluntatem et *facti sunt duo in carne una*, id est deus et homo. Sponsum autem Christum et sponsam Ecclesiam probat Iohannes 10 Baptista dicens de Christo: *qui habet sponsam, sponsus est, amicus autem sponsi stat et audit eum et gaudio gaudet propter vocem sponsi* et alius propheta: *desponsabo te mihi in spe* et iterum: *desponsabo te mihi in fide et caritate.*

INCIPIT EPITOLAMIUM GREGORII B ITEM INCIPIT ALIUM EXPOSITUM IN CANTICA CANTICORUM LIBER PRIMUS A *om* P
1 ab *om* B P bona] obtima A sunt *om* B P, *sed cf § 4 et* tr 12,14 3 dilectissimi fratres] dilectissime frater B 5 et *om* P nuptiarum *om* B 9 Christum + esse P Iohannes] iohannis B 10 amicus autem – vocem sponsi] *aliter* ω², *fortasse recte, cf* p. 94–99 11 gaudet] gaudit B 12 desponsabo te mihi in spe et iterum *om* P (*cf* BEA)

1–3 Ct 1,2 8 Eph 5,31 Gn 2,24 10 Jo 3,29 *cf* Jo 8,56 12 Os 2,19 Os 2,20

3 GR-I tr 12,14 1–166,10 *cf* IS ety 6,2,20

[INCIPIT TRACTATUS GREGORII PAPAE EIUSDEM EPITHALAMII]

(Recensio ω^2)

1 **1.** OSCULETUR ME ⟨AB⟩ OSCULO ORIS SUI, QUONIAM BONA UBERA TUA SUPER VINUM ET ODOR UNGUENTORUM TUORUM SUPER OMNIA AROMATA. Audistis epithalamium carmen, dilectissimi fratres, quod spiritus sanctus per vatem integrum Salomonem ex voce 5 sponsi et sponsae, id est Christi et Ecclesiae, pro caelestium nuptiarum allegorica decantatione praedixit, quando Christi sponsus et anima sponsa oppigneraverunt sibi castam invicem coniugii voluntatem et *facti sunt duo in carne una*, id est deus et homo. Sponsum autem Christum esse et sponsam Ecclesiam probat di- 10 vina scriptura dicente Iohanne Baptista pro Christo in evangelio: *qui habet sponsam sponsus est, amicus autem sponsi stans et audiens vocem eius prae gaudio exhilaratur.* Et alius propheta dicit: *desponsabo te mihi in spe* et iterum *desponsabo te mihi in fide et caritate.*

INCIPIT TRACTATUS GREGORII PAPAE EIUSDEM EPITHALAMII R *om* P 1 ab *om* R P BEA *sed cf* ω^1 tua + sunt BEA 3 epithalamium] epitalamii R 4 vatem integrum *om* P BEA 5 et *alt om* P 7 ~ invicem castam P 7/8 coniugii voluntatem] coniunctionem R* *add* voluntatem R^2 9/10 ~ scriptura divina BEA 10–12 divina - exhilaratur P = ω^1 12 et alius propheta dicit] sed et per alium prophetam R dicit *om* P 13 desponsabo te mihi in spe et iterum *om* P BEA

1–3 Ct 1,2 8 Eph 5,31 Gn 2,24 11 Jo 3,29 *cf* Jo 8,56 14 Os 2,19 Os 2,20

3 GR-I tr 12,14 1–167,10 *cf* IS ety 6,2,20

1 **2.** Denique ut sciatis hoc carmen pro Christo et Ecclesia esse praedictum, praetitulatio ipsa manifestat. Sic enim pronuntiatur *Cantica canticorum*, eo quod super omnia cantica, quae aut Moyses aut Maria in Exodo aut Esayas aut Abacuc et ceteri cecine-
5 runt, haec meliora sunt cantica, quia illi aut pro liberatione populi aut pro conversatione hominum aut pro admiratione divinorum operum accensi animo ac mente deo laudes dixerunt. Hic autem Christi et Ecclesiae vox psallentis auditur, propter quod divina et humana sibimet invicem copulantur. Ideo *Cantica can-*
10 *ticorum*, id est meliora melioribus nuncupantur.

4. Cum ergo dicit: OSCULETUR ME AB OSCULO ORIS SUI QUONIAM BONA SUNT UBERA TUA SUPER VINUM, non de hoc osculo carnali,

1 ecclesia] ecclesiam B 2 pronuntiatur] prelocutum A 4 Abacuc] Ambacum A 5 sunt] sint B 6 conversatione] conversione A P admiratione] animi ratione B 7 accensi animo ac mente deo *om* P ac] hac A 9 sibimet] sibi P 11 ab *om* P

3 Ct 1,1 (tit) 3/4 *cf* Ex 15,3-21 Is 26,9-20 Hab 3,2-19 11 Ct 1,2

1 **2.** Denique ut sciatis hoc carmen in Christo et Ecclesia esse praedictum, praetitulatio ipsa manifestat. Sic enim pronuntiatur *Cantica canticorum*, eo quod super omnia cantica, quae aut Moyses aut Maria in Exodo aut Esayas aut Abacuc et ceteri cecine-
5 runt, haec meliora sunt cantica, quia illi aut pro liberatione populi aut pro conversatione hominum aut pro admiratione divinorum operum accensi animo ac mente deo laudes dixerunt. Hic autem quia dei et Ecclesiae vox psallentis auditur, propter quod divina et humana sibi invicem copulantur, ideo *Cantica cantico-*
10 *rum*, id est meliora meliorum, nuncupantur.

3. Et quia grammaticus noster ac peritissimus legis beatus apostolus admonuit discipulos suos, ut diligenti perscrutatione ea, quae in alto et quae in profundo et in longitudine et in altitudine posita sunt, quaerere deberent, ut possint *comprehendere, quae sit*
15 *latitudo, longitudo, sublimitas et profundum*, proinde necesse est nos sagaci sensu per sanctorum verborum cavillationem sollicita animadversione requirere, ne incautos aut verisimilia fallant aut ambiguum confundant aut incertum deludant aut decipiant, sed ut sincerae veritatis meram ⟨fidem⟩ studiosissime persequentes
20 comprehensam sine frustratione opinionis legitimam et firmissimam retinere possimus.

4. Cum ergo dicit: OSCULETUR ME ⟨AB⟩ OSCULO ORIS SUI, QUONIAM MELIORA SUNT UBERA TUA SUPER VINUM, non de hoc osculo

1 ut sciatis] ut scias R *om* BEA in] pro P ecclesia] ecclesiam BEA 3 quod + sit R super] supra BEA 3/4 aut ... aut ... aut ... aut] et ... et ... et ... et R aut Moyses *om* BEA (*ms* T* *add* T²) 4 Abacuc] Abbacuc BEA 5 populi] proelii BEA 6 conversatione] conversione P hominum] P = ω¹ populi BEA *om* R 7 accensi] laeti R accensi animo ac mente deo laudes *om* P deo] domino R 8 dei et ecclesiae] dei ecclesiae BEA Christi et ecclesiae P (ω¹) psallentis] psallentum R propter] propterea R 9 sibi] semet R 10 meliorum] melioribus P (ω¹) 11 § 3 *om* P BEA 19 ⟨fidem⟩ *supplevi, cf* fi 1 (64,9) *et* tr 5,17, *cf* p. 147 22 ab *om* R P BEA *sed cf* ω¹ 23 meliora] bona P (ω¹) de *om* R* *add* R²

3 Ct 1,1 (tit) 3/4 *cf* Ex 15,3-21 Is 26,9-20 Hab 3,2-19 14 Eph 3,18 22 Ct 1,2

15–21 GR-I tr 10,2 19 GR-I fi 1 (64,14); fi 3 (82,70)

1 sed spiritali gratia loquitur. Ecclesiae etenim venerandae et immaculatae virginis ad Christum filium dei, tricenarium iuvenem, *speciosum forma prae filiis hominum*, vox est. Et quia alia sunt humana, alia divina oscula, ideo hic, cum dicit Ecclesia: OSCULETUR
5 ME AB OSCULO ORIS SUI, vult ipsam praesentis vocem audire. In praeterito enim sermo dei per prophetam ad synagogam loqui consueverat et quasi pro alieno ore pacis ei osculum dabat.

5. Haec ergo Ecclesia, quae vere sponsa est Christi, contenta non est per prophetas tantummodo Christi pacem accipere, sed
10 magis ore proprio evangelicae traditionis praecepta suscipiens a vero sponso velut osculum sanctitatis et caritatis suscepit. Et ideo OSCULETUR ME inquit AB OSCULO ORIS SUI. Quod quam vere fuerit adimpletum, hinc potest addisci.

6. Nam ex eo, quod Christus dei filius secundum hominem ve-
15 nire dignatus est et carnem animamque hominis velut sponsam accipere, lex et prophetae cessarunt, sicut Evangelista ait: *lex et*

1 gratia] gloria B etenim] enim P* et enim P[2] 3 speciosum] *aliter* ω[2], *fortasse recte, cf* p. 94–99 4 cum dicit ecclesia] eum dicit ecclesiae A 5 ipsam] ipsa BAP praesentis + Christi A (*cf* R) 6 per prophetam] per propheta B 7 pro alieno ore] per alienum os P, *corr ex* pro alieno ore? (*cf* ω[2]) 8 haec] hic A ecclesia] ecclesiam B contenta] contempta P (*cf* BEA) 10 a vero] Si vero P 11 velut] vel aut B suscepit] accipit P (ω[2]) 12 ~ inquit osculetur me P oculetur A* ab *om* P 14 eo quod] quo A (*cf* R) 16 accipere] accepit A (*cf* R) cessarunt] cessaverunt P

2 *cf* Lc 3,23 3 Ps 44,3 15 *cf* Rm 1,3

2 GR-I arc 31 5–7 Comm anon fol 1V 16–170,2 GR-I tr 2,21

1 carnali, sed de spiritali gratia loquebatur. Ecclesiae etenim venerandae inmaculatae virginis vox est ad Christum filium dei, tricenarium iuvenem, *decorum forma prae filiis hominum,* verba facientis. Et quia alia sunt humana, alia divina oscula, ideo hic cum 5 dicit Ecclesia: OSCULETUR ME ⟨AB⟩ OSCULO ORIS SUI, vult ipsam praesentis vocem audire. In praeterito enim sermo dei per prophetas ad synagogam loqui consueverat et quasi pro alieno ore pacis ei osculum dabat.

5. Haec ergo Ecclesia, quae vere sponsa est Christi, contenta 10 non est per prophetas tantummodo Christi pacem accipere, sed magis ore proprio evangelicae traditionis praecepta suscipiens a vero sponso velut osculum sanctitatis et caritatis accipit et ideo OSCULETUR ME ⟨AB⟩ OSCULO ORIS SUI. Quod quam vere fuerit adimpletum, hinc potest addisci.

15 **6.** Nam ex eo quod Christus filius dei secundum hominem venire dignatus est et carnem animamque hominis velut sponsam accipere, lex et prophetae cessaverunt, sicut evangelista ait: *lex et*

1 loquebatur] loquitur P (ω^1) etenim] enim P* et *add* P^2 venerande + et P 2 inmaculatae] immaculataeque R vox est *om* P (ω^1) 3 decorum forma] *om* forma R decorum speciosum forma BEA speciosus forma P (*cf* ω^1) verba facientis] vox est P (ω^1) 4 et *om* BEA ideo] et ideo BEA hic *om* BEA 5 ecclesia *om* R ab *om* R P BEA, *sed cf* ω^1 ipsam] ipsa ecclesia BEA 6 praesentis vocem audire] praesentem sponsum habere et praesentis vocem audire BEA praesentis + Christi R enim + tempore BEA prophetas] prophetam P (ω^1) 7 pro alieno ore] per alieno hore BEA per alienum os R P^2 9 vere] vera R^2 *corr ex* vere ? est Christi] est *om* R* *add post* Christi R^2 contenta] contempta P BEA 10 est + *spatium litterarum 8* R 11 magis + ipsa R a vero] si vero P 12 et caritatis *om* BEA accipit] suscepit R 13 me + inquit *add* R^2 ab *om* R P BEA *cf* ω^1 14 potest addisci] potestis addiscere R 15 eo quod] eo R ~ dei filius P (ω^1) venire] advenisse R* Advenire *add* R^2 16 hominis *om* BEA 17 accipere + ex eo iam R* accepit *add* R^2

2 *cf* Lc 3,23 3 Ps 44,3 16 *cf* Rm 1,3

2 GR-I arc 31 6–8 Comm anon fol 1V 17–171,2 GR-I tr 2,21

1 *prophetae usque ad Iohannem Baptistam* et iterum: *lex per Moysen data est, gratia autem et veritas per Iesum Christum facta est.*

7. *Ecclesia* enim, ut apostolus definivit, *caro est Christi*, qui ait: *et ipse est caput corporis Ecclesiae.* Cui tunc osculum ad osculum 5 fida caritate impressum est, quando *duo in una carne* coniuncti sunt, id est veritas et pax sibi invicem mutuis complexibus adhaeserunt, sicut David dicit: *veritas et pax amplexae sunt se. Veritas* inquit *de terra orta est*, id est caro Christi, qui de matre virgine natus est, cuius origo terrena est. *Pax de caelo prospexit*, id est ver- 10 bum dei, qui dixit: *ego sum pax* et iterum: *pacem meam do vobis.*

8. Hoc est osculum, verbum patris, prophetarum ore adnuntiatum, quod a saeculis antiquis diu spe suspensa pependit et adveniente die sponsaliorum per anulum fidei est adimpletum et pronubo nuptiarum caelestium accepit Ecclesia. Quid enim carius

2 autem] enim? A 3 enim] etenim A 4 ad osculum *om* A 6 mutuis] mutuo P (ω^2) 7 se *om* P 8 inquit *om* A id est caro Christi – de caelo prospexit (*linea* 9)] iustitia et pax complexae sunt se A 10 pax + et de quo dixit apostolus qui est pax nostra et ipse dicit A (*add in mg* R) et iterum *om* A 11 est *om* A 12 spe *om* B et adveniente] quod quidem et adveniente P (ω^2) 13 sponsaliorum] sponsus aliorum P fidei] fides A pronubo] pro novo B P pro nobo A, *cf* tr 12,15: cui et anulum fidei qua nuptiarum spiritalium pronubum consignavit, *cf* p. 147 14 nuptiarum] nunciarum B accepit] a quo cepit P ecclesia] ecclesiam B enim + tam P carius] carus P

1 Lc 16,16 1/2 Jo 1,17 3/4 Eph 1,22.23 Col 1,24 Col 1,18 5 Eph 5,31 Gn 2,24 7 Ps 84,11.12 10 Lc 24,36 Jo 20,19.21.26 Eph 2,14 Jo 14,27 12 *cf* Col 1,26 Eph 1,12.13 Rm 16,25.26

12/13 GR-I tr 12,15 AM Is 3,8

1 *prophetae usque ad Iohannem Baptistam* et iterum: *lex per Moysen data est, gratia autem et veritas per Iesum Christum facta est.*

7. *Ecclesia* enim, ut apostolus definivit, *caro Christi est,* qui ait: *et ipse est caput corporis Ecclesiae.* Cui tunc osculum ad osculum 5 fida caritate impressum est, quando *duo in una carne* coniuncti sunt, id est veritas et pax sibi invicem mutuis complexibus adhaeserunt, sicut David dicit: *veritas et pax amplexae sunt se. Veritas* inquit *de terra orta est,* id est caro Christi, qui de matre virgine natus est, cuius origo terrena est. *Pax de caelo prospexit,* id est ver-10 bum dei, qui dixit: *ego sum pax* et iterum: *pacem meam do vobis.*

8. Hoc est osculum, verbum patris, prophetarum ore adnuntiatum, quod a saeculis antiquis diu spe suspensa pependit. Quod quidem adveniente die sponsaliorum est adimpletum, per quod anulum fidei et pronubo nuptiarum caelestium accepit Ecclesia.

1 Iohannem + prophetaverunt R Baptistam *om* R* *add* R^2 2 autem + inquit R 3 enim] etenim R Christi est *in rasura* R + *spatium litterarum 8* qui ait et ipse est caput corporis ecclesiae *om* R* *add in mg* R^2 6 sibi invicem mutuis] mutuis inter se R invicem *add in mg* R^2 mutuo P BEA 7 sicut David dicit] dicente David R amplexae] conplexae R se *om* R P 8 ~ caro est P qui *om* R (*cf* A) matre *om* BEA natus] nata R P 10 ego sum pax et iterum] *om* R* ego sum pax de quo dicit apostolus qui est pax nostra et ipse dicit *add in mg et in rasura* R^2 11 verbum patris] *om* R* id est verbum patris *add in mg* R 12 diu] longa BEA suspensa] suspensum R quod quidem + et P quod quidem] et *in rasura litterarum 6* R^2 13 sponsaliorum] sponsus aliorum P est adimpletum per quod anulum fidei et] adest impletum XXX per anulum fidei (*sub signo transpositionis*) quod quasi R per anulum fidei est adimpletum et P (ω^1) 14 pronubo] pronobo BEA (*ms* T) pro novo R P *cf* p. 147 accepit] a quo cepit P

1 Lc 16,16 1/2 Jo 1,17 3/4 Eph 1,22.23 Col 1,24 Col 1,18 5 Eph 5,31 Gn 2,24 7 Ps 84,11.12 10 Lc 24,36 Jo 20,19.21.26 Eph 2,14 Jo 14,27 12 *cf* Col 1,26 Eph 1,12.13 Rm 16,25.26

12/13 GR-I tr 12,15 AM Is 3,8

1 Christo quam Ecclesia, pro qua suum sanguinem fudit, aut quid Ecclesiae amabilius Christo, cuius sancta et inviolata coniunctione magnam filiorum multitudinem per baptismi regenerationem procreavit, cuius fetum copiosissimum sine dolore vidimus 5 profusum, cuius efficaciam et, ut verius dixerim, artem nascendi–vel potius renascendi – sentias magis quam enarres, intelligas potius quam comprehendas. Et tamen perfectum opus, quod magistra sapientiae et opifex ratio clarum edidit, cum debita veneratione laudabis.

10 **9.** Et addidit: QUONIAM BONA UBERA TUA SUNT SUPER VINUM. Habuit quidem prisca lex duo ubera ex duabus tabulis lapideis, quae digito dei impressa candidum lac disciplinae parvulo tunc populo praebuerunt. Sed nunc ubera domini iam non duo, sed quattuor cognovimus. Quattuor enim evangeliorum fontes dulce

2 ecclesiae] ecclesia A (*cf* R) inviolata] immaculata A 3 magnam] magna B regenerationem] regeneratione B P*? 4 procreavit] procreabit A fetum] partum A (*cf* R) vidimus] videmus B P 5 ut *om* P 6 enarres] narres P 7 quod] quam P 8 sapientiae] sapientia A (*cf* R) ratio] ratione A clarum edidit] clarum me dedit B edidit] dederit P (ω^2) debita] de vita A 9 laudabis] laudabilis P A 10 et addidit] et adiecit, *del* et P (ω^2) ~ sunt ubera tua A sunt *om* P 11 quidem] enim P ubera + *litterae erasae 2* P lapideis] lapidibus P 12 quae] qui B digito dei] difinitum dei A digito dei *add in mg* A^2 impressa] inpresa B inpresse *corr ex* inpressX A 14 quattuor + esse A (*cf* R)

1 *cf* Hbr 9,12-14 3 *cf* Tit 3,5 4 *cf* Gn 3,16 7/8 Sap 7,21? 10 Ct 1,2 11 *cf* Ex 32,15 12 *cf* 1 Cor 3,1.2; 13,11

1-4 *cf* CY te 2,19 10–14 GR-I tr 2,19; tr 6,60 10–174,6 Comm anon fol 2R APR 1,15

1 Quid enim carius Christo quam Ecclesia, pro qua sanguinem suum fudit, aut quid Ecclesiae amabilius Christo, cuius sancta et inviolata coniunctione magnam filiorum multitudinem per baptismi regenerationem procreavit, cuius fetum copiosissimum 5 sine dolore vidimus profusum, cuius efficaciam et, ut verius dixerim, artem nascendi – vel potius renascendi – sentias magis quam narres, intelligas potius quam comprehendas, nec virtutem ipsam videas nec artem cognoscas, et tamen perfectum opus, quod magistra sapientiae et opifex ratio clarum edidit, cum debita ve- 10 neratione laudabis.

9. Et adiecit: QUONIAM BONA UBERA TUA SUPER VINUM. Habuit quidem prisca lex duo ubera ex duabus tabulis lapideis, quae digito dei impressa candidum lac disciplinae parvulo tunc populo praebuerunt. Sed nunc ubera domini iam non duo, sed quattuor 15 cognovimus. Quattuor enim evangeliorum fontes dulce lac sa-

1 enim + tam P pro qua sanguinem suum fudit aut *om* R* *add in mg* R^2 2 suum *om* BEA ~ suum sanguinem P cuius *in rasura* R^2 3 inviolata] inmaculata *in rasura* R inviolata R^2? 4 cuius fetum copiosissimum *om* R* cuius partum copiosum *add in mg* R^2 (*cf* A) 5 vidimus *om* R* *add* R^2 et *om* R* *add* R^2 ut *om* P 6 artem nascendi vel potius renascendi sentias] artificium nascendi sentias vel potius renascendi R* vel artem *add in mg* R^2 (*cf* ω^1) 7 narres] enarres R intelligas potius *om* R* *add in mg* R^2 nec virtutem – cognoscas *om* P (ω^1) virtutem] vim R *deest* P 8 artem] matrem *add in mg* R^2 *deest* P quod (ω^1)] quo R BEA quam P 9 sapientiae] sapientia R opifex ratio] perfecta ratio *add in mg* R^2 edidit] dederit P BEA cum *om* R* *add in mg* R^2 debita] de vita P 10 laudabis] laudabilis P 11 et adiecit *om* BEA et *del* P bona + sunt R (*cf* A) tua + inquit BEA 12 quidem] enim P ex] in R lapideis] lapidibus P quae] qui BEA 13 impressa] impressae *corr ex* impressa ? R^2 parvulo tunc populo] populo Israelitico R* aliter parvulo tunc populo *add in mg* R^2 15 cognovimus. Quattuor enim *om* R* *add in mg* R^2

1/2 *cf* Hbr 9,12-14 3/4 *cf* Tit 3,5 5 *cf* Gn 3,16 7 *cf* 1 Cor 1,24 9 Sap 7,21? 11 Ct 1,2 12 *cf* Ex 32,15 13 *cf* 1 Cor 3,1.2; 13,11

1-4 *cf* CY te 2,19 11-15 GR-I tr 2,19; tr 6,60 11-175,6 Comm anon fol 2R APR 1,15

1 lac sapientiae credentibus tribuunt. Denique dominus ad Abraham, qui utriusque populi pater est, *secundum carnem* scilicet *Iudaeorum et noster ex fide*, cum ei hereditatem futuri aevi promitteret, hoc inter cetera signum sacrificii postulavit: *capram trimam*
5 *et vaccam trimam*, ut capram veteris testamenti figuram ostenderet et vaccam evangelicae disciplinae.

10. Haec sunt bona ubera domini, id est evangeliorum fontes, quae meliora sunt super vinum propheticae praedicationis. Duo etenim genera vini in scripturis caelestibus legimus, unum, quod
10 apud Canaam Galilaeae defecit ad nuptias, aliud, quod multo melius verbo dei de aqua est factum.

11. Unde et salvator dicebat *vinum novum in utres novos mitti* oportere. Quod quidem significabat nuptias Christi et Ecclesiae, id est quando verbum dei anima hominis copulavit, cessaturum
15 esse vinum, id est priscae legis et prophetiae, et aliud evangelicum ex baptismatis aqua futurum. Unde et credentes *musto pleni* sunt dicti.

12. Quid est enim de aqua vinum, nisi quod anima, quae retro fuerat terrena, insipida et aquata, in merum spiritus conversa

3 promitteret] promittere P 4 trimam (*bis*)] triennam *corr ex* trimam P² 7 ubera] verba P fontes + aquae P (*cf* BEA) 9 caelestibus] divinis A 12 mitti] mittere A (*cf* R) 13 oportere] oportet A (*cf* R) 14 anima hominis] animam sive hominem A (*cf* R) 15 esse *om* A vinum + veterem A (*cf* R) 16 aqua] alium B 19 insipida] inspirata P

2/3 Rm 4,1.16 Gal 3,7 3 *cf* Rm 4,13 4 *cf* Gn 15,9
10 *cf* Jo 2,1–11; 4,46 12 Mc 2,22 16 Act 2,13

1 pientiae credentibus tribuunt. Denique dominus ad Abraham, qui utriusque populi pater est, *secundum carnem* scilicet *Iudaeorum et noster ex fide*, cum ei hereditatem futuri aevi promitteret, hoc inter cetera signum sacrificii postulavit: *capram trimam et*
5 *vaccam trimam*, ut capra veteris testamenti figuram ostenderet et vacca evangelicae disciplinae.

10. Haec sunt bona ubera domini, id est evangeliorum fontes aquae, quae meliora sunt super vinum propheticae praedicationis. Duo etenim genera vini in scripturis caelestibus legimus,
10 unum, quod apud Canaam Galilaeae defecit ad nuptias, aliud, quod multo melius verbo dei de aqua est factum.

11. Unde et salvator dicebat *vinum novum in utres novos mitti* oportere. Quod quidem significabat nuptias Christi et Ecclesiae, id est quando verbum dei anima hominis copulavit, cessaturum
15 esset vinum, id est priscae legis et prophetiae, et aliud evangelicum ex baptismatis aqua futurum. Unde et credentes *musto pleni* sunt dicti.

12. Quid est enim de aqua vinum, nisi quod anima, quae retro fuerat terrena, insipida et aquata, in merum spiritus conversa

3 futuri aevi] saeculi futuri BEA promitteret] promittere P 4/5 trimam (*bis*)] triennam *corr ex* trimam P (*bis*) 5 capra] capram P capra + quae duo ubera habet BEA 6 vacca] vaccam P vacca + quae quattuor BEA 7 sunt + ergo R ubera] verba P 8 aquae *om* R propheticae] prophetiae BEA praedicationis + qua lex vinum vetus intelligitur evangelium vinum novum BEA 9 etenim] enim BEA 10 Canaam] Canan R 11 melius] magis BEA ~ de verbo dei BEA dei *om* R* *add in mg* R² aqua + vinum BEA 12 mitti oportere] mittere oportet BEA mittere oportere R* mitti oportet *add* R² 13 significabat + *spatium litterarum 5/6* R et *om* P 14 anima hominis] cum anima hominis R* animam sive hominem *add in mg* R² 15 esset] esse P (ω¹) vinum + vetus R (*cf* A) id est priscae legis *om* R* *add* R² evangelicum] evangelium BEA 17 dicti] isti BEA 18 est *om* R* *add* R² quod *om* BEA quae *om* R* *add* R² 19 insipida] inspirata P

2/3 Rm 4,1.16 Gal 3,7 3 *cf* Rm 4,13 4 *cf* Gn 15,9 10 *cf* Jo 2,1-11; 4,46 12 Mc 2,22 16 Act 2,13

1 praestantior sapore facta est et odore. Proinde hoc in loco meliora ubera domini, id est doctrinam evangelicam, dicit super vinum veteris prophetiae.

13. Et addidit: ET ODOR UNGUENTORUM TUORUM SUPER OMNIA 5 AROMATA. ODOR UNGUENTI istius sacrosanctam chrismatis gratiam manifestat, quae SUPER OMNIA synagogae flagrat et redolet. Illa etenim habebat unctionem de unguentis odoriferis factam, Christi autem unguentum ex sancti spiritus suavitate descendit, sicut per Esayam loquitur dicens: *spiritus domini super me, prop-* 10 *ter quod unxit me, evangelizare pauperibus misit me.* Et ideo hunc ODOREM UNGUENTI, id est chrismatum spiritalium gratia, SUPER OMNIA AROMATA veteris testamenti meliorem esse designat.

14. Et subiungit: UNGUENTUM EXINANITUM NOMEN TUUM. Quare itaque EXINANITUM, breviter indicabo. Priscae legis reges et sa- 15 cerdotes, qui ex cornu chrismatis unguebantur, christi dicebantur in lege, eo quod similitudinem unctionis chrismatis, non tamen ipsam perfectionem acciperent et proinde umbram potius quam veritatem Christi nominis utebantur.

1 est] sunt A   et odore. Proinde – prophetiae *om* B P   4 et addidit *om* B P   5 sacrosanctam] sacrosancti A (*cf* R)   gratiam] gratia P   6 omnia + aromata A (*cf* R)   synagogae] sinagoga P   flagrat] fraglat P   redolet] redibet B   11 chrismatum] carismatum P   gratia] gratiarum P gratię ? A   16 tamen] tam B P   17 umbram] umbra P

4 Ct 1,3   9 Is 61,1   Lc 4,18   13 Ct 1,3   14–16 *cf* 1 Rg 16,13   2 Mcc 1,10

14–16 GR-I Ps 8   *cf* TE ba 7,1

1 praestantior sapore facta est et odore, ut apostolus ait: *nos bonus odor Christi sumus* et alibi: *gustate et videte, quoniam suavis est dominus.* Et proinde hoc in loco meliora ubera domini, id est doctrinam evangelicam, dicit super vinum veteris prophetiae.

5 **13.** Et adiecit: ET ODOR UNGUENTORUM TUORUM SUPER OMNIA AROMATA. ODOR UNGUENTI istius sacrosanctam chrismatis gratiam manifestat, quae SUPER OMNIA synagogae fraglat et redolet. Illa enim habebat unctionem de unguentis odoriferis factam, Christi autem unguentum ex sancti spiritus suavitate descendit, 10 sicut per Esayam loquitur dicens: *spiritus domini super me, propter quod unxit me, evangelizare pauperibus misit me.* Et ideo hunc ODOREM UNGUENTI, id est chrismatum spiritalium gratia, SUPER OMNIA AROMATA veteris testamenti meliorem esse designat.

14. Et subiungit: UNGUENTUM EXINANITUM NOMEN TUUM. Qua 15 re itaque EXINANITUM, breviter indicabo. Priscae legis reges et sacerdotes, qui ex cornu chrismatis unguebantur, christi dicebantur in lege, eo quod similitudinem unctionis chrismatis, non tamen ipsam perfectionem acciperent et proinde umbra potius quam veritate Christi nominis utebantur.

3 et proinde hoc in loco – super vinum prophetiae *om* P BEA, *cf* p. 147 5 et adiecit *om* P BEA 6 sacrosanctam] sacrosancti R 7 omnia + aromata R synagogae] sinagoga P BEA fraglat] flagrat R 8 enim] etenim R ~ factam odoriferis BEA factam] factum P 9 ex + septiformem BEA 10 sicut per Esayam – meliorem esse designat *om* BEA 11 misit me + alibi Et odorem inquit noticie suae dedit nobis *add* R[2] 12 unguenti] ungentorum R chrismatum] crismatum R carismatum P gratia] gratiam R gratiarum P 14 et] unde et BEA tuum + Sed alibi unguentum inquit diffusum nomen tuum R qua re itaque] sed qua re alibi R 15 exinanitum + et qua re alibi diffusum dicit scriptura divina R *cf* p. 148 indicabo] intimabo R *recte*? 17 non tamen ipsam perfectionem acciperent. Et *om* R* *add in mg* R[2] non tamen] notam BEA non tam P 18 perfectionem] perfectiorem BEA 19 veritate] veritatem P nominis] nomine R

1 2 Cor 2,14 2 Ps 33,9 5 Ct 1,3 10 Is 61,1 Lc 4,18 14 Ct 1,3 15–17 *cf* 1 Rg 16,13 2 Mcc 1,10

15–17 GR-I Ps 8 *cf* TE ba 7,1

1 **15.** Sed at ubi *plenitudo divinitatis* secundum apostolum *in Christo completa est*, tunc exinanitum est nomen eorum regum, qui christi dicebantur, ne ulterius hoc vocabulo censerentur. Et verum permanet nomen Christi, quod ex vero unguento, id est 5 sancti spiritus plenitudine est effusum.

16 b. Verum quod alibi ait: UNGUENTUM EFFUSUM NOMEN TUUM, eo quod suavissima veri Christi nominis *gratia super omnes credentes diffusa est* et *bonum odorem notitiae suae* fidelibus cunctis *effunderit*, UNGUENTUM EFFUSUM est appellatum. Unde et 10 orationes sanctorum in Apocalypsin thymiamae sunt comparatae. Christi enim nomen apud Graecos de suavitate censetur.

1 in *om* B 2 completa] completum B P regum] regum *corr ex* regium *aut* regnum B[2] eorum regum] eorum et regnum A (*cf* R) 5 effusum + Exinanibit – exinanitum nomen tuum P (ω^2, § 16a) 6 effusum] diffusum A (*cf* R) 7 veri] viri B nominis] nomine B 10 Apocalypsin] apocalipsi B apolipsin P apocalipsin A 11 apud Graecos] aput greco sermone A

1 Col 2,9 6 Ct 1,3 7 Rm 5,5 Ps 44,3 8 2 Cor 2,14 10 *cf* Apc 5,8; 8,3.4

9/10 GR-I tr 1,30; tr 10,10.11 6–8 EUCH int 9 (54,3) 11 TE ap 3,5

1 **15.** Sed at ubi *plenitudo divinitatis* secundum apostolum *in Christo completa est*, tunc [exinanitum est nomen eorum regum, qui christi dicebantur, ne ulterius hoc vocabulo censerentur. Et verum permanet nomen Christi, quod ex vero unguento, id est 5 sancti spiritus plenitudine, est effusum] exinanivit et evacuavit adumbratum nomen eorum regum, qui christi imaginaliter dicebantur.

16. Denique ex quo hic verus Christus advenit, cuius *bonus odor mundo innotuit*, nemo ex eo rex vel sacerdos christus est ap- 10 pellatus, et ideo ait: UNGUENTUM EXINANITUM NOMEN TUUM. Verum quod alibi ait: UNGUENTUM EFFUSUM NOMEN TUUM, eo quod suavissima veri Christi nominis *gratia super omnes credentes diffusa est* et *bonum odorem notitiae suae* fidelibus cunctis *effunderit*, UNGUENTUM EFFUSUM est appellatum. Unde et oratio- 15 nes sanctorum in Apocalypsin thymiamae sunt comparatae. Christi enim nomen apud Graecos de suavitate censetur.

1 sed *om* R secundum apostolum] ut apostolus dicit R 2 completa] completum P exinanitum - diffusum est] *haec verba delenda esse puto in textu recensionis* ω[2], *cf* p. 148 regum] regnum *corr ex* regum R[2] (*cf* A) 3 ~ censerentur vocabulo BEA et verum permanet nomen Christi] nomen enim verum (*corr ex* vere) Christi R* permanet *add in mg* R[2] 5 est effusum] diffusum est R exinanivit et evacuavit - exinanitum nomen tuum (§ 16, *linea* 10) *om BEA, cf* p. 148 exinanivit] exinanibit P evacuavit] evacuabit P eva- *add in mg* R[2] 10 ait] agit P 11 quod alibi] *om* R* quod ali *add in mg* R[2] ... bi *corr ex* ? R[2] effusum] diffusum R 12 omnes *om* R 13 est et *om* R* *add* R[2] suae *om* R effunderit] effuderet R* *cf* p. 148 fidelibus cunctis - est appellatum *in rasura* R[2] 15 Apocalypsin] apolipsin P 16 nomen + *spatium litterarum 3* R censetur *corr ex* censentur ? R Christi enim nomen apud Graecos de suavitate censetur *om* BEA

1 Col 2,9 8 2 Cor 2,15 10/11 Ct 1,3 12 Rm 5,5 Ps 44,3 15 *cf* Apc 5,8; 8,3.4

14/15 GR-I tr 1,30; tr 10,10.11 11-13 EUCH int 9 (54,3) 16 TE ap 3,5

1 **17.** Et addidit: PROPTEREA ADOLESCENTULAE DILEXERUNT TE ET ADTRAXERUNT SE POST TE. Non putemus spiritum sanctum de adolescentulis feminis aut de turpi cupiditate fuisse locutum, sed ADOLESCENTULAE istae novellae sunt plebes, quas nuper Christus 5 de gentibus congregavit. Illae etenim rogant dominum dicentes: ADTRAHE NOS POST TE, id est ut Christi vestigia perfecta bona et iusta sequantur.

18. Ipsae etenim novellae plebes ex gentibus congregatae Christum incredibili cupiditate diligunt et sequuntur. Nam syn- 10 agogae plebes vetulae et stultae dicuntur, quia *secundum veterem hominem vivunt.*

20. Et addidit: INTRODUXIT inquit ME REX IN CUBICULUM SUUM. Hoc Ecclesia loquitur, quae regem Christum dei filium confite-

1 et addidit] et adiecit P (ω^2) 5 congregavit] congregabit A dominum] deum P 7 iusta] iustitiam A (*cf* R) 8 novellae *om* P plebes] plebe P 9 et] ac P 10 stultae] steriles A (*cf* R, *varia lectio in mg*) dicuntur + Vetulae inquam A (*cf* R) 11 vivunt + et Christum dei sapientiam – sequi deberet P (ω^2 § 19) 12 et addidit] unde inquiens addidit P inquit *om* P cubiculum suum] cubiculo suo P

1 Ct 1,3.4 10 Rm 6,6 12 Ct 1,4

1 **17.** Et adiecit: PROPTEREA ADOLESCENTULAE DILEXERUNT TE ET ADTRAXERUNT SE POST TE. Non putetis, dilectissimi fratres, spiritum sanctum de adolescentulis feminis aut de turpi cupiditate fuisse locutum, sed ADOLESCENTULAE istae novellae sunt plebes,
5 quas nuper Christus de gentibus congregavit. Illae etenim rogant dominum dicentes: ADTRAHE NOS POST TE, id est, ut Christi vestigia perfecta bona et iusta sequantur.

18. Istae etenim novellae plebes ex gentibus congregatae Christum incredibili cupiditate diligunt et sequuntur. Nam syn-
10 agogae plebes vetulae ac stultae dicuntur, quia *secundum veterem hominem vivunt* et *Christum, dei sapientiam, non receperunt.*

19. Denique cum primum Christus venisset in synagogam, tunc eum magis istae sequi et amare coeperunt quam populus Israel, unde mulier Canaanaea, quae imaginem Ecclesiae ex genti-
15 bus ostendebat, Christum fideliter sequebatur, et hoc est, quod ait: PROPTEREA ADOLESCENTULAE DILEXERUNT TE, TRAHE NOS POST TE, id est, ut amore Christi detenta Ecclesia semper iter praeceptorum sequi debeat.

20. Et adiecit: INTRODUXIT ME REX IN CUBICULUM SUUM. Hoc
20 Ecclesia loquitur, quae regem Christum dei filium confitetur.

1 § 17 *om* BEA adiecit] adicit R et adtraxerunt se] trahe me R, *cf* p. 148 2 putetis] putemus P putetis R* putemus *add* R^2 dilectissimi fratres *om* P 3 adolescentulis] adolescentibus R 5 congregavit] convocavit R etenim] enim R* etenim R^2 6 dominum] deum P adtrahe] trahe R* At ... *add in mg* R^2 7 perfecta] per acta R iusta] iustitiam R (*cf* A) 8 § 18 *om* BEA istae etenim] nemo alius quam ipsae adulescentulae id est R novellae *om* P novellae + ut dixi R 9 incredibili] credibili R 10 ac *om* R stultae] steriles *add in mg* R^2 (*cf* A) quia] vetulae inquam quia R 11 et] stultae autem quia R 12 § 19 *om* BEA 17 detenta] detempta P 18 debeat] deberet P 19 et adiecit] unde et sequitur BEA unde inquiens addidit P cubiculum] cubiculo P suum *om* R* *add in mg* R^2 suo P 20 quae *om* R* *add* R^2

1 Ct 1,3.4 10 Rm 6,6 11 *cf* Col 3,9 *cf* 1 Cor 1,24 14/15 *cf* Mt 15,22 19 Ct 1,4

1 tur. Sed quid est CUBICULUM, ubi Christus rex Ecclesiam reginam INTRODUXIT, nisi in caelestis regni secretum? Quis enim nesciat illic Christum *Ecclesiam suam, id est carnem suam*, introduxisse, unde sine carne descenderat, id est penetralia caeli? Carnem au-
5 tem Christi Ecclesiam esse Paulo apostolo auctore didicimus, qui dixit: *caro Christi, quod est Ecclesia.*

21. Denique subiungit: EXSULTEMUS inquit ET LAETEMUR IN EUM. Quae enim maior exsultatio aut laetitia esse potest, quam caelestis regni mysterium? Quam gratiam Ecclesia a Christo con-
10 sequitur, ubi spes omnis vitae et salutis nostrae est posita?

22. Et addidit: DILIGIMUS UBERA TUA SUPER VINUM. Diximus iam ubera domini evangeliorum esse doctrinam, unde nobis gratia doctrinae caelestis emulgitur, vinum autem prophetiam veterem, quod ad nuptias Christi et Ecclesiae defecisse rettulimus.
15 Denique ex eo prophetia cessavit, AEQUITAS inquit DILEXIT TE, id est *Christus ecclesiam.*

23. Et addidit: FUSCA SUM inquit ET DECORA, FILIA IHERUSALEM. Mirari me fateor, quemadmodum et FUSCAM et DECORAM hoc in

1 quid] qui B 2 nesciat] sciat P 3 illic] illuc P suam *prim om* P carnem] carne P 5 Paulo *om* A ? *aut* ~apostolo paulo? *non legi potest* 9 quam] quem cum P Christo + sponsa A (*cf* R: a sponso Christo) consequitur] sequitur B 12 iam + de B P gratia] gratie P 14 defecisse] dedisse ? A rettulimus] retulimus P 15 ex eo] ex hoc ? A cessavit] cessabit P A aequitas] equitas P 17 et addidit] et adiecit P (ω²) 18 fuscam et decoram] fusca et decora P

3 Eph 1,22.23 6 Col 1,24 7 Ct 1,4 10 *cf* Ps 72,28 Tit 1,2; 3,7 1 Pt 1,20 11 Ct 1,4 13/14 *cf* Jo 2,3 15 Ct 1,4 16 Eph 5,29 17 Ct 1,5

2–4 NO tri 13,5 10 GR-I tr 3,1

1 Sed quid est CUBICULUM, ubi Christus rex Ecclesiam reginam INTRODUXIT, nisi in caelestis regni secretum? Quis enim nesciat illuc Christum *Ecclesiam suam, id est carnem suam*, introduxisse, unde sine carne descenderat, id est in aditum caelorum? Carnem 5 autem Christi Ecclesiam esse Paulo apostolo auctore didicimus, qui dixit: *caro Christi, quod est Ecclesia.*

21. Denique subiungit: EXSULTEMUS inquit ET LAETEMUR IN EUM. Quae enim maior exsultatio aut laetitia esse potest, quam cum caelestis regni mysterii gratiam Ecclesia a Christo consequi- 10 tur, ubi spes omnis vitae et salutis nostrae est posita?

22. Haec sunt propter quae DILIGIMUS UBERA TUA SUPER VINUM. Diximus iam ubera domini evangeliorum esse doctrinam, unde nobis gratia doctrinae caelestis emulgitur, vinum autem prophetiam veterem, quod ad nuptias Christi et Ecclesiae defe- 15 cisse rettulimus. Denique ex eo prophetia cessavit, AEQUITAS inquit DILEXIT TE, id est *Christus Ecclesiam.*

23. Et adiecit: FUSCA SUM inquit ET DECORA, FILIA IHERUSALEM. Mirari me fateor, quemadmodum et FUSCAM et DECORAM hoc in

1 quid *om* BEA 2 nesciat] sciat P 3 suam + detulisse R id est carnem suam - descenderat *om* R* *add supra lineam et in mg* R^2 4 in aditum] de abdita BEA penetralia P (ω^1) caelorum] caeli P (ω^1) 5 ecclesiam] ecclesia BEA Paulo *om* R 6 dixit] dicit BEA 7 *abhinc desinit* BEA inquit *om* R 8 eum] ea ? eo ? R 9 cum *om* P mysterii] misterium quem cum P (*cf* ω^1) ecclesia + a spon⟨so⟩ *add in mg* R^2 (*cf* A) 10 et] ac R 11 haec sunt propter quae] et addidit P (ω^2) 12 iam + de P 13 gratia] gratię P ~caelestis gratia R doctrinae *om* R* *add in mg* R^2 emulgitur] mulgetur R 14 veterem *om* R* *add in mg* R^2 15 cessavit] cessabit P aequitas] equitas P equitus ? R 17 filia] o filiae R 18 et fuscam et decoram] et fusca et decora P fuscam + se R

3 Eph 1,22.23 6 Col 1,24 7 Ct 1,4 10 *cf* Ps 72,28 Tit 1,2; 3,7 1 Pt 1,20 11 Ct 1,4 13/14 *cf* Jo 2,3 15 Ct 1,4 16 Eph 5,29 17 Ct 1,5

2-4 NO tri 13,5 10 GR-I tr 3,1

1 loco se testetur Ecclesia, cum DECORA esse non possit, quae FUSCA est. Aut quomodo fusca, si decora, vel quomodo decora, si fusca? Sed attendite, quanta altitudine sensus loquatur spiritus sanctus.

5 **24.** Fusca itaque se dicebat Ecclesia propter eos, qui erant ex gentibus credituri. Erat quippe taetro idolatriae fumo et sacrificiorum busto fuscata, sed decora facta est per fidem Christi et sanctitatem spiritus, quem accepit. Denique tunc erat FUSCA inquit, cum EAM DESPEXERAT SOL.

10 **25.** NOLITE inquit ASPICERE ME, QUONIAM NON EST INTUITUS ME SOL. SOLEM autem Christum esse probat Malachiel propheta, cum dicit: *vobis, qui timetis dominum, orietur sol iustitiae, quod est Christus.* Ante adventum enim filii dei fusca erat, quia necdum in ipso crediderat. Sed cum a sole vero Christo est inlustrata, facta

15 est *decora nimis atque formosa*, cui dicit spiritus sanctus per David *quoniam concupivit rex speciem tuam.*

1 testetur] testatur P A 3 sensus *om* P loquatur] loquitur P 5 fusca] fuscam A itaque] ita A 6 erat] erant B P 7 fuscata] focata A 8 fusca] fuscata B 10 nolite] et nolite A me sol *add* B[2] ? 11 Malachiel] malaXchias A (*cf* R *in mg*) 14 vero *om* P inlustrata] inlustratam ? B 15 formosa *corr ex* forma P[2] sanctus *om* A

8 *cf* Rm 8,15 9 Ct 1,6 10 Ct 1,6 12 Mal 4,2 14 *cf* Eph 5,14 Ps 44,12

2/3 EUCH inst 1 (105,7)

1 loco se testetur Ecclesia, cum DECORA esse non possit, quae FUSCA est. Aut quomodo fusca, si decora vel quomodo decora, si fusca? Sed attendite mysterium verbi et videte, quanta altitudine sensus loquatur spiritus sanctus.

5 **24.** Fusca itaque se dicebat Ecclesia propter eos, qui erant ex gentibus credituri. Erat quippe taetro idolatriae fumo et sacrificiorum busto fuscata, sed decora facta est per fidem Christi et sanctitatem spiritus, quem accepit. Denique tunc est FUSCA, cum EAM DESPEXERAT SOL.

10 **25.** NOLITE inquit ASPICERE ME, QUONIAM NON EST INTUITUS ME SOL. SOLEM Christum esse probat Malachiel propheta, cum dicit: *vobis, qui timetis dominum, orietur sol iustitiae, quod est Christus.* Ante adventum enim filii dei fusca erat, ut saepe dixi, ex gentibus Ecclesia, quia necdum in ipso crediderat. Sed cum a sole vero 15 Christo est inlustrata, facta est *decora nimis atque formosa*, cui dicit spiritus sanctus per David: *quoniam concupivit rex speciem tuam.*

1 se testetur] se testatur P contestetur R* se testatur ecclesia *add in mg* R² 3 mysterium verbi et videte *om* P (ω¹) 4 loquatur] loquitur P 5 fusca] fuscam R itaque] utique R* itaque *add* R² erant ex gentibus credituri] ex gentibus credituri erant R 6 erat (ω¹)] erant P *om* R quippe] quique R 7 fuscata] infuscati videbantur R 8 sanctitatem spiritus] ... te sp̄s *add* R² denique tunc est fusca] denique et tunc eram inquit fusca R cum eam despexerat sol] quoniam nondum me intuitus fuerat sol R (*ex* § 25 ?) aliter Quia me despexerit sol *add in mg* R² 11 solem + autem P esse *om* R Malachiel] Ezechiel R Malachias *add in mg* R² (*cf* A) 13 ut saepe dixi ex gentibus ecclesia *om* P (ω¹) 14 vero *om* P 15 formosa] forma P* formosa P² cui dicit] adeo ut diceret ei R

8 *cf* Rm 8,15 9 Ct 1,6 10 Ct 1,6 12 Mal 4,2 14/15 *cf* Eph 5,14 Ps 44,12

2/3 EUCH inst 1 (105,7)

1 **26.** Iam enim aqua baptismatis lota est, iam *ab omni macula vel ruga purgata*, iam Christi sanguine rubicunda, iam sancti spiritus inlustratione composita.

27 b. Sed quia repetit: FUSCA SICUT TABERNACULA CEDAR, SICUT
5 PELLIS SALOMONIS, causas harum comparationum requirere debemus.

28. CEDAR enim ex Hebraeo in Latinum tenebricosum interpretatur. Denique et apud Cedar civitatem gentilium tunc idolatria fervebat, qua nihil est taetrius. Unde dominus per Iheremiam
10 prophetam populum Israel obiurgans dicebat, quod se dereliquissent et manu facta simulacra gentium adorarent: *ite* inquit *in Cedar et in Cettim mittite et videte, si facta sunt talia, si mutaverunt gentes deos suos. Et isti* inquit *non sunt dii, populus autem meus*

2 iam Christi sanguine rubicunda *om* B P ~ spiritus sancti A 3 composita + iam chrismatum donis - sanctitatem P (ω^2 § 27a) 4 fusca + sum P 5 requirere] inquirere P 7 tenebricosum] tenebrosum P A 9 qua] qui A quia P (ω^2) taetrius] tercius B taetrius + quam servire daemonibus P (ω^2) unde + et P 10 Israel *om* P dicebat *om* P se *om* P dereliquissent] deliquissent P 11 adorarent] adorant ? A 12 Cettim] cettin B cethim P cetthim A

1/2 *cf* Eph 5,27 4 Ct 1,5 11 Jr 2,10.11

7/8 HI nom 63,6; 119,13; 130,5 (CC 72)

1 **26.** Iam enim aqua baptismatis lota est, iam *ab omni macula vel ruga purgata*, iam Christi sanguine rubicunda, - sicut apostolus ait: *ut exhibeat sibi Ecclesiam non habentem maculam vel rugam*, hoc est nullam maculam delicti, nullam rugam perversae doctri-
5 nae -, iam sancti spiritus inlustratione composita, iam ch⟨a⟩rismatum donis ornata.

27. Proinde manifestum nobis esse debet, hac de causa fuscam se dixisse, vel propter vitia gentilitatis vel propter veteris hominis delicta, ex cuius origine censebatur, formosam autem propter ad-
10 sumptionem dei et fidei sanctitatem. Sed quia repetit: FUSCA SUM SICUT TABERNACULA CEDAR, SICUT PELLIS SALOMONIS, ideo causas harum comparationum requirere et disserere debemus, quid TABERNACULUM CEDAR, quid PELLIS SALOMONIS indicet.

28. CEDAR enim ex Hebraeo in Latinum sermonem tenebrico-
15 sum interpretatur. Denique et apud Cedar civitatem gentilium tunc idolatria fervebat, qua nihil est taetrius. Unde dominus per Iheremiam prophetam populum ⟨Israel⟩ obiurgans, quod ⟨se⟩ dereliquissent et manu facta simulacra gentium adorarent, *ite* inquit *in Cedar et in Cettim mittite et videte, si facta sunt talia, si mu-*
20 *taverunt gentes deos suos. Et isti* inquit *non sunt dii, populus autem*

1 iam] et R* iam ? *add* R² 2 sicut apostolus - perversae doctrinae *om* P (ω¹) iam Christi sanguine rubicunda *om* P (*cf* B) 4 nullam rugam] nulla ruga R 6 ch⟨a⟩rismatum] chrismatum R P 7 hac] ac P* hac P² fuscam] fusca P 9 censebatur] censebantur P formosam] formosa P 10 sanctitatem] sanctitate R 11 tabernacula] tabernaculum R ideo *om* P 12 requirere] inquirere P et disserere *om* P (ω¹) quid tabernaculum - indicet *om* P 14 Hebraeo] ebraeo R* hebraeo R² in *om* R* *add* R² sermonem *om* P (ω¹) tenebricosum] tenebrosum P(ν¹) 16 unde + et P 17 Israel *om* P R* *add* R² (*cf* ω¹) obiurgans] obiurgas P ⟨se⟩ *om* P R *sed cf* ω¹ 18 dereliquissent] deliquissent P 19 Cettim] cethim P

1-3 *cf* Eph 5,27 8 *cf* Rm 5,18 Eph 4,22 10 Ct 1,5 18 Jr 2,10.11

14/15 HI nom 63,6; 119,13; 130,5 (CC 72)

1 *mutavit gloriam suam.* FUSCA itaque SICUT TABERNACULA CEDAR, id est sicut gentilium congregatio.

29. Sed et SICUT PELLIS inquit SALOMONIS. PELLEM SALOMONIS carnem ipsius dicit Salomonis, quae taetro veteris hominis trans-
5 gressionis vitio fuscabatur. Nam idola gentium, Astarten et Camos, sed et lucos idolis fabricavit. Amavit quippe mulieres Moabitidas et Amanitidas, quas secutus a priscae legis conversatione declinavit. Fuscam itaque se dicit propter transgressionem Adae et peccata parentum, sed et decoram propter conversationem
10 Christi, quam habet in fide et sanctitate.

1 mutavit] mutabit A inmutavit P suam + parvam rationem – exemplum posuit dicens P (ω^2) fusca + sum P itaque *om* P tabernacula] tabernaculum A 2 id est *om* P gentilium] gentium P 3 pellem Salomonis *om* B Salomonis *om* P 4 hominis + lubrido P (ω^2) 5 ~ vitio transgressionis A fuscabatur] fuscabantur B nam idola – mulieres] quod ipse Salomon – amator fuit mulierum P (ω^2) Astarten] astarter B Camos] curios B 6 lucos] locos B 7 secutus + est A 8 declinavit *om* B (*spatium litterarum 23*) fuscam] fusca A 9 decoram] decora A conversationem] conversionem B A ? 10 fide et sanctitate] fidem et sanctitatem A

3 Ct 1,5 5–8 *cf* 3 Rg 11,1-7

3–8 Comm anon fol 3R

1 *meus immutavit gloriam suam pro parva ratione*: ⟨Hoc⟩ in loco propheticus ⟨spiritus⟩ ex voce Ecclesiae, quae ex gentibus congregandae erant, exemplum posuit dicens: FUSCA SUM SICUT TABERNACULA CEDAR, sicuti gentium congregatio.

5 **29.** Sed et SICUT PELLIS inquit SALOMONIS. PELLEM SALOMONIS carnem ipsius dicit Salomonis, quae veteris hominis lurido transgressionis vitio fuscabatur, quod ipse Salomon idola gentium, Astarten et Camos, sed et lucos idolorum Sidoniorum et cetera simulacra coluerit vel quod amator fuerit mulierum, id est, ab ea-
10 rum carne revelli non poterat, – quoniam necdum fuisset adsumpta –, et quia generalem summam humani corporis dominus in semet ipso suscepit, unde et apostolus *peccatum* inquit *pro nobis factus est*, id est *carnem hominis peccatoris* induendo, quam *carnem Ecclesiam esse* apostolus definivit, *cuius nos membra su-*
15 *mus*. Ideo et TABERNACULUM CEDAR, id est vitium gentilitatis,

1 pro parva ratione] parvam rationem P ⟨hoc⟩] et P R 2 propheticus ⟨spiritus⟩] propheticus Christus R P, *cf* 2,34 3 tabernacula] tabernaculum R 4 cedar + id est *add* R[2] (*cf* ω[1]) 5 et *om* R pellis] pelles *corr ex* pellis R[2] 6 quae veteris hominis lurido transgressionis vitio] que tetro veteris hominis lubrido transgressionis vitio P 7 quod ipse] *hic iniungenda esse verba sequentia indicat* R[2]: nam idola gentium astarten et camos sed et lucos ydolis fabricavit amavit quippe mulieres XXXXas et ammonitidas quas secutus est a prisce legis conversatione declinavit. Fuscam itaque se dicit XXXXX transgressionem ade et peccata parentum Sed et decoram propter conversationem qua sanctificatur in Christi fide. Nam et pelles quibus tabernaculum tegebatur rubicund propter passionem sanguinis Christi et iacintinae propter operum sanctitatem, *cf* p. 148 8 Astarten et] instar tenet P astar tenet R* astartenet R[2] sed *om* R 9 coluerit] coluerat P id est – dicebat offuscatam (191,2)] moabitidas et ammonitidas quas secutus a prisce legis conversatione declinavit Fuscam itaque se dicit P (ω[1]), *cf* p. 148 13 induendo] inducendo R

5 Ct 1,5 7–10 *cf* 3 Rg 11,1-7 12 2 Cor 5,21 13 Rm 8,3 14 Eph 5,30 Col 1,24

5–10 Comm anon fol 3R

1 **30.** Denique in templo Salomonis rubicundae et iacintinae pelles erant, unde tabernaculum tegebatur, rubicundae propter passionem sanguinis Christi, iacintinae propter operum sanctitatem.

5 **31.** Haec est ergo *Ecclesia caro Christi*, per quam nos omnes credentes in Christo velut membra corporis eius a delicto priscae conversationis purgati ornamentum decoris et speciem dignitatis accepimus per Iesum Christum, qui est benedictus in saecula saeculorum.

EXPLICIT LIBER PRIMUS

1 denique – erant *om* B 2 unde + et P 3 iacintinae] et iacintinae A operum sanctitatem] conversionem B (*ex* § 29 ?) firmitatem et splendorem virginee sanctitatis P (ω²) 5 haec – saecula saeculorum *om* B (*spatium linearum 10*) ~ ergo est A 7 conversationis] conversionis legis ? A 8 accepimus + sed iam sufficit – omnipotenti gratias P (ω²) Christum + dominum nostrum P EXPLICIT LIBER PRIMUS B P A

1/2 *cf* 2 Par 3,14 Ex 25,5; 26,14 Nm 4,6-25 5/6 Eph 5,30 Col 1,24 1 Cor 12,27

1 PELLEM SALOMONIS, id est veteris hominis conversationem, ex consortio eiusdem carnis esse dicebat offuscatam propter transgressionem Adae et peccata parentum, sed et decoram nimis propter conversationem Christi, quam habet in fide et sanctitate.
5 **30.** Denique in templo Salomonis rubicundae et iacintinae pelles erant, unde et tabernaculum tegebatur, rubicundae propter passionem sanguinis, iacintinae vero propter firmitatem et splendorem virgineae sanctitatis.

31. Haec est ergo *Ecclesia caro Christi*, per quam nos omnes
10 credentes in Christo velut membra corporis eius a delicto priscae conversationis purgati ornamentum decoris et speciem dignitatis accepimus. Sed iam sufficit modo istis capitulis disseruisse. Reliquum quod sequitur favente dei numine et clementia eius caritati vestrae disserere non tardabo, deo itaque patri omnipotenti
15 gratias agentes per dominum nostrum Iesum Christum.

EXPLICIT LIBER PRIMUS

3 et *om* R nimis *om* P (ω[1]) 4 et *om* P 6 tegebatur] tegebantur R 7 vero *om* P 12 sufficit] sufficiat R istis] de istis R 13 quod] quid P numine] nomine P eius *om* P caritati vestrae] caritate vestre P 14 tardabo] se dardare P 15 agentes *om* P ~ per Iesum Christum dominum nostrum P nostrum + qui est benedictus in saecula saeculorum P (ω[1])
EXPLICIT LIBER PRIMUS P *om* R

3 *cf* Gn 3 Ps 44,3 5 *cf* 2 Par 3,14 Ex 25,5; 26,14 Nm 4,6-25 9/10 Eph 5,30 Col 1,24 1 Cor 12,27

INCIPIT LIBER SECUNDUS

(Recensio ω^1)

1 **1.** FILII MATRIS MEAE OPPUGNAVERUNT ADVERSUM ME, POSUERUNT ME CUSTODEM IN VINEIS, VINEAM MEAM NON CUSTODIVI. Quae est haec MATER Ecclesiae, cuius filii OPPUGNAVERUNT eam? Matrem utique suam secundum carnem synagogam dicit, quae
5 antiquior est in lege. Exinde ergo dei filius carnem hominis induit, quam Ecclesiam dicit apostolus.

2. FILII ergo MATRIS populi sunt synagogae, qui Ecclesiam dei in multis temptationibus persecuti sunt, primum, quod ipsam carnem domini crucifixerunt, deinde, quod omnes credentes in
10 eo variis pressurarum generibus adflixerunt. Unde et Saulus persecutor ecclesiarum fuerat destinatus.

3. Et addidit: POSUERUNT ME CUSTODEM IN VINEIS, VINEAM MEAM NON CUSTODIVI. Quae est haec VINEA, quam NON CUSTODIVIT, nisi domum populi Israelis? Vineam autem populum esse

INCIPIT LIBER SECUNDUS B A P
1 posuerunt - custodivi *om* P matris + *spatium litterarum 6* A me + *spatium linearum 4* B, *cf* p. 153 2 custodivi] custodivit B 3 quae est - in lege *om* B oppugnaverunt] pugnaberunt A 4 suam + *spatium litterarum 7* A 5 exinde] et exinde A filius + *spatium litterarum 4* B, *cf* p. 153 7 filii] fili B qui ecclesiam] quia ex ecclesia A 8 in *om* A quod] quidem A 9 domini *om* P 10 pressurarum] penarum P A Saulus] paulus B salus P* saulus P^2 12 addidit] addedit A adiecit P (ω^2) 13 quae] quid A quam] que P 14 domum] domus P populi *om* P Israel *corr ex* Israelis P^2

1 Ct 1,6 5 *cf* Rm 8,3 7/8 *cf* Act 20,19 *cf* 1 Pt 4,1 10/11 *cf* Gal 1,13 12 Ct 1,6

4 GR-I tr 7,20 7/8 GR-I tr 5,18; 9/10 tr 6,9.10

INCIPIT LIBER SECUNDUS

(Recensio ω²)

1 **1.** FILII MATRIS MEAE OPPUGNAVERUNT ADVERSUM ME, POSUERUNT ME CUSTODEM IN VINEIS, VINEAM MEAM NON CUSTODIVI. Quae est haec MATER Ecclesiae, cuius filii OPPUGNAVERUNT eam? Matrem utique suam secundum carnem synagogam dicit, quae 5 antiquior est in lege. Exinde ergo dei filius carnem hominis induit, quam Ecclesiam dicit apostolus, et quia dixit: *non tu radicem portas sed radix te*, per hoc matrem suam secundum carnem synagogam appellat.

2. FILII ergo MATRIS populi sunt synagogae, qui Ecclesiam dei 10 in multis temptationibus persecuti sunt, primum, quod ipsam carnem domini crucifixerunt, deinde, quod omnes credentes in eo variis poenarum generibus adflixerunt. Unde beatus Paulus, dum adhuc Saulus diceretur, persecutor ecclesiarum fuerit destinatus. Ideo ait: FILII MATRIS MEAE PUGNAVERUNT ADVERSUM ME.

15 **3.** Et adiecit: POSUERUNT ME CUSTODEM IN VINEIS, VINEAM MEAM NON CUSTODIVI. Quae est haec VINEA, quam NON CUSTODIVIT, nisi domus Israelis? VINEAM autem populum esse probat

INCIPIT LIBER SECUNDUS P *om* R
1 oppugnaverunt] pugnaverunt P posuerunt me custodem – custodivi *om* P 5 exinde ergo] et exinde R (*cf* et exinde ergo A) 6 ecclesiam + esse P et quia dixit – appellat *om* P (ω¹) 9 matris + suae R 10 multis + malis et R quod ipsam carnem] quidem quod ipsi carnem R (*cf* quidem ipsam carnem A) 11 domini *om* P deinde] inde P 12 variis + tentationibus et R unde beatus Paulus dum adhuc Saulus diceretur] unde et salus P* unde et Saulus P² (*cf* ω¹) 16 quam] que P

1 Ct 1,6 5 *cf* Rm 8,3 6 Rm 11,18 9/10 *cf* Act 20,19 *cf* 1 Pt 4,1 13 *cf* Gal 1,13 15 Ct 1,6

4 GR-I tr 7,20 9/10 GR-I tr 5,18; 11/12 tr 6,9.10

1 probat Esayas, cum dicit: *vinea* enim inquit *domini Sabaoth domus Israel est*, et David: *vineam ex Aegypto transtulisti*, et utique populum, non vineam transtulerat. Hanc vineam populi Israelis non custodivit Ecclesia.

5 **4.** Hanc derelictam apostolus Paulus vineam de persecutore apostolus meruit fieri, nolens legalem observantiae custodire circumcisionem carnis, neomeniae et sabbatorum dies festos et cetera, quae in lege inveniuntur esse praecepta, sed mandata Christi maluit custodire.

10 **5.** Et addidit: Ubi pascis ubi cubas in meridie? Hoc Ecclesia loquitur et velut ignorans ab eo requirit. Nulli quidem dubium meridianum Aegyptum et partes Africae esse et quia illic infantia Christi delituit, quando eum Herodes quaerebat occidere, sicut

1 Esayas *non legi potest* A enim *om* A 3 populum + *spatium litterarum 28* B, *cf* p. 153 transtulerat + *spatium litterarum 18* B, *cf* p. 153 hanc] *om* B sed hanc P Isrl̄is + *spatium litterarum 24* B, *cf* p. 153 4 non *om* B non custodivit] noluit custore P (*cf* ω²) ecclesias + *spatium litterarum* 14 B, *cf* p. 153 5 hanc de ... *om* B derelictam] relicta B (hanc derelictam ... vineam: *Acc. abs.*) Paulus + *spatium litterarum 20* B, *cf* p. 153 6 apostolum + *spatium litterarum 18* B, *cf* p. 153 meruit *om* B observantiae] observationem P 7 neomeniae] neuminie B 8 lege] legem P 10 addidit + Adnuntia michi quem dilexit anima mea P pascis] pacis P hoc + quidem P 11 loquitur + sed quia velut ignorans requirebat quasi ipsa nesciret P (ω²) dubium + est P 12 affrice + *litterae erasae 2* P et] ut P esse et quia illic infantia Christi delituit *om* B 13 Christi delituit] delituit salbatoris A Herodes *om* B

1 Is 5,7 2 Ps 79,9 6-9 *cf* Phil 3,9 *cf* Col 2,16 Is 1,13.14 10 Ct 1,7

1-4 GR-I tr 11,18.19; tr 13,29 EUCH int 3 (16,7) IS Jdc 6,8 5-9 Comm anon fol 3V ? 10-196,11 Comm anon fol 4R

1 Esayas, cum dicit: *vinea* inquit *domini Sabaoth domus Israel est*, et David: *vineam ex Aegypto transtulisti, eiecisti gentes et plantasti eam*. Et utique populum, non vineam transtulit. Sed hanc vineam populi Israelis noluit custodire Ecclesia.

5 **4.** Beatus apostolus Paulus relicta hac vinea populi Israelis, quam custodiendam acceperat, de persecutore apostolus esse meruit, quia *noluit iustitiam*, ut ipse dicit, *quae ex lege est, facere, sed maluit eam, quae ex fide est, adimplere*, id est noluit legalem munificentiam observare, circumcisionem carnis, observantias 10 escarum, sabbati curam, neomenias et dies festos purificationis et cetera, quae in lege Moysi inveniuntur esse praecepta. Haec ergo omnia, quae in vinea populi deputantur, noluit servare et ideo dicit: FILII MATRIS MEAE, id est synagogae populi, OPPUGNAVERUNT ME, quia relicta vinea Israel praecepta Christi maluit cus- 15 todire.

5. Et adiecit: UBI PASCIS, UBI MANES IN MERIDIANO? Hoc quidem Ecclesia loquitur, sed [quia velut ignorans] ab eo requirebat, quasi ipsa nesciret. Nulli quidem dubium est meridianum Aegyptum et partes Africae esse et quia illic infantia Christi delituit,

1 Esayas] Isaias + propheta R vinea + enim P (ω^1) ~ est Israel R 2 eiecisti gentes et plantasti eam *om* P (ω^1) 3 transtulit] transtulerat P (ω^1) 4 populi Israelis] populus Israel R, *cf* p. 148 custodire] custore P ecclesia] equidem R 5 Beatus apostolus - maluit custodire] *textum recensionis* ω^1 *praebet* P 16 adiecit] addidit + Adnuntia mihi quem dilexit anima mea P (ω^1) pascis] pacis P manes in meridiano] cubas in meridie P (ω^1) 17 [quia velut ignorans] *haec verba delenda esse puto, cf* p. 149 19 affrice + *litterae 2 erasae* P et] ut P

1 Is 5,7 2 Ps 79,9 7/8 *cf* Phil 3,9 10 *cf* Col 2,16 Is 1,13.14 16 Ct 1,7

1-4 GR-I tr 11,18.19; tr 13,29 EUCH int 3 (16,7) IS Jdc 6,8 5 sqq Comm anon fol 3V ? 16-197,12 Comm anon fol 4R

1 in evangelio scriptum est, quod *angelus domini dixit ad Ioseph: tolle infantem et matrem eius Mariam et fuge in Aegyptum, ut impleretur, quod scriptum est: ex Aegypto vocabo filium meum*, et alibi: *deus ex Aegypto veniet*, et ideo hoc in loco spiritus dixerit: UBI
5 PASCIS, UBI CUBAS IN MERIDIE?

6. Sed hoc iuxta simplicem historiam dici potest, ceterum, quantum ad spiritalem sensum pertinet, meridianum ipsum Christi corpus accipimus, quia meridianum prope finem est, non in fine, ita et prope finem saeculi salvator induit corpus. Quam-
10 quam ergo in meridiano sit temperatus aer, tamen plus illic aestus quam frigus incumbit, sic etiam in carne Christi, licet sit permixta dei et hominis substantia et quasi meridiani climatis temperamentum, praestat tamen calor spiritalis plus quam carnalis fragilitas, merito meridianum nuncupatur.

15 **7.** Cum ergo dicit: ADNUNTIA MIHI, QUEM DILEXIT ANIMA MEA, UBI PASCIS, UBI CUBAS IN MERIDIE, adnuntiationem divinae mode-

3 ex] ab P ex Aegypto] ab africo ex egypto A vocabo] vocabi *corr ex* vocabo A² 6 hoc *om* P 7 ipsum] *om* B ipsut P 8 quia] primum quod P (ω²) 9 finem] fine P saeculi] mundi P quamquam ergo in meridiano] deinde quod in meridiana parte quamquam sit P (*cf* ω²) 10 aer tamen *legi non potest in* A plus *om* B 11 frigus incumbit *non legi potest in* A etiam + ex + XXXXX A 13 praestat] praestet ? A prestat. Tamen B plus + illic est A 14 fragilitas + operatur. Ac proinde dei et hominis in eadem ut dixi carne temperamentum est, quod prope saeculi fine susceptum est meridianum spiritali nuncupatur P (*cf* ω²) merito + iamque ? A 15 dilexit] dixit B 16 pascis] pacis P adnuntiationem] adnunciatione B P moderationis + Christi A

1 *cf* Mt 2,13-16 2/3 Mt 2,15 Os 11,1 4 Hab 3,3 15 Ct 1,7

11/12 NO tri 24,10

1 quando eum Herodes quaerebat occidere, sicut in evangelio scriptum est, quod *angelus domini dixit ad Ioseph, ut tollere[n]t infantem et Mariam, matrem domini, et in Aegyptum secederent, ut impleretur quod scriptum est: ex Aegypto vocabo filium meum*, et
5 alibi: *deus ex Aegypto veniet*, et ideo hoc in loco spiritus sanctus dixerit: UBI PASCIS, UBI MANES IN MERIDIANO.

6. Sed hoc iuxta simplicem historiam dici potest, ceterum, quantum ad spiritalem sensum pertinet, meridianum ipsum Christi corpus accipimus, primum quod meridianum prope fi-
10 nem est, non in fine, ita et prope finem saeculi salvator induit corpus, deinde, quod in meridiana parte, quamquam sit temperatus aer, tamen plus illic aestus quam frigus incumbit, sic etiam in carne Christi, licet sit permixta dei et hominis substantia et quasi meridiani climatis temperamentum, praestat tamen plus calor
15 spiritalis, quam carnalis fragilitas operatur, ac proinde dei et hominis in eadem, ut dixi, carne temperamentum est. Quod prope saeculi finem susceptum est, meridianum spiritaliter nuncupatur.

7. Cum ergo dicit: ADNUNTIA MIHI, QUEM DILEXIT ANIMA MEA,
20 UBI PASCIS, UBI MANES IN MERIDIANO, adnuntiationem evangeli-

2 ut tollere[n]t infantem et ad Mariam matrem domini] *ordinem verborum hoc in modo restituendeum esse puto, cf* p. 149 et ad Mariam matrem domini ut tollerent R *textum recensionis* ω[1] *praebet* P 4 ex] ab R (*cf* ab africo ex egypto A) vocabo] vocavi R 6 pascis] pacis P* pascis P[2] manes] cubas *add* R[2] cubas P (ω[1]) in meridiano] in meridie P (ω[1]) 7 hoc *om* P 8 ipsum] ipsut P 10 ita] sic R finem] fine P saeculi] mundi P 12 etiam] et R 14 temperamentum + spiritalis gratia R, *cf* p. 149 praestat] praestet R (*cf* A) 15 ac] et R 17 finem] fine P spiritaliter] spiritali *in rasura* P[2] 19 ergo + haec R 20 pascis] pacis P manes in meridiano] cubas in meridie P (ω[1]) adnuntiationem] annuntiatione P evangelicae] divinae P *add* R[2] (ω[1])

1–3 *cf* Mt 2,13-16 4 Mt 2,15 Os 11,1 5 Hab 3,3 19 Ct 1,7

13 NO tri 24,10

1 rationis et praedicationem nominis Christi per apostolos requirebat, mansionem quoque corporis ipsius ad pastum verbi caelestis quasi meridianum pro temperamento dei et hominis nominabat. Ipse est enim mediator dei et hominum, qui et deum homini in 5 gratiam revocavit et hominem deo, quem transgressionis vitio offenderat, in sua carne coniunxit.

10. Et addidit: NE FORTE EFFICIAR CIRCUMAMICTA TAMQUAM SUPER GREGES SODALIUM TUORUM. SODALES hoc in loco Christi apostolos dicit, sicut ipse dominus ait: *iam vos non dico servos,* 10 *sed amicos* et iterum: *vos amici mei estis, si feceritis ea, quae mando vobis.* Hi sunt ergo sodales, apostoli, qui pari passionum

1 praedicationem] praedicationis P nominis] hominum A Christi *om* A requirebat] requiret A 2 mansionem] passionem A 3 temperamento] temperamentum B nominabat] nominavit B 4 deum + ut (*del*) P 5 revocavit] revocabit A hominem deo] hominem et deum A 6 offenderat] ostenderat B P 7 addidit] addedit B adiecit P (ω^2) 8 in *om* B A 9 vos non dico] non vos dico A non dico vos P (ω^2) 10 amici] a michi ? A ea *om* B 11 mando] *aliter* ω^2, *fortasse recte, cf* p. 94–99

4 *cf* 1 Tim 2,5 7 Ct 1,7 9 Jo 15,15 10 Jo 15,14

4 GR-I tr 17,24 11–200,1 GR-I arc 17; tr 2,24 Comm anon fol 4R

1 cae moderationis et praedicationem nominis Christi per apostolos requirebat, mansionem quoque corporis ipsius ad pastum verbi caelestis quasi meridianum pro temperamento dei et hominis nominabat. Ipse est enim mediator dei et hominum, qui et
5 deum homini in gratiam revocavit et hominem deo, quem transgressionis vitio offenderat, in sua carne coniunxit.

8. [Et adiecit: NE FORTE EFFICIAR CIRCUMAMICTA TAMQUAM SUPER GREGES SODALIUM TUORUM.] *O altitudo sapientiae et scientiae dei, quam investigabiles viae eius, qui vocat ea, quae non sunt, tam-*
10 *quam ea, quae sunt*, ac tali allegoria verborum ea, quae necdum erant, iam tunc praescius nuntiabat, et quae suis quibusque temporibus complenda erant, per typos et imagines indicabat!

9. ADNUNTIA MIHI, QUEM DILEXIT ANIMA MEA, hoc utique Christo dicebat Ecclesia, UBI PASCIS, UBI MANES IN MERIDIANO, id est in
15 evangelii tui temperamento et rationem et definitionem totamque veritatem ostende mihi.

10. ⟨Et adiecit⟩: NE FORTE EFFICIAR ⟨CIRCUMAMICTA⟩ TAMQUAM SUPER GREGES SODALIUM TUORUM. SODALES hoc in loco Christi apostolos dicit, sicut ipse dominus apostolos suos allo-
20 quitur dicens: *iam non dico vos servos, sed amicos* et iterum: *amici mei estis, si feceritis ea, quae dico vobis*. Hi sunt ergo sodales, apos-

1 praedicationem] praedicationis R 2 mansionem] passionem *add* R², (*cf* A) 5 deum homini] deum et hominem R deum ut (*del*) homini P 6 offenderat] ostenderat P (*cf* B) 7 [et adiecit – sodalium tuorum] *haec verba delenda esse puto, cf* p. 149 9 ea *om* P 10 ac tali] actuali R partuali P 11 quibusque] quibus P 15 temperamento] temperamenti R rationem et definitionem totamque] ratione et definitione notam R 17 ⟨et adiecit⟩] *haec verba hoc in loco iniungenda puto, cf* p. 149 efficiar] fiam R ⟨circumamicta⟩] *cf* p. 149 19 apostolos suos alloquitur dicens] ait P (ω¹) 21 dico] mando P (ω¹)

4 *cf* 1 Tim 2,5 8 Rm 11,33; 4,17 13 Ct 1,7 15/16 *cf* Jo 16,13 17 Ct 1,7 20 Jo 15,15 Jo 15,14

4 GR-I tr 17,24 21-201,2 GR-I arc 17; tr 2,24 Comm anon fol 4R

1 sudore *persecutiones* saeculi *pro iustitia pertulerunt*, quos et amicos et fratres sibi dominus adoptavit.

11. Et quia multos pseudoapostolos futuros sciebat spiritus Ecclesiae, certam definitionem catholicae traditionis et pastum 5 verborum suorum et mansionem evangelicae praedicationis per Christum plenius volebat addiscere, ne forte ignorans caperetur, quasi qui diceret: ne ignorans capiar et circumducar et sequar haereticam factionem et non magis sodales tuos veros, apostolos.

10 **12.** Denique NE FORTE FIAR inquit CIRCUMAMICTA. Quid est NE FORTE FIAR CIRCUMAMICTA, id est ne forte sub velamento nominis tui, quod amictum vocat, aut sub occasione evangelicae praedicationis a seductoribus haereticis *verborum subtilitate decipiar*, sicut apostolus ait: *videte, ne quis vos depraedetur per philoso-* 15 *phiam et inanem traditionem secundum elementa mundi et non se-*

1 persecutiones] persecutionem B persecutionis P et *om* A 2 dominus] deum P adoptavit] adoptabit A adobtavit + amicos - filiorum P (ω^2, § 10, 2) 3 pseudoapostolos] speudo apostolos + et circumventores P (ω^2) 4 ecclesiae] in ecclesiam A ecclesiam P* ecclesiae P^2 definitionem] definivit *corr ex* definitXXX P^2 traditionis] traditionem P 5 praedicationis] predicationis *corr ex* predicationiXXX P 8 factionem] actionem P (ω^2) 13 decipiar] decipias ? B 14 videte] vide P* videte P^2 15 traditionem] tradictionem B

1 Mt 5,10 *cf* 1 Pt 3,14 2 *cf* Rm 8,15.17.23 Gal 4,5 Eph 1,5 3 *cf* 2 Cor 11,13 Mt 24,24 10 Ct 1,7 13 Col 2,4 *cf* Eph 5,6 14 Col 2,8

1 toli, qui pari passionum sudore *persecutiones* saeculi *pro iustitia pertulerunt*, quos et fratres sibi dominus adoptavit, amicos ex fide, fratres ex consortio carnis, *coheredes* quoque *regni ex adoptione filiorum*.

5 **11.** Et quia multos pseudoapostolos et circumventores futuros sciebat spiritus Ecclesiae, certam definitionem catholicae traditionis et pastum verborum suorum et mansionem evangelicae praedicationis per Christum plenius volebat addiscere, ne forte ignorans caperetur, quasi qui diceret: ne ignorans capiar et cir-10 cumducar ac sequar per separationem nominis tui haereticam factionem et non magis sodales tuos veros, apostolos.

12. Denique NE FORTE inquit FIAR CIRCUMAMICTA. Quid est NE FORTE FIAR CIRCUMAMICTA, id est ne forte sub velamento nominis tui, quod amictum vocat, aut sub occasione evangelicae prae-15 dicationis a seductoribus haereticis *verborum subtilitate decipiar*, sicut apostolus ait: *videte, ne quis vos depraedetur per philosophiam et inanem traditionem secundum elementa mundi et non se-*

1 persecutiones] persecutionis P saeculi + istius R 2 pertulerunt] sustulerunt R dominus] deum P 3 coheredes] quo heredes P 5 multos] multo R* multos R² pseudoapostolos] pseudos apostolos R² speudo apostolos P 6 spiritus] Christus R ecclesiae] in ecclesiam R (*cf* A) definitionem] definivit P traditionis (ω¹)] traditionem P eruditionis R 8 per Christum *om* R ne forte ignorans caperetur *om* R 9 quasi qui diceret] ideo inquit R 10 per separationem nominis tui *om* P (ω¹) *cf* p. 50 11 factionem] actionem R P, *sed cf* ω¹ 12 forte] for P* forte P² ~ fiar inquid P 12/13 fiar] fiam R (*bis*) 14 amictum vocat] amictus vocatur R 15 subtilitate] sublimitate R decipiar] decipit R 16 videte] vide P* videte P² 17 secundum elementa mundi et non *om* R* scdm elementa mundi et *add in mg* R²

1 Mt 5,10 *cf* 1 Pt 3,14 2/3 *cf* Rm 8,15.17.23 Gal 4,5 Eph 1,5 3 *cf* Jo 15,14 *cf* Rm 9,3 *cf* Rm 8,17 *cf* Rm 8,15.23 5 *cf* 2 Cor 11,13 Mt 24,24 12 Ct 1,7 15 Col 2,4 *cf* Eph 5,6 16 Col 2,8

10 *cf* GR-I Ct 2,15 ω²

1 *cundum Christum*, et ideo SUPER GREGES SODALIUM TUORUM, id est super apostolicas plebes, aliquod superinduas scandalum.

13. Dixerat enim ipse dominus: *qui unum ex istis minimis in me credentibus fuisset scandalizatus, oportebat illi homini ligari lapi-* 5 *dem molarem et mitti in profundo.* Et ideo hoc veretur, NE FIAR inquit CIRCUMAMICTA, id est ne per seductionem falsorum sacerdotum efficiar so⟨rd⟩ida veritate cooperta et non magis nuda et manifesta ratione conspicua, ut a gregibus sodalium tuorum, id est ab apostolica plebe, integritas et simplicitas mea sine aliquo cir- 10 cumventionis fuco pura et inviolata cernatur, non tamen circumamicta velamine falsitatis.

14. Dixerat enim dominus *venturos ad Ecclesiam suam quosdam in vestitu ovium, sed intrinsecus esse lupos rapaces*, et beatus apostolus Paulus praemonuerat, quod post discessum suum ven- 15 turi essent *lupi rapaces non parcentes gregi, qui devorarent plebes Christi.*

15. Denique post haec verba, quid ei dominus comminetur, audite. NISI COGNOVERIS TE inquit DECORA INTER MULIERES, EXI TU IN VESTIGIO GREGUM. Quibus dictis hortatur eam ad custo-

1 greges] reges B 2 superinduas] superinduar B 4 fuisset] fuerit P ligari] alligari A 5 in profundo] *aliter* ω^2, *fortasse recte*, *cf* p. 94–99 profundo] profundum A 7 so⟨rd⟩ida] *scripsi* solida B P asolida A, *cf* p. 149 sq 8 ut] Aut B A P *sed cf* ω^2 a *om* P 9 ab apostolica plebe] apostolicas plebes P sine] me P 10 fuco] fusco B fugo P 13 et] sed et P 14 ~ paulus apostolus A 15 plebes] greges A 17 ei] eis P 18 decora] de chora B exi tu] exitu B P 19 in vestigio gregum] investigiorum gregum P quibus] quid P

3 Mc 9,41 Mt 18,6 Lc 17,2 12 Mt 7,15 15 Act 20,29 *cf* Ps 13,4 Ps 52,5 18 Ct 1,8 19–204,1 *cf* Hbr 6,11

1 *cundum Christum*, et ideo SUPER GREGES SODALIUM TUORUM, id
est super apostolicas plebes, aliquod superinduas scandalum.
13. Dixerat enim ipse dominus: *qui unum ex istis minimis in me
credentibus fuerit scandalizatus, oportebat illi homini ligari lapi-*
5 *dem molarem et mitti in pelago*. Et ideo hoc veretur, NE FIAR inquit
CIRCUMAMICTA, id est ne per praevaricationem falsorum sacerdotum efficiar so⟨rd⟩ida veritate cooperta et non magis nuda et manifesta ratione conspicua, ut a gregibus sodalium tuorum, id est
ab apostolica plebe, integritas et simplicitas mea sine aliquo cir-
10 cumventionis fuco pura et inviolata cernatur, non tamen circumamicta velamine falsitatis.
14. Dixerat enim dominus *venturos ad Ecclesiam suam quosdam in vestitu ovium, sed intrinsecus esse lupos rapaces*. Sed beatus apostolus praemonuerat, quod post discessum suum venturi
15 essent *lupi rapaces non parcentes gregi*, id est haeretici, *qui devorarent* plebes Christi per doctrinam ob commissionem illicitam.
15. Denique post haec verba quid ei dominus comminetur, audite. NISI COGNOVERIS TE inquit DECORAM INTER MULIERES, EXI TU
IN VESTIGIIS GREGUM. Quibus dictis hortatur eam ad custodien-

2 aliquod] aliquid R superinduas] superinducatur non R 3 ~ minimis istis R me] se R 4 fuerit] fuerat R ligari] ligare R 5 molarem] molare P* molarem P^2 pelago] R* pelagum R^2 profundum P (ω^1) veretur] vereor R fiar] fiam R inquit *om* R 6 ne *om* R praevaricationem] seductionem P (ω^1) 7 so⟨rd⟩ida] solida P a sola R (*cf* asolida A), *cf* p. 149 sq cooperta] segregata R 8 ut] aut P a *om* P 9 ab apostolica plebe] apostolicas plebes P sine] me P *om* R* *add* R^2 10 fuco] fugo P 14 apostolus + Paulus P (ω^1) suum *om* R 16 per doctrinam ob commissionem illicitam *om* P (ω^1) *cf* p. 151 17 ei] eis P 18 inquit] pulcram inquit et R decoram] decora P (ω^1) 19 vestigiis] vestigiorum P quibus] quid P hortatur] et hortatus est (*del* et) R

3 Mc 9,41 Mt 18,6 Lc 17,2 12 Mt 7,15 15 Act 20,29 *cf* Ps 13,4 Ps 52,5 18 Ct 1,8 19-205,1 *cf* Hbr 6,11

16 GR-I tr 5,21

1 diendam fidem et religiosam sollicitudinem adhibere debere, ut intelligeret se solam sponsam *virginem* esse et *incorruptam atque decoram sine macula et ruga*, qualem et dominus voluit et apostolus definivit, EXIES inquit TU IN VESTIGIIS GREGUM.

5 **16.** Sed quae sunt istae MULIERES, inter quas se solam virginem incorruptam et decoram cognoscere deberet Ecclesia, perquiramus. Mulieres itaque haereticorum plebes praedictas esse nulla est dubitatio, quae adulterae doctrinae stupro corruptae et perversae traditionis adulterio violatae iam non virgines sed mulie-
10 res dici meruerunt.

1 et] ad B *om* A debere + Cum enim – mulieres nisi P (ω^2) ut] Et B 2 sponsam *om* P et *om* P 3 et ruga] sine ruga P ruga + et talem se preberet P (ω^2) 5 quas se] quam A se *om* P virginem + et A 6 cognoscere] cognosceres P ecclesia] ecclesiam ? A perquiramus] diligentius debemus advertere P (ω^2) 7 itaque + has P (ω^2) 8 adulterae doctrinae stupro] doctrinae atque stupro B adultero doctrine stupro P corruptae] rupte ? A

2 *cf* Eph 5,27

7–9 JUS-U Ct 1,14 7–206,5 Comm anon fol 4R

1 dam fidem et religiosam sollicitudinem adhibere debere. Cum
enim sancta et inviolata simplex columba Ecclesia falsos, ut iam
dixi, doctores et corruptores virginitatis suae graviter pertimesce-
ret, qui sub velamine sacerdotum dei, hoc est qui *sub vesti⟨bus⟩*
5 *ovium lupi rapaces*, in quibus praedixerat dominus venturi erant,
et certa definitione evangelicae veritatis requireret rationem, UBI
PASCERET, UBI MANERET IN MERIDIANO, id est, ut dixi, in temperamento dei et hominis – ne quis per verisimilia exempla aut deum
ab homine aut hominem a deo separaret –, tunc respondit ei do-
10 minus: NISI COGNOVERIS TE DECORAM inquit INTER MULIERES, id
est nisi intelligeret se solam *virginem* esse et *incorruptam atque decoram sine macula sine ruga* et talem se praeberet, qualem et dominus exhibuit et apostolus definivit, EXIES inquit TU IN VESTIGIIS
GREGUM.

15 **16.** Sed quae sunt istae MULIERES, inter quas se solam virginem
incorruptam et decoram cognoscere deberet Ecclesia, diligentius
debemus advertere. Mulieres itaque has haereticorum plebes
praedictas esse nulla est dubitatio, quae adulterae doctrinae stupro corruptae et perversae traditionis adulterio violatae iam non
20 virgines sed mulieres dici meruerunt.

1 religiosam] religiosae R adhibere debere] adhibendam R 2 falsos] falso P 3 corruptores] corruptos P 4 vesti⟨bus⟩] *conieci* vestigio R P, *sed cf sequentia verba*: in quibus 5 in quibus] ut R 6 certa] *recte coni* N cetera R ceteri P requireret] requiret P 7 temperamento] teperamento P 8 quis + aut P verisimilia] verbi similia P 10 id est *om* P (ω[1]) 11 nisi intelligeret se] nisi intelligas te R nisi ut intellegeret se P (*cf* ω[1]) 12 sine *alt*] et P (ω[1]) se praeberet] te praebeas R 13 exhibuit] voluit P 15 virginem + et R (*cf* A) 16 cognoscere] cognosceres P 18 adulterae A] adultero P adulterino R 19 traditionis] doctrinae traditionis R

2 *cf* Eph 5,27 Mt 10,16 4 Mt 7,15 11 *cf* Eph 5,27 12/13 2 Cor 11,2

17-19 JUS-U Ct 1,14 17-207,5 Comm anon fol 4R

1 **17.** Nam et synagogae plebes mulieres esse dicuntur, quia *fornicatam eam esse* saepenumero *post deos alienos* sancta scriptura testatur. Proinde a Christo admonetur Ecclesia, ut inter has mulieres, id est haereticorum et Iudaeorum congregationes, quas 5 mulieres appellat, nisi se virginem in doctrina, incorruptam in fide, speciosam in bonis operibus cognovisset, talem exitum habitura esset, qualem pertulit populus Iudaeorum, quia *qui naturalibus ramis non pepercit, nec vobis parcet* inquit apostolus.

18. Cum enim subiunxit: EXI TU IN VESTIGIIS GREGUM, dicere 10 videtur: et tu hunc exitum habebis, NISI TE COGNOVERIS SPECIOSAM.

19. Audi apostolum dicentem: *nolo* inquit *ignorare vos, fratres,*

1 synagogae] sinagoga B ~ dicuntur esse P fornicatam eam esse] *aliter* ω², *fortasse recte, cf* p. 94–99 3 admonetur] admonitur B 5 doctrina] doctrinam P 8 pepercit + ut apostolus dicit P (ω²) vobis + inquit P (ω²) parcet] parcebit P inquit apostolus] insertis nisi eadem bonitate P (*cf* ω²) 9 cum enim subiunxit] qua subiungit P (*cf* ω²) 10 tu hunc] tunc P A exitum] exitu P cognoveris] cognoberis A speciosam + inter mulieres. Quomodo – ait P (ω²) 12 audi apostolum dicentem *om* P (ω²) inquit] autem A ~ vos ignorare A P

1/2 *cf* Jr 16,11 Dt 31,16 Jdc 2,17 1 Par 5,25 7 Rm 11,21 9 Ct 1,8 12 1 Cor 10,1-6

1 **17.** Nam et synagogae plebes mulieres esse dicuntur, quas ⟨*moechatas*⟩ saepenumero *post deos alienos* caelestis scriptura testatur. Proinde a Christo admonetur Ecclesia, ut inter has mulieres, id est inter haereticorum et Iudaeorum congregationes,
5 quas mulieres appellat, nisi se virginem in doctrina, incorruptam in fide, speciosam in bonis operibus cognovisset, talem exitum habitura esset, qualem pertulit populus Iudaeorum, quia *qui naturalibus ramis non pepercit*, ut apostolus dicit, *nec vobis* inquit *parcet insertis, nisi* ⟨*in eius*⟩*dem bonitate p*⟨*ermans*⟩*eris.*

10 **18.** Cum enim subiunxit: EXI TU IN VESTIGIIS GREGUM, dicere videtur: et tu hunc exitum habebis, NISI TE COGNOVERIS SPECIOSAM INTER MULIERES, quomodo secessit populus Israel, quos prae multitudine sua GREGES appellat. Comminantis vox est: NISI TE COGNOVERIS.

15 **19.** Quod quantum ista se habea⟨n⟩t, probat beatus apostolus, qui, cum ad ecclesiam scriberet, ait: *nolo* inquit *vos ignorare, fra-*

1 esse dicuntur] dicuntur esse P et ipsę dicuntur R* esse *add supra lineam* R² 2 ⟨moechatas⟩] *conieci* meretricatas R fornicatam P (ω¹), *sed cf* tr 5,19: mulier illa figura erat synagogae, quae saepe, sicut scriptum est, moechata est post deos alienos, *cf* p. 151 post deos alienos *om* R* *add in mg* R² caelestis] sancta P (ω¹) caelestis R* sc̄a *add* R² 3 proinde] et proinde R inter *om* P 4 haereticorum et Iudaeorum congregationes] labes (= plebes?) hereticorum et sinagoge congregationes R 5 doctrina] doctrinam R 7 Iudaeorum] Israel R quia] qui P* quia P² 8 inquit *del* R² (*cf* ω¹) 9 nisi ⟨in eius⟩dem bonitate p⟨ermans⟩eris. 18. Cum enim subiunxit] *conieci cf* Rm 11,22 nisi eadem bonitate qua subiungit P nisi eandem bonitatem participaveris, *sequentia verba*: 18. cum enim subiunxit exi tu in vestigiis gregum dicere videtur *om* R*, *quae verba add in mg sub signo* ∸ *post vocem* insertis *perperam iniungenda* R², *cf* p. 152 10 cum enim subiunxit] qua subiungit P (*vide supra*) Cum enim - videtur *om* R* *add in mg* R² (*vide supra*) 11 et tu hunc (ω¹)] et tunc P et hunc *corr ex* et tu huc ? R² habebis *corr ex* habet R² 12 prae *om* P 13 ~ est vox P 15 quod quantum] quos cum R habea⟨n⟩t] habeat R habebat P 16 ecclesiam] ecclesias P ait *om* R ~ignorare vos R

2 *cf* Jr 16,11 Dt 31,16 Jdc 2,17 1 Par 5,25 7-9 Rm 11,21.22 10 Ct 1,8 12 *cf* Ex 32,8 16 1 Cor 10,1-6

2 GR-I tr 5,19; tr 13,21 IS Gn 30,11

quia patres nostri in mare et in nube sunt baptizati, et omnes eundem cibum spiritalem manducaverunt et omnes eundem potum spiritalem biberunt; bibebant inquit *de spiritali consequenti petra, petra autem erat Christus. Sed non bene in illis complacuit domino, prostrati enim sunt in deserto. Haec in figura contigerunt illis, scripta autem sunt ad nostram correptionem. Alii ab exterminatore angelo occisi, alii a serpentibus devorati, alii hiatu terrae vivi ad inferos descenderunt,* et multa alia, quae passi sunt, persequi longum est.

20. Et ideo Ecclesiae tali⟨u⟩m ingeruntur exempla, ne et nos similia facientes simili animadversione plectamur. Denique comminantis vox subsequitur dicens: PASCE HAEDOS TUOS IN TABERNACULIS PASTORUM. HAEDOS peccatores homines intelligi oportet secundum evangelium, ubi dominus ait: *et statuet agnos a dextris, haedos autem a sinistris.*

1 quia] quod P mare] mari A 2 manducaverunt] manducaberunt A 3 consequenti] sequenti ? A + eos P 4 in illis complacuit domino] *aliter* ω^2, *fortasse recte, cf* p. 94–99 5 haec in figura contigerunt illis *om* P (*cf* ω^2) 6 autem] *om* P* *add in mg* P[2] 7 devorati] defurati P 8 descenderunt] devenerunt A 10 tali⟨u⟩m] talim B talia P (ω^2) talie *corr ex* ? A 11 plectamur] flectamur ? B damnemur qui ecclesia nuncupamur P (ω^2) denique + adhuc quasi P (ω^2) 12 pasce] et pasce P 14 statuet – a sinistris] *aliter* ω^2, *fortasse recte, cf* p. 94–99 15 a dextris] ad dextris B a sinistris + Et proinde – pasce edos tuos P (ω^2)

5 1 Cor 10,11.10 6–8 *cf* Nm 14,36.37 *cf* Nm 16,30-33 Jdt 8,25 12 Ct 1,8 14 Mt 25,33

6-8 GR-I tr 4,10.11 13–15 GR-I tr 13,16.31; tr 9,4-9 EUCH int 4 (28,21)

1 *tres, quod patres nostri in mare et in nube sunt baptizati et omnes eundem cibum spiritalem manducaverunt et omnes eundem potum spiritalem biberunt; bibebant* inquit *de spiritali consequenti petra, petra autem erat Christus. Sed non bene* inquit *illis opinatus est domi-*
5 *nus, prostrati enim sunt in deserto.* ⟨*Haec in figura contigerunt illis*⟩, *scripta autem sunt ad nostram correptionem. Alii ab exterminatore angelo occisi, alii a serpentibus devorati, alii hiatu terrae vivi ad inferos descenderunt* et multa alia, quae passi sunt, persequi longum est.

10 **20.** Et ideo Ecclesiae, id est Christianis omnibus, talia ingeruntur exempla, ne et nos similia facientes simili animadversione damnemur, qui Ecclesia nuncupamur. Denique adhuc quasi comminantis vox subsequitur dicens: ET PASCE HAEDOS TUOS IN TABERNACULIS PASTORUM. HAEDOS peccatores homines intelligi
15 oportet secundum evangelium, ubi dominus ait: *statuam iustos ut oves ad dexteram, peccatores ut haedos ad sinistram.*

21. Et proinde nisi cognovisset se Ecclesia inter mulieres speciosam, in qua fide et sanctitate et bonis operibus, inter mulieres

1 mare] mari R 3 consequenti + eos R P, *sed cf* ω[1] 4 inquit *om* P illis opinatus est dominus] in illis conplacuit domino P (ω[1]) 5 prostrati enim sunt in deserto] alii enim in deserto prostrati sunt R, *cf* p. 152 haec in figura contigerunt illis] *conplevi ex recensione* ω[1], *om* R P 6 scripta autem sunt ad nostram correptionem *om* R autem *om* P* *add in mg* P[2] 7 devorati] defurati P hiatu] lata P 8 ~ ad inferos vivi R et multa alia - longum est *om* R 10 id est Christianis omnibus *om* P *fortasse recte* *11* simili animadversione] ~ anim adversione consimili R 13 vox *om* R* *add in mg* R[2] et *del* R (*cf* ω[1]) 15 secundum evangelium ubi dominus ait] probat dominus in evangelio cum dicit R statuam iustos - haedos ad sinistram] et statuit agnos a dextris edos autem a (*corr ex* ab) sinistris P (ω[1]) 17 et + ideo R speciosam] speciosa ? P 18 qua *om* R mulieres + speciosam in fide et sanctitate. Inter mulieres R

5 1 Cor 10,11.10 6-8 *cf* Nm 14,36.37 *cf* Nm 16,30-33 Jdt 8,25 13 Ct 1,8 15 Mt 25,33 18 *cf* Eph 4,24

6-8 GR-I tr 4,10.11 14-16 GR-I tr 13,16.31; tr 9,4-9 EUCH int 4 (28,21)

1 **22 b.** HAEDOS inquit TUOS PASCE, id est peccatores tuos, quae agnos vel *oves meas pascere* noluisti, sicut Moysi dictum est: *peccavit populus tuus;* iam enim dei esse peccando desierat.

24. Denique retro gesta eius recensuit spiritus sanctus, ut vel
5 sic fidem Christi custodiat, cum, quid ei praestiterit, recognoscit. Subiungit enim dicens: EQUAE inquit HAEC IN CURRIBUS PHARAONIS. Fuerunt enim aliquando EQUAE domini, id est plebes gentium, IN CURRIBUS PHARAONIS, id est in diaboli potestate, cum necdum credidissent, et ideo praemonet, ne iterum pro con-

2 sicut] sicuti A peccavit] peccabit A 3 enim *om* A desierat] disi/Xerat + ex quo a dei fide recesserat – esse cognoveris P (ω^2, § 23) 4 gesta] iestam A recensuit] recensi B recensit P A 6 haec] hac B mee P (ω^2) 7 equae] equi A 9 credidissent] in Christo credidissent A Christum credidissent P pro contemptu] per contemptum P

2 Jo 21,17 2/3 Ex 32,7 6 Ct 1,9 9 *cf* Gal 5,1

1 haereticorum et Israelis plebes pasceret haedos suos, id est peccatores suos, quae agnos vel oves pascere deberet, si se speciosam cognosceret, sicut Petro dictum est, super quem fundamentum est Ecclesiae: *pasce oves meas*.

5 **22.** Ac per hoc Ecclesia, quamdiu catholicam integritatem tenet, non haedos, sed oves pascit; at ubi non cognoscit speciem et decorem fidei suae et per transgressionem corrumpitur, statim audit: PASCE HAEDOS TUOS, id est peccatores tuos, quae agnos vel *oves meas pascere* noluisti, sicut Moysi dictum est: *peccavit populus tuus*, iam enim dei esse desierat, ex quo a dei fide recesserat.

23. Sed IN TABERNACULIS inquit PASTORUM. PASTORES apostolos dicit, TABERNACULA vero pastorum congregationes sunt ecclesiarum, ubi plebes apostolicae conveniebant. Et proinde quamquam TABERNACULA PASTORUM, id est fabricas ecclesiarum apos-15 tolicas teneas, tamen non oves Christi, sed haedos tuos pascis, nisi virginem te et speciosam esse cognoveris.

24. Denique retro gesta eius recensuit spiritus sanctus, ut vel sic fidem Christi custodiat, cum, quid ei praestiterit, recognoscit. Subiungit enim dicens: EQUAE inquit MEAE IN CURRIBUS PHARAO-20 NIS. Fuerunt enim aliquando EQUAE domini, id est plebes gentium, IN CURRIBUS PHARAONIS, id est in diaboli potestate, cum necdum in Christo credidissent, et ideo praemonet, ne iterum

1 Israelis plebes] nisi inter israeliticas plebes R 2 pascere deberet] pasceret R si] nisi R 3 sicut] sed ut P ~ est fundamentum P 6 pascit] pascet P cognoscit] cognoscet P 8 id est peccatores tuos *om* R* *add in mg* R[2] tuos + haedos inquit tuos pasce P (*additamentum ex recensione* ω[1]) 10 iam enim *del* R desierat] disi/Xerat P esse + peccando P (ω[1]) R* peccando *del* R[2] 12 tabernacula] tabernaculum R 14 tabernacula] tabernaculum P apostolicas] apostolicarum P 16 nisi] si P 17 recensuit] recensit P 19 subiungit] subiunxit R enim *om* R* *add* R[2] equae] equi *corr ex* equę ? R meae *del* R 20 equae] equi R (*cf* A) 21 cum necdum in Christo] sed hedum in Christo non R 22 in Christo] Christum P

3 Mt 16,18 4 Jo 21,17 6 Jo 21,17 9 Ex 32,7 11 Ct 1,8 19 Ct 1,9 22–213,1 *cf* Gal 5,1

1 temptu fidei sub iugo ipsius revertantur.

25. Pharaonem autem diabolum figurari nulla est dubitatio, quia, sicut Pharao in Aegypto, sic diabolus in saeculo tyrannidem gerit, et sicut Pharao persequebatur filios Israel, sic diabolus in 5 hoc mundo persequitur sanctos.

26. Ac proinde, cum EQUAS IN CURRIBUS PHARAONIS diceret, plebes gentium ante adventum Christi sub iugo et potestate diaboli subditas fuisse dicebat et quod ipso impellente praecipites urgerentur.

1 revertantur + Equas – tenebantur P (ω^2) 2 figurari] esse P (ω^2) 4 gerit] exercet P (ω^2) 6 ac] hac B A 8 subditas] subdita B subiectas A fuisse] esse P praecipites urgerentur] precepite surgerentur B urgerentur + denique – deterius veniat P (ω^2, § 28)

3 *cf* Ex 14,4-10 6 Ct 1,9

2–4 GR-I tr 7,3.4

1 per contemptum fidei sub iugo ipsius revertantur.

25. Pharaonem autem diabolum esse nulla est dubitatio, quia, sicut Pharao in Aegypto, sic diabolus in saeculo tyrannidem exercet, et sicut Pharao persequebatur filios Israel, sic diabolus in hoc 5 mundo persequitur sanctos. Equas enim, ut dixi iam, plebes gentium, requirebat, quas licet suas esse dominus ante praesciret, ante adventum tamen suum sub iugo Pharaonis, id est diaboli, curribus tenebantur.

26. [Ac proinde cum EQUAS IN CURRIBUS PHARAONIS diceret, 10 plebes gentium ante adventum Christi sub iugo et potestate diaboli subditas esse dicebat, eo quod ipso impellente praecipites urgerentur.] Denique apostolus ait: *fuimus et nos aliquando filii irae*, quando sub iugo Pharaonis, id est quando vasa diaboli eramus. Quando vasa diaboli, nisi quando *equae ad libidines hin-* 15 *nientes et luxuriantes* in omni vanitate aurigae diaboli vitiorum curribus vacabamus? Sicut Iheremias ait: *equi* inquit *libidinantes ad uxores proximi sui hinniebant.*

27. Sed iam Christi gratia liberati de iugo tyrannicae servitutis et filii dei per fidem effecti atque caelesti gloriae destinati puro 20 corde et sincera devotione in omni sanctitate et iustitia hanc eandem fidem tenemus, per quam vivimus et salvamur, quia *fides* inquit *tua te salvum fecit.*

2–8 *ordinem sententiarum* Pharaonem – sanctos *et* Equas – tenebantur *convertendum esse puto, cf* p. 152. *Sententiam* Equas – tenebantur *primo in loco praebent* R P 5 equas + *litterae erasae 2* P ~ iam dixi P 7 ~ tamen ante adventum P 9 [Ac proinde – urgerentur] *hanc sententiam delendam esse puto, cf* p. 152 11 eo] et P 12 aliquando + eramus P 13 irae + nisi P 16 vacabamus] vacabant R libidinantes + item P 19 caelesti] caelestis P 20 hanc] haec P* hanc P² 21 tenemus] teneamus R

3/4 *cf* Ex 14,4-10 9 Ct 1,9 12 Eph 2,3 *cf* Mc 3,27 14–17 Jr 5,8 18 *cf* Gal 4,31; 5,1; 3,26 21 Mt 9,22

2–4 GR-I tr 7,3.4 10–14 GR-I tr 7,29 18 et 215,3 GR-I tr 7,4

1 **29.** Et addidit: QUAM SPECIOSAE GENAE TUAE SICUT TURTURIS. Vox haec Christi est ad Ecclesiam, cuius non carnalem pulcritudinem laudat, sed per similitudinem turturis spiritalia Ecclesiae membra designat. GENAE inquit TUAE UT TURTURIS. Genae sunt 5 in facies nostras malarum primae partes, quae subiectae sunt oculis, in quibus maxime humani vultus decor elucet. Quae ideo genae appellantur, quia in utero matris infantum genua oculis coniuncta haberi perhibentur, unde et cava sunt loca oculorum de impressione genuum.

10 **30.** Ac proinde duae istae genae oculorum luminibus cum suo decore subiectae duo sunt genera sancta in capite ecclesiastici corporis constituta, patriarcharum scilicet et apostolorum, qui duobus luminibus, id est duobus testamentis, vel coniuncti vel proximi dinoscuntur. Legis autem praecepta in ⟨oculis⟩ ecclesia-15 stici corporis deputari probat David, cum dicit: *praeceptum do-*

1 addidit] addedit B adiecit P (ω^2) 3 turturis] turtores B spiritalia] spiritalis B ecclesiae] eius P (ω^2) 5 nostras] nostra B 6 decor elucet] de chore lucet B 7 genua] genae B genue A *om* P *sed cf* ω^2 8 coniuncta] coniuncte B A P, *sed cf* ω^2 cava] cave P 9 genuum] genarum B genuarum P 10 ac] hac A ~ istae duae B 11 subiectae *om* P sancta] sanctorum P 14 dinoscuntur] diXoscuntur P[2] dignoscuntur P* ? ⟨oculis⟩] *11 supplevi, cf* p. 152 sq

1 Ct 1,10 15 Ps 18,9

4–216,4 Ennius frg inc 14? IS ety 11,1,108.109; dif 2,56.71 Comm anon fol 4V

1 **28.** Semper incorrupta et inviolata devotione custodire debemus, quia per Christum dei filium diabolicae luxuriae curribus liberati sumus et iugo gravissimo servitutis exuti, ne rursus interveniente perfidia ad eadem quae evasimus revolvamur, dicente
5 domino: *ecce, iam sanus factus es, noli peccare, ne quid tibi deterius veniat.*

29. Et adiecit: QUAM SPECIOSAE GENAE TUAE SICUT TURTURIS. Vox haec Christi est ad Ecclesiam, cuius non carnalem pulcritudinem laudat, sed per similitudinem turturis spiritalia eius mem-
10 bra designat. GENAE inquit TUAE UT TURTURIS. Genae sunt in facies nostras malarum primae partes, quae subiectae sunt oculis, in quibus maxime humani vultus decor elucet. Quae ideo genae appellantur, quia in utero matris infantum genua oculis coniuncta haberi perhibentur. Hinc et cava sunt loca oculorum de
15 impressione genuum.

30. Ac proinde duae istae genae oculorum luminibus cum suo decore subiectae duo sunt genera sanctorum in capite ecclesiastici corporis constituta, patriarcharum scilicet et apostolorum, qui duobus luminibus, id est duobus testamentis, vel coniuncti
20 vel proximi dinoscuntur. Legis autem praecepta in ⟨oculis⟩ ecclesiastici corporis deputari probat David, cum dicit: *praeceptum*

1 semper + haec R 3 gravissimo] gravissime R ne *om* P 4 revolvamur] evolvamur P 12 decor elucet] decore lucent R 13 genua *om* P coniuncta] coniuncte P (*cf* ω[1]) 14 haberi] habere R hinc] unde P hinc R* unde *add* R[2] cava] cave P 15 genuum] genuarum P 16 duae istae genae oculorum luminibus cum suo decore subiectae] duo ista oculorum lumina decori subiecta R* duae istae genae oculorum luminibus cum suo decore subiecte *add in mg* R[2] 17 subiectae *om* P sanctorum] sacra *add supra lineam* R[2] (*cf* A) 19 id est duobus *om* R* *add* R[2] 20 dinoscuntur] diXnoscuntur P ⟨oculis⟩] *supplevi, cf* p. 152 sq in *om* R ecclesiastici corporis] ecclesiasticis corporibus R

2/3 *cf* Gal 4,31; 5,1 5 Jo 5,14 7 Ct 1,10 21 Ps 18,9

10–217,4 Ennius frg inc 14? IS ety 11,1,108.109; dif 2,56.71 Comm anon fol 4V

1 *mini lucidum inluminans oculos* et iterum: *lucerna pedibus meis verbum tuum et lumen semitis meis.*

31. Genua ergo impressa oculis hoc significant, quod in utero matris Ecclesiae tam priores patriarchae, quos genas appellat,
5 quam posteriores apostoli, qui *pedes domini* nuncupantur, in uno corpore coniuncti et posteriores prioribus adaequati unius honoris et dignitatis gloriae haberentur. Denique dominus in evangelio patriarchas priores posterioribus apostolis coaequans ait: *alii seminaverunt et vos in labores eorum introistis, quia et qui seminat*
10 *et qui metit, unam mercedem habebunt.*

32. Denique in Apocalypsin viginti quattuor seniores, id est duodecim apostoli et duodecim patriarchae pariter coronati et similia tribunalia habentes beato Iohanni demonstrat⟨i⟩ sunt.

33. Verum quod turturis genas Ecclesiae comparavit, de quali-
15 tate avis congrua similitudine evidenter expressit. Haec enim avis hieme absconsa est, verno procedit, variis et discoloribus plumis pennisque vestita. Sic Ecclesia absconditur quidem in

2 verbum tuum et lumen] *aliter* ω^2, *fortasse recte, cf* p. 94–99 tuum + domine P 3 genua] gene B A impressa] impraese B inpresXX A inpressa P (ω^2) 4 quos] quas P 6 posteriores prioribus] posteribus prioribus A adaequati] adaequanti B 8 posterioribus apostolis] posteriores apostolos A coaequans] quo aequans P ait] sic ait A 9 seminaverunt] laboraverunt A introistis + sed in hoc sermo verus est P (ω^2) 10 metit] metet B P habebunt] habent P 11 denique + et P Apocalypsin] apocalipsi B viginti + et P 12 ~ duodecim patriarche et duodecim apostoli A et *om* B 13 demonstrat⟨i⟩] demonstrata *mss* (demonstrabantur ω^2) sunt + Et ideo - hostendebat P (ω^2) 14 comparavit] comparabit P 15 congrua similitudine] congruam similitudinem P expressit] expraesit B 16 procedit] procedet B 17 pennisque] pinnisque B A P sic + et P

1 Ps 118,105 5 *cf* Rm 10,15 8 Jo 4,37.38 9 1 Cor 3,8 11–13 *cf* Apc 4,4

11–13 *cf* VICn Apc 4,3

1 *domini lucidum inluminans oculos* et iterum: *lucerna pedibus meis lex tua et lux semitis meis.*

31. Genua ergo impressa oculis hoc significant, quod in utero matris Ecclesiae tam priores patriarchae, quos genas appellat,
5 quam posteriores apostoli, qui *pedes domini* nuncupantur, in uno corpore coniuncti et posteriores prioribus adaequati unius honoris et dignitatis gloriae haberentur. Denique dominus in evangelio patriarchas priores posterioribus apostolis coaequans ait: *alii seminaverunt et vos in labores eorum introistis, sed in hoc sermo*
10 *verus est, quia et qui seminat et qui metit, unam mercedem habet.*

32. Denique et in Apocalypsin viginti quattuor seniores, id est duodecim apostoli et duodecim patriarchae, pariter coronati et similia tribunalia habentes beato Iohanni demonstrabantur. Et ideo genua oculis coniuncta posteriores apostolos patriarchis
15 prioribus socios et participes ostendebat.

33. Verum quod turturis genas Ecclesiae comparavit, de qualitate avis congruam similitudinem evidenter expressit. Haec enim avis hieme absconsa est, verno procedit variis et discoloribus plumis pennisque vestita. Sic Ecclesia absconditur quidem in perse-

1 lucidum *om* R* *add* R²) 2 lex tua] verbum tuum P (ω¹) lex] lux R lux] lumen P (ω¹) 4 tam] tempore R* tam *add* R² quos] quas P genas] genua R 7 dignitatis gloriae *om* R* *add in mg* R² 8 patriarchas] patriarchibus *corr ex* patriarchas R² priores] prioribus R posterioribus apostolis] posteriores apostolos R (*cf* A) coaequans] quo equans P coaequans + sic R 9 seminaverunt] laboraverunt R 10 metit] metet P 13 demonstrabantur] demonstrata sint R² demonstrata sunt P (ω¹) 14 posteriores apostolos] a posteriores apostolis P 16 turturis] turturi R comparavit] conparabit P 18 est + sed R verno + tempore R 19 pennisque] pinnisque P (ω¹) sic + et P in *om* R

1 Ps 118,105 5 *cf* Rm 10,15 8 Jo 4,37.38 10 1 Cor 3,8 11-13 *cf* Apc 4,4

11-13 *cf* VICn Apc 4,3

1 persecutione hiemis et iniuria tempestatis, quia *fides multorum et caritas refrigescit.* Sed post hanc persecutionem veluti post tempestatem quasi verni temporis, domini scilicet adventu, diversarum gentium et nationum populis velut plumis pennisque vestita
5 variis monstratur Ecclesia.

34. Unde et in psalmis pro eadem Ecclesia dicebat spiritus: *adstitit regina a dextris tuis in vestitu deaurato circumamicta varietate.*

35. Et addidit: CERVIX inquit TUA SICUT REDIMICULUM ORNA-
10 MENTI. SIMILITUDINEM AURI FACIEMUS TIBI CUM DISTINCTIONIBUS ARGENTI. Quae est haec CERVIX, quae REDIMICULA, nisi quia cum cervicem nominat, evangelicam disciplinam iugo Christi subditam laudat? De quo iugo dominus dicebat: *venite ad me omnes qui onerati estis et ego vos reficiam et tollite iugum meum super vos, iu-*
15 *gum enim meum leve est.*

36. Et ideo cervix Ecclesiae evangelicae disciplinae subiecta sanctorum gemmis ornata laudatur, in quo synagogae cervix dura et superba saepenumero monstratur.

1 iniuria] iniuriam B ? A quia] qua B fides] fideles P fidem A 2 hanc + ut dixi P (ω²) 3 quasi + iam P (ω²) domini] domenici P adventu] adventum P A 4 plumis] plurimis B pennisque] pinnisque P A pinnis quae B 5 variis *om* P ecclesiae + Variae – hoc in loco P (ω², § 34) 6 pro eadem] ad eandem B eadem *corr ex* eandem P² adstitit] adsistit B 7 a dextris] ad dextris B vestitu] vestito B A ? 9 addidit] addedit B adiecit P (ω²) cervix + enim A 10 similitudinem] similitudinis A 11 est *om* A 13 qui + laboratis et P A 14 ego vos reficiam] *aliter* ω², *fortasse recte, cf* p. 94–99 ~ reficiam vos P et *om* B 15 leve] suave + est P (ω²) + et honus meum leve P 16 ecclesiae] ecclesia B 17 in quo] quia P 18 saepenumero *om* B monstratur] demonstratur P + Populus enim – vinculo conligati P (ω², § 37)

1 Mt 24,12 6 Ps 44,10 9 Ct 1,10.11 13 Mt 11,28

3–5 GR-I tr 5,14 *cf* PHY B 31,1 (*cf* Cic fin 3,18) PS-MEL P 11,62

1 cutione hiemis et iniuria tempestatis, quia *fides multorum et caritas refrigescit.* Sed post hanc, ut dixi, persecutionem veluti post tempestatem quasi iam verni temporis, domini scilicet adventu, diversarum gentium et nationum populis velut plumis pennisque
5 vestita variis monstratur Ecclesia.

34. Variae etenim plumae turturis varietatem charismatum bonorum meritorum populorum quoque in Christo credentium perspicue manifesta⟨n⟩t. Et haec est varietas plumarum quoque in similitudinem turturis hoc in loco. Unde et in psalmis pro ea-
10 dem Ecclesia dicit spiritus: *adstitit regina a dextris tuis in vestitu deaurato circumamicta varietate.*

35. Et adiecit: CERVIX inquit TUA SICUT REDIMICULUM ORNAMENTI. SIMILITUDINEM AURI FACIEMUS TIBI CUM DISTINCTIONIBUS ARGENTI. Quae est haec CERVIX, quae REDIMICULA, nisi quia cum
15 cervicem nominat, evangelicam disciplinam iugo Christi subditam laudat? De quo iugo dominus dicebat: *venite ad me omnes, qui onerati estis et ero vobis requies* et *tollite iugum meum super vos, iugum enim meum suave est.*

36. Et ideo cervix Ecclesiae evangelicae disciplinae subiecta
20 sanctorum gemmis ornata laudatur, ⟨in quo⟩ synagogae cervix dura et superba saepenumero demonstratur. *Populus enim* inquit

1 fides] fideles P 2 veluti post] et R 3 verni temporis] in vernum tempus R domini] domenici P adventu] adventum P 4 plumis] plu R* mis *add* R² 5 variis *om* R* *add* R² ecclesia *om* R 8 perspicue] prespicue P manifesta⟨n⟩t] manifestat R P 9 in psalmis] per psalmistam R eadem *corr ex* eandem P 10 dicit] dicebat P 16 iugo] ipse R ad me *om* R* *add* R² 17 qui + laboratis et P laboratis et *add* R² ero vobis requies] ego reficiam vos P (ω¹) super vos *om* R* *add* R² 18 suave] ave R* su ... *add* R² suave est + et honus meum leve P 19 ecclesiae *om* R* *add* R² 20 ⟨in quo⟩] quia R P *sed cf* ω¹ 21 demonstratur] demonstrantur P

1 Mt 24,12 10 Ps 44,10 12 Ct 1,10.11 16 Mt 11,28 21 Ex 34,9

4-9 GR-I tr 5,14 *cf* PHY B 31,1 (*cf* Cic fin 3,18) PS-MEL P 11,62

1 **38.** Quod vero adiecit: SIMILITUDINEM AURI FACIEMUS TIBI CUM DISTINCTIONIBUS ARGENTI, AURUM cum dicit, sancti spiritus fulgorem ostendit. Denique et magi aurum domino obtulerunt, ut maiestatem eius regiam indicarent. ARGENTUM vero virgineae 5 carnis splendidam sanctitatem ostendit. Spiritus ergo sanctus cum pura et integra carne coniunctus SIMILITUDINEM AURI facit CUM DISTINCTIONIBUS ARGENTI.

39. Et quia omnes nos *membra corporis Christi esse, quod est Ecclesia*, apostolo auctore didicimus, proinde martyres auro sunt 10 comparati, sicut scriptum est: *tamquam aurum in fornace probabit illos*, argento virgines et confessores lapidibus pretiosis, qui ecclesiastici corporis cervicem evangelicae disciplinae iugo subiectam virtutum suarum ⟨orna⟩mentis pulcro decore adornant.

5 sanctitatem] sanctum B ostendit] ostendet A spiritus] spiritum B 6 auri facit] accepit fecit B 8 ~ nos omnes P Christi *om* B 9 ecclesia] aecclesiam B proinde + et P 10 in fornace *om* P probabit] probavit B 11 argento] argentum P et *om* B P confessores + et iusti P (ω^2) qui] quia A 12 evangelicae + ut saepe dictum est P (ω^2) subiectam] subiecta B P 13 ⟨orna⟩mentis] *scripsi* mentis A mentes B P, *cf* § 36 *in recensione* ω^2: atque omnium bonorum operum ornamentis est decorata (*scil* cervix) adornant] exornant P (ω^2) *non legi potest* A adornant (exornant, *vide supra*) + Ac per hoc – indicabant P (ω^2)

1 Ct 1,11 3 *cf* Mt 2,11 8 1 Cor 12,27 Col 1,24 Eph 1,23 10 Sap 3,6

1 *dura cervice est*, sed nunc Ecclesiae cervix humilis et submissa et caelestis disciplinae, ut dixi, iugo subdita martyrii et virginitatis atque omnium bonorum operum ornamentis est decorata.

37. Nam et sicuti a cervice descendunt nervi, qui totum corpus 5 complectuntur et continent, sic a *capite Ecclesiae, quod est Christus*, per humilem evangelicae disciplinae cervicem descendunt nervi caritatis et fidei, qui omnes credentes in uno corpore complectuntur et continent religionis vinculo ligati.

38. Quod vero adiecit: SIMILITUDINEM AURI FACIEMUS TIBI CUM 10 DISTINCTIONIBUS ARGENTI, AURUM cum dicit, sancti spiritus fulgorem ostendit. Denique et magi aurum domino obtulerunt, ut maiestatem eius regiam indicarent. ARGENTUM vero virgineae carnis splendidam sanctitatem ostendit. Spiritus ergo sanctus cum pura et integra carne coniunctus SIMILITUDINEM AURI facit 15 cum DISTINCTIONIBUS ARGENTI.

39. Et quia nos omnes *membra corporis Christi esse, quod est Ecclesia*, apostolo auctore didicimus, proinde et martyres auro sunt comparati, sicut scriptum est: *tamquam aurum in fornace probabit illos*, argento virgines et confessores et iusti lapidibus 20 pretiosis, qui ecclesiastici corporis cervicem evangelicae, ut saepe dictum est, disciplinae iugo subiectam virtutum suarum ⟨orna⟩mentis pulcro decore adornant. Ac per hoc dicit: CERVIX

2 virginitatis] virginitas P 3 operum *om* R 4 et *om* P 6 cervicem] cervice P 7 credentes] sedentes R complectuntur + se R 8 ligati] conligati P 9 vero *om* R* *add* R² 10 cum dicit *om* R* *add in mg* R² 11 et *om* R 14 et *om* P 16 nos *om* R* *add* R² omnes *om* R 17 et *del* R (*cf* ω¹) 18 sicut scriptum – probabit *om* R* *add in mg* R² in fornace *om* P 19 argento] argentum P et *prim om* P et iusti] isti R 20 qui] quia R² 21 subiectam] subiecta P subiectantes R, *sed cf* subiectam A 22 ⟨orna⟩mentis] *scripsi* mentes P mentes *om* R* *add* R², *sed cf* mentis A *et* 2,36: omnium bonorum operum ornamentis est decorata (*scil* cervix) adornant] ornant R* adornant R²

5 Eph 1,22 Col 1,18 7/8 *cf* Rm 12,4.5 9 Ct 1,11 11 *cf* Mt 2,11 16 1 Cor 12,27 Col 1,24 Eph 1,23 18 Sap 3,6 22 Ct 1,10.11

1 **40.** QUOUSQUE REX inquit SEDEAT IN DECLINATORIUM SUUM. Quae est haec declinatio regis? Regem Christum dici nulla est dubitatio. Hic ergo *rex regum non habuit* in synagoga, *ubi caput suum declinaret,* sicut ipse in evangelio testatur dicens: *vulpes cu-*
5 *bilia habent et volucres caeli nidos, filius autem hominis non habet, ubi caput suum reclinet.*

41. Non hoc de domibus aut de civitatibus manu factis dicebat, sed de vasis hominum loquebatur, de quibus et apostolus ait: *in interiorem hominem habitare Christum,* eo quod omnium sensus
10 ita obstruxerat et obsederat diabolus, ut nemo tunc dignus haberetur, in quo rex Christus caput suum declinaret. Vasa enim diaboli adhuc omnes homines ante adventum domini erant, quia *nondum religatus fuerat fortis a domino fortiore* et *necdum vasa ipsius direpta.*

1 ~ inquit rex B declinatorium *cf* p. 153 2 declinatio] declinatorio B declinatorium A, *cf* p. 153 dici nulla est dubitatio] dicimus sine ulla dubitatione P 4 declinaret] reclineret P cubilia] cubiles B, *cf* p. 153, foveas P 5 volucres] *aliter* ω², *fortasse recte, cf* p. 94–99 caeli *om* A* *add* A² 8 in *om* P 10 ita *om* A obsederat] obsiderat B 11 declinaret] reclinet P* reclinaret P² 12 homines + haec A 13 nondum] necdum P (ω²) fuerat + ipse vir P (ω²) fortiore + et P (ω²) 14 direpta + necdum aqua baptismatis – hoc est dicere quia P (ω², § 43)

1 Ct 1,12 3–6 *cf* 1 Tim 6,15 *cf* Apc 17,14; 19,16 Mt 8,20 Lc 9,58 7 *cf* Act 7,48 8/9 Eph 3,16.17 13 *cf* Mt 12,29 Mc 3,27

1 TUA SICUT REDIMICULUM ORNAMENTI, SIMILITUDINEM AURI FACIEMUS TIBI CUM DISTINCTIONIBUS ARGENTI. Spiritales homines in Ecclesia ornamento futuros esse perspicue indicabat.

40. QUOUSQUE REX inquit SEDEAT IN DECLINATORIUM SUUM. 5 Quae est haec declinatio regis? Regem Christum esse nulla est dubitatio. Hic ergo *rex regum non habuit* in synagoga, *ubi caput suum declinaret*, sicut ipse in evangelio testatur dicens: *vulpes cubilia habent et volatilia caeli nidos, filius autem hominis non habet, ubi caput suum reclinet.*

10 **41.** Non hoc de domibus aut de civitatibus manu factis dicebat, sed de vasis hominum loquebatur, de quibus et apostolus ait: ⟨*in*⟩ *interiorem hominem habitare Christum*, eo quod omnium sensus ita obstruxerat et obsederat diabolus, ut nemo tunc dignus haberetur, in quo rex Christus caput suum declinans in- 15 grederetur. Vasa enim diaboli adhuc omnes homines ante adventum domini erant, quia *necdum religatus fuerat ipse vir fortis a domino fortiore et necdum vasa ipsius direpta*, necdum aqua baptismatis lota necdum *templum dei* sancti spiritus dedicatione *effecta.*

42. Unde et dominus in evangelio dicit: *quotquot ante me fue-* 20 *runt, fures fuerunt et latrones.* Antequam enim in hunc mundum

2 distinctionibus] distinctione P argenti] suis R 3 ornamento] ornatos P perspicue] prespicue P indicabat] indicabant P indicat *corr ex* indicabat R² 4 sedeat *om* R* *add in mg* R² 5 haec declinatio] in declinatione R regis *om* R esse] esse R* dici *add* R² dicimus P nulla est dubitatio] sine ulla dubitatione P 7 cubilia] foveas P 8 volatilia] volucres P (ω¹) 11 et *om* R 12 ⟨in⟩] *supplevi ex recensione* ω¹ interiorem hominem] interiore homine R 14 rex *om* R *add in mg* R² declinans ingrederetur] reclinet P* reclineret (*sic*) P² 16 XXnec dum vasa ipsius directa (*sic*) *om* R* *add in mg* R² 19 et dominus *om* R 20 in hunc mundum] in homine P

4 Ct 1,12 6–9 *cf* 1 Tim 6,15 *cf* Apc 17,14; 19,16 Mt 8,20 Lc 9,58 10 *cf* Act 7,48 12 Eph 3,16.17 16 *cf* Mt 12,29 Mc 3,27 18 *cf* 1 Cor 3,16 19 Jo 10,8

1 **43.** In synagoga autem non habuit, ubi dominus declinaret, donec veniret Ecclesia, in qua rex noster veniens declinaret, pro qua et *humiliavit se oboediens usque ad mortem, mortem autem crucis,* qua declinatione ingredi in ea et habitare possit, sicut scriptum
5 est: *inhabitabo et perambulabo in eis, dicit dominus* et apostolus: *templum dei vos estis et spiritus dei habitat in vobis.*

EXPLICIT LIBER SECUNDUS

1 autem *om* P (ω²) declinaret] reclinaret P 2 veniens declinaret] ingrediens declinaret A ingrederetur P 3 humiliavit] humiliabit A oboediens] + factus *add* B² factus oboediens P oboediens factus A, *cf* p. 153 4 qua declinatione – habitat in vobis *om* B 5 inhabitabo] habitabo P 6 habitat] inhabitat P ~ in vobis habitat P (ω²) habitat + Ipsi deo – saecula saeculorum P (ω²) EXPLICIT LIBER II + *spatium linearum 3* B *cf* p. 153 EXPLICIT LIBER SECUNDUS A AMEN EXPLICIT LIBER II P (*cf* ω²)

3 Phil 2,8 5 2 Cor 6,16 6 1 Cor 3,16

1 Christus adveniret, nox ignorantiae et tenebrae erroris erant, antequam Iesus Christus vita veniret, *in nobis mors omnibus dominabatur, antequam fides veniret*, infidelitas crassabatur, antequam *templum dei efficeremur*, diversorium daemonum eramus.

5 **43.** Hi sunt fures et latrones: ignorantia, perfidia, inmunditia, spurcitia, avaritia, fraus, libido et omnis diabolica operatio, quae in omnibus permanebant, antequam ⟨verbum⟩ *dei caro fieret et habitaret in nobis*. Et inde hoc in loco ait: QUOUSQUE REX IN DECLINATIONE SUA, hoc est dicere, quia in synagoga non habuit, ubi 10 dominus declinaret, donec veniret Ecclesia, in qua rex noster ingrederetur, pro qua et *humiliavit se oboediens usque ad mortem, mortem autem crucis*, qua declinatione ingredi in ea et habitare possit, sicut scriptum est: *inhabitabo et perambulo in eis, dicit dominus* et apostolus: *templum dei vos estis et spiritus dei in vobis ha-* 15 *bitat*. Ipsi deo patri omnipotenti gratias agentes per dominum nostrum Iesum Christum, qui est benedictus in saecula saeculorum. Amen.

EXPLICIT LIBER SECUNDUS

2 Iesus *om* P 5 ignorantia] ignorantię + dei P 7 permanebant] permanebat P ⟨verbum⟩] *supplevi* filius *add in mg* P *om* R P* caro *corr ex* cao R^2 10 declinaret] reclinaret P veniens R* declinaret *add in mg* R^2 11 oboediens + factus P *add post* oboediens R^2 12 et *om* R* *add* R^2 13 sicut *om* R* *add* R^2 inhabitabo] habitabo P
EXPLICIT LIBER SECUNDUS P *om* R

1 *cf* 1 Jo 2,11 Mc 6,52 2 *cf* Jo 11,25 Rm 5,14 3 Gal 3,23 4 1 Cor 3,16 5/6 *cf* Col 3,5 Eph 4,19 Gal 5,19 7 Jo 1,14 11 Phil 2,8 13 2 Cor 6,16 14 1 Cor 3,16

INCIPIT LIBER TERTIUS

1 **1.** NARDUM inquit MEUM DEDIT ODOREM SUUM. NARDUM est oleum ligno permixtum, quod et curationi corporis prode est et boni odoris flagrantiam praestat. NARDUM enim chrismatis gratiam dicit crucis virtute perfectam, unde et *bonum odorem noti-*
5 *tiae suae* dominus credentibus praestat, sicut apostolus ait: *boni odoris Christi sumus*. Et ideo NARDUM MEUM, id est chrismatis donum passione crucis confectum, DEDIT nobis ODOREM SUUM.

2. Et addidit: LIGAMENTUM GUTTAE FRATER MEUS MIHI. Gutta calida vis est, quae cum adhaeserit corpori, nullo modo evellitur.
10 Hoc ergo ait Ecclesia: Christus mihi sic adhaesit, ut numquam a me evelli aut separari possit, sicut apostolus ait: *quis nos separabit a caritate Christi*. Ergo calor spiritus in guttae comparatione demonstratur.

3. Et addidit: FRATER MEUS MIHI INTER MEDIA UBERA MEA RE-
15 QUIESCIT. UBERA Ecclesiae evangeliorum sacri fontes habentur, in quibus Christus REQUIESCIT, exinde enim sanctis emulguntur alimenta doctrinae.

INCIPIT LIBER TERTIUS B P A INCIPIT LIBER III R *spatium trium linearum inter titulum et textum praebet* B 1 nardus . . . meus P nardus . . . meum R[2] dedit] edidit P nardum *alt*] nardus P nardum + enim R 2 ligno permixtum *om* B P curationi] curationis A prode est] prodest P A R *cf* p. 154 3 flagrantiam] flagrancia B fraglantiam P R praestat. Nardum enim chrismatis gratiam *om* B P (*per homoeoteleuton*) 4 dicit] dedit B P virtute] virtutem B 5 boni odoris] bonus odor P[2] A R 7 passione] passionum B P passionis A 8 ligamentum] alligamentum P 9 quae] qui A evellitur] evertitur P 10 sic P[2] *corr ex* siXX 11 quis] qui B separabit] separavit B P 16 sanctis emulguntur] sancti se mulguntur P emulguntur] emulgentur R

1 Ct 1,12 2 *cf* Ex 15,24.25 Sir 38,5? 4/5 2 Cor 2,14.15 8 Ct 1,13 11 Rm 8,35 14 Ct 1,13

2-5 *cf* GR-I tr 15,9 1-7 et 227,11; 8-11 Comm anon fol 5V 8-11 PS-MEL V 7,51

1 **4.** Et addidit: BOTRUS inquit CIPRI FRATER MEUS IN VINEA QUAE IN GADDIN. Hoc Ecclesia de Christo loquitur, sed videamus, quomodo botrus Cipri Christus dici potest. Ciprum enim Iudaea est, Gaddim autem trans Iordanen, quae terra gentium dicitur. Sic 5 enim Matheus evangelista testimonium prophetae posuit dicens: *terra Zabulon et terra Neptalim via maris trans Iordanen Galilaeae gentium populus, qui sedebat in umbra mortis, lux orta est eis. Exinde enim coepit Iesus praedicare regnum dei.*

5. Hoc ergo intelligendum est, quod Christus botrus est appel- 10 latus, eo quod multa in se credentium grana contineat, quique venerabili cruc⟨is⟩ ligno compressus sanguinem suum vindemia passionis effusum non solum Iudaeis, sed et gentibus cunctisque nationibus in se credentibus propinaturus erat, sicut apostolus ait: *an numquid Iudaeorum tantum deus? Nonne et gentium, immo* 15 *et gentium?* Proinde cum hunc botrum Cipri et Gaddin nominaret, hoc indicabat, ut non tantum Iudaeis, sed et gentibus in Christo salus esset futura. Denique caro ipsius non solum ex Iudaeis, sed ex gentibus per patrum originem permixta descendit.

1 Cipri] chipri A cepri R vinea] vineis P quae in Gaddin] quae in engaddi A en Gaddi P R quae *om* P R 2 hoc + est A 3 Cipri] chipri A Ciprum] Chiprus A ciprus R *cf* p. 154 enim] vero A 4 Gaddim] Gaddin A GaddiX P Gaddin *corr ex* Gaddi? R[2] Iordanen + est R 5 enim + et A R 6 Iordanen] Iordanem P A R[2] Galilaeae *om* B 7 umbra] tenebris P mortis *om* P lux orta est eis] vidit lucem magnam *add supra lineam* P[2] eis] illis A R 8 enim] ergo A R Iesus *om* B 9 quod] quia R Christus + qui B A R est *om* P* ~appellatus est A R appellatus sit P[2] 10 grana] regna B P contineat] continet A 11 venerabili] venerabilis P* cruc⟨is⟩] *scripsi, cf* tr 11,17: hic ergo botrus venerabili crucis ligno compressus, cruce B P *om* A R ligno] ligni A 12 et *om* B 14 an numquid] Annum quid B ~ deus tantum A R gentium] gentilium A 15 Cipri] et cipri P chipri A et Gaddin] et gaddim A et engaddin R 16 et *om* P 18 per patrum originem] per patres origine P per partem virginem B

1 Ct 1,14 6 Mt 4,15 - 17 Is 9,1.2 14 Rm 3,29

1-6 GR-I tr 11,6sqq 4-8 Comm anon fol 6R 9-13 GR-I tr 11,17 9-12 *cf* IS Gn 31,26; Nm 15,10 9-11 *cf* JUS-U Ct 1,21

1 **6.** Unde agnus in typum Christi, qui in pascha immolandus erat, ab ovibus et haedis requiri iubetur, cum utique discordet horum animalium in coniunctione communis fetum. Booz enim Israelita et Moabita⟨m⟩, id est ⟨Rut⟩, gentilem habuit uxorem, 5 origine[m] peccatorum, unde natus est Iesse, qui fuit pater David, unde *secundum carnem natus est* Christus, de quo apostolus et ad Romanos et ad Timotheum scribit, ut meminissent *natum Christum ex semine David.* Iohannes quoque apostolus audit per angeli vocem: *ecce vicit leo de tribu Iuda radix David.*

10 **7.** Et ideo non solum ex Iudaeis, sed ex gentibus secundum carnem Christus advenit, ut ex quacumque gente in Christo credidissent, iam arram salutis suae in Christi carne haberent. Ac per hoc BOTRUS CIPRI, id est ex Iudaeis, et EX VINEIS QUAE IN GADDIN, hoc est populo gentium, FRATREM suum, id est Christum, di- 15 cebat *Ecclesia, quae corpus est Christi.*

1 typum] typo A R 3 coniunctione] coniunctionem A Booz] Boz P Booth R 4 Israelita et Moabita⟨m⟩ id est ⟨Rut⟩] *scripsi*, srIim et moabitarum id est boos B srahelimXXX et ruth moabitidem id est vox A israhelitam et moabitarum id est boz P israelitarum et ruth moabitidem id est R, *cf* p. 154 5 origine[m]] urigi-nem *corr* ex XXXXXXX? B origine P de originem A de origine R Iesse] Gesse P Ihesse A 7 et *prim*] *om* P R Timotheum] tymotheum R scribit] scribet B P 8 apostolus] evangelista apostolus A evangelista R 9 vocem] voce B 11 in *om* R 12 carne] carnem P A ac] Hac P* A* 13 per] pro A Cipri] chi-pri A quae in Gaddin] que in Gaddim A engaddi P en gaddin R 14 hoc] id A est + a A est + de R id] hoc A 15 corpus] corporis A

3–6 *cf* Ex 12,5 *cf* Ru 4,22 Lc 3,32.33 Mt 1,5 5 *cf* Gn 19,30–37 Dt 23,3 6 Rm 1,3 7 *cf* 2 Tim 2,8 7/8 Rm 1,3 9 Apc 5,5 13 Ct 1,14 15 Eph 1,22.23 Col 1,24

1–9 GR-I tr 9,6–9 1–11 AU Ex 2,42 GAU tr 4,4.5; tr 8,42 PAU-N ep 23,7 3–6 EUCH int 7 (44,22–45,2)

1 **8.** Hic est botrus, quem in palanga speculatores a Moysen missi de terra repromissionis adtulerunt. *Terra* enim *repromissionis* corpus erat Mariae virginis, *botrus in palanga* corpus domini inter duos populos palanga crucis *adlatus*, ut, qui prior ibat, Iudae-
5 orum typum ostenderet, qui post se Christum relicturi erant; qui vero posterior veniebat, Christianorum populum indicabat, qui praecedente Christo tamquam magistrum discipulus et servus dominum secuturus erat.

9. Et addidit: VIDE SI SPECIOSA SOROR MEA VIDE SI DECORA. Hoc
10 Christus pro Ecclesia dicit. De specie autem et decore iam supra tractavimus.

10. OCULI TUI UT COLUMBAE. OCULOS COLUMBAE cum nominat, lumina spiritalis gratiae manifestat, quibus et praeterita et praesentia et futura videmus. COLUMBAM autem Ecclesiam non so-
15 lum propter simplicitatem et innocentiam nominat, eo quod

1 palanga] falanga R palanca P* phalanga P[2] a Moysen] ad moyse B a moyse P[2] missi] missa B 2 enim *om* R 3 corpus] corporis *corr ex?* A[2] Mariae] maria A* marie A[2] botrus] botrum B P palanga] falanga R corpus *alt*] caro A 4 populos + *tres litterae erasae* A crucis *om* A R adlatus *scil* botrus, *cf* p. 154 5 typum] tiphum P tipum B A relicturi] relaturi P 7 praecedente Christo] praecedente Christum A precedentem Christum P R 8 dominum + suum A R 9 vide si (*bis*)] vides (*bis*) P speciosa] ispeciosa A decora] de chora B 10 Christus] Christo R pro] de P de specie autem et decore] de spetiem autem et dechore B dei speciem autem et decorem A R 11 tractavimus] tractabimus A 12 ut *om* A R 13 lumina] lumen A gratiae] gratia A manifestat] designat P 14 columbam] columba P ecclesiam] ecclesia B 15 simplicitatem] simplicitate B

1/2 *cf* Nm 13,18–28 2 Hbr 11,9 9 Ct 1,15 12 Ct 1,15 14/15 *cf* Mt 10,16.34

1–8 GR-I tr 6,54.55; tr 11,11–17 CAE s 106,3 EUCH int 3 (16,19) EVA-G 6,63–70 [MAX] s 79 (PL 57,423C–424A) PS-MEL V 7,103 QU pro 2,15 IS Nm 15,8–10 Comm anon fol 5V/6R APO 3,15 14–230,1 *cf* TE ba 8,3

1 nullo sit malitiae felle perfusa, sed et quod columba apud Graecos peristera dicitur, cuius nominis litterae per computum Graecum in summa redactum unum et octingentos efficiunt. Unum autem et DCCC alfa et ω Graece signatur.

5 **11.** Unde et ipse dominus, *cuius est caro Ecclesia, ego sum* inquit *alfa et* ω, quo numero nomen columbae signatur, unde et spiritus *sicut columba ⟨veniens a caelo⟩ super Christum in Iordanen* indicat trinitatem patris et filii et spiritus sancti: vox in patre, filius in Christo, spiritus sanctus in columba.

10 **12.** Et addidit: VIDE SI BONUS FRATER MEUS ET QUIDEM SPECIOSUS. Duo sunt ista, quae requirit in Christo: bonitatem, qua deus est, quia *nemo* inquit *bonus nisi unus deus.* Ideo hunc, ut deum esse ostenderet, bonum esse dicebat. Speciosum autem et David similiter dicit: *speciosus forma prae filiis hominum.* Speciosus utique 15 in resurrectione est visus, quia iam fuerat in claritate paterna

1 nullo] nulla B perfusa] profusa A R columba] columbam B 2 peristera] peristera P proistera A ΓΕΡΥΣΘΕΡΑ R litterae] littera B P computum] compotus B compositus R 3 summa] summam R redactum] reductum P redactae R octingentos] octagentos A efficiunt] faciunt A 4 DCCC *om* B P signatur] signantur A? 7 ⟨veniens a caelo⟩ super] *scripsi,* idem a dmno per B P R idem a domino super A *cf* p. 155 Iordanen] iordane P 8 in patre] inparę P 9 columba] columbam B 11 requirit] requiret B P bonitatem] bonitate B P qua] quia A 12 unus] solus P 13 ~ similiter et David A R 14 forma] formam B 15 quia] qui R in claritate] inclitate P* in claritate paterna] in claritatem paternam R

5 *cf* Eph 1,22.23 Col 1,24 Apc 1,8 7 *cf* Mt 3,13 Mc 1,10 Lc 3,22 Jo 1,32 10 Ct 1,16 12 Mt 19,17 Mc 10,18 Lc 18,19 14 Ps 44,3 14/15 *cf* Jo 17,22 Phil 3,21

1-4 IR 1,14,6 APR 1,8 PRIM 5 (PL 68,932 C.D) 13-15 NO tri 13,5 Comm anon fol 6V

1 reversus, quia ante passionem *homo in plaga et sciens ferre imbecillitatem* est dictus. *Vidimus eum* inquit Esaias *et non habebat speciem suam neque decorem.*

13. Qua re non habebat speciem suam neque decorem? Quia, 5 ut apostolus ait, *formam servi induerat, semet ipsum exinanivit et humiliavit se usque ad mortem, mortem autem crucis.* Ideo tunc non habebat speciem suam neque decorem. Sed cum post resurrectionem clarificatus est, eo honore qua specie ascendit in caelis. Et ideo ait: VIDE SI BONUS FRATER MEUS ET QUIDEM SPECIOSUS, 10 ut humanitatem et deitatem ipsius declararet.

14. Et addidit: CUBILE NOSTRUM UMBROSUM, ASSERES NOSTRI CEDRINI, PRAESAEPIA NOSTRA CIPRESSI. In hoc loco CUBILEM cum nominat, sepulturam dominici corporis dicit, ubi somno passionis soporatus iacuit dominus umbra mortis coopertus, sicut 15 apostolus ait: *etsi mortuus est ex infirmitate, sed vivit in virtute.* Et ideo CUBILE UMBROSUM infirmitatem corporis, id est sepulturam carnis, mortis, ut dixi, umbra coopertum perspicue indicavit.

1 quia] qui R quiaume? A (qui autem est?) homo in plaga et sciens ferre inbecillitatem est dictus] homin In plaga et sciens ferre invecillitatem homo est dictus A in plaga hominis nesciens ferre inbecillitatem homo est dictus R 2 vidimus eum inquit] vidimus enim eum inquit R vidimus enim inquit eum A Esaias] Isaias R 4 qua re non habebat speciem suam neque decorem *om* B P (*per homoeoteleuton*) 5 induerat] induit R exinanivit et humiliavit] exinanibit et humiliabit A 6 ideo tunc *om* B* ideo tunt *add* B[2] 8 qua] quasi R caelis] caelos R 10 ut] et P deitatem] dignitatem A R 11 Et addidit *om* B cubile] cubilem A B *cf* p. 155 asseres] asserens B 12 cedrini] chedrini A cipressi] chipressi A cipressina P ciprissi B cypressi R cubilem] cubile R cum nominat] cognominat A 13 somno] somnum A 14 ~mortis umbra A R sicut] sicuti A R 15 mortuus] mortus R* in] ex P 16 cubile] cubilem A 17 coopertum] quo opertum P perspicue] prespicue B P A *fortasse recte* indicavit] indicabit A P*

1 Is 53,3.2 5 Phil 2,7.8 9 Ct 1,16 11 Ct 1,16.17 14 *cf* Ps 43,20 15 2 Cor 13,4

12–17 Comm anon fol 6V *cf* APO 3,21.22

1 **15.** ASSERES inquit NOSTRI CEDRINI. Non hic de asseribus ligneis et de domo manu facta loquebatur, sed cum ASSERES CEDRINOS nominat, patriarchas nobiles sublimi gloria elatos in domum dei ostendit. Quos ideo cedros appellat, quia hoc genus ligni im-
5 putribile et nimis excelsum est, ut et immortalem gloriam patriarcharum et sublimem regni promissi dignitatem ostenderet.

16. PRAESAEPIA vero CIPRESSI. Cipressum maius est quam cedrum. Denique hoc genus ligni rex omnium arborum perhibetur. Proinde ut patriarchas cedros, ita et apostolos cipressos appellat,
10 unde PRAESAEPIA NOSTRA, id est evangelicae doctrinae, cibis repleta sunt, denique ipse salvator, cum *secundum hominem nasci* dignatus est, *in praesaepio positus invenitur*, eo quod pabulum nobis quo⟨n⟩dam pecoribus esset futurus, sicut in evangelio dicit: *qui vescitur corpus meum*, ut panem vitae, *habet vitam ae-*
15 *ternam.*

17. Haec sunt praesaepia, apostolicae doctrinae praecepta, quae propter principalem regni caelestis gloriam cipressi nuncu-

1 cedrini] chedrini A 2 et] nec A R cedrinos] cidrinos B chidrinos A 3 gloria elatos] gloriae latos B domum] domo R 4 cedros] chedros A caedros B 6 promissi] promissio A 7 vero] nostra R cipressi] ciprissi B chipressi A cypressi R cipressum] ciprissum B chipressum A cypressus R maius] magis R cedrum] chedrum A cedrus R *cf* p. 155 9 cedros] chedros A cipressos] cipressus P* chipressus A cypressos R appellat] adtollat A 10 cibis] civis A cibi P cibo B repleta] repleti A 12 in] et B praesaepio] presaepe? A invenitur *om* R 13 quo⟨n⟩dam] *scripsi, cf* tr 19,11 quodam B A quoddam P R ~ quoddam nobis R pecoribus] *an legendum* peccatoribus?, *cf* tr 19,11: quod autem in praesaepio positus invenitur, hoc significabat, quod cibus caelestis *nobis quondam peccatoribus* ad sagenam aeternae salutis erat futurus 14 habet] habebit R 16 sunt + ergo A 17 quae] Atque A R ciprissi] chipressi A cipressi R

1 Ct 1,17 7 Ct 1,17 11 Rm 1,3 12 Lc 2,7 14 Jo 6,54

2–6 Comm anon fol 6V 7–9 Comm anon fol 7R 12/13 GR–I tr 19,11

1 pantur, sacri scilicet corporis pabulo et potu sanguinis plena, unde credentium animae et corpora saginantur.

18. Et addidit: EGO FLOS CAMPI ET LILIUM CONVALLIUM. FLOS CAMPI Christus est in saeculo, de quo flore Esayas propheta pro-
5 nuntiavit dicens: *exiet virga de radice Iesse et flos de radice eius ascendit.* Saeculum autem campum esse testatur scriptura, quae dicit: *exivit verbum et stetit in campum,* id est Christus in saeculo. Sed LILIUM inquit CONVALLIUM, infernorum loca dicit quasi in depressa valle dimersa, ubi descendit dominus velut lilium deco-
10 rae resurrectionis candidus ascensurus, ut inde patriarcharum animas liberaret.

19. Sed cum repetit: UT LILIUM IN MEDIO SPINARUM, SIC PROXIMA MEA IN MEDIO FILIORUM ET FILIARUM, qui sunt isti FILII vel FILIAE, inter quos PROXIMA SUA UT LILIUM IN MEDIO SPINARUM
15 pronuntiatur? FILIOS ET FILIAS credentes appellat.

20. Sed quia sunt multi in Ecclesia, qui spinas et tribulos generant, id est per sollicitudinem mundi, per divitias honores et ambitiones saecularis potentiae, spinas peccatorum producunt, de

1 sacri] sacris A et potu] et post B et poto P 3 Et addidit *om* P 4 Esayas] esaias B Ysaias R pronuntiavit] pronuntiabit A pronuntiat P 5 exiet] exiit B Iesse] gesse P Ihesse A 5 de radice] daradice P ascendit] ascendet P R 7 exivit] exibit A exiit P 8 sed + et A R in depressa] inde praesa B inde pressa P 9 velut] vel P 10 inde] exinde A R 13/14 medio *(bis)*] medium *(bis)* A 16 generant] germinant A 17 divitias honores] divitias et honores P honores *om* R 18 saecularis potentiae] seculares potentie A saecularis potentia P per seculares potentias R

3 Ct 2,1 5 Is 11,1 7 Hab 3,5 (LXX) 10 *cf* 1 Pt 3,18 sqq.; 4,6 Hbr 13,20 Rm 10,7 12 Ct 2,2 16 *cf* Gn 3,18

8-11 GR-I tr 5,23-25; tr 14,6 *cf* IS Gn 30,8 Comm anon fol 7R 16-234,5 Comm anon fol 7R

1 quibus spinis et in evangelio dicit: *suffocare bonum semen, ut fructum* debitum *adferre* non possit, inter haec ergo versatur Ecclesia, quae quidem maior pars credentium his saecularibus curis intenta est, sed qui ea despicere potuerit, ille inter ceteros, quos 5 spinas appellat, fulgebit ut lilium.

21. Et addidit: TAMQUAM MALUM INTER LIGNA SILVAE. MALUM granatum, quamvis in magna silva sit positum, inclusam tamen intra se multitudinem granorum suorum ab omni ramorum conlisione defendit ac vindicat. SILVAM autem hanc homines dicit in-10 fideles, qui nullum divinae religionis cultum habere videntur.

22. Ergo Ecclesia, cum sit in medio Iudaeorum vel gentium constituta, inclusam tamen intra se plebem suam liberam et intactam praestat et continet et vindicat per spiritum sanctum, cuius munitione concluditur atque servatur. SIC FRATER MEUS IN 15 MEDIO FILIORUM, id est in medio populi Israel.

23. Denique et addidit: CONCUPIVI IN UMBRA EIUS ET FRUCTUS EIUS DULCIS IN FAUCIBUS MEIS. UMBRA hoc in loco passio est, sicut alibi scriptum est: *in umbra alarum tuarum sperabo, donec transeat iniquitas*. Fructus autem resurrectionis ipsius est, in qua re-20 surrectione nos omnes resurgimus a mortuis. Sed quod ait:

1 et *om* B suffocare] suffocant A R 2 debitum] bonum A R ~ non possit afferre A R 3 quae] quia R 4 qui ea] quia P* inter] in B 7 silva sit] silbesit A 9 ~ dicit homines P 11 vel] et A R 14 servatur] salvatur R 15 filiorum + et filiarum R, *cf Lemma § 19* 16 et *prim om* A R umbra eius + concupivi et sedi P umbra] membra B fructus] vultus B 17 dulcis + mihi A R umbra hoc in loco - in faucibus meis (235,2) *om* B P (*per homoeoteleuton*)

1 Lc 8,14 6 Ct 2,3 14 Ct 2,3 16 Ct 2,3 18 Ps 56,2 19 *cf* Rm 6,5 Col 2,12 20 *cf* 1 Cor 15,22 Eph 1,7 Col 1,14

6–10 GR-I tr 11,26.27.30.31 EVA-G 6,71–75 Comm anon fol 7R 19–235,3 Comm anon fol 7V

1 FRUCTUS EIUS DULCIS IN FAUCIBUS MEIS, quid enim tam dulce credentibus esse potest quam cum repromittitur resurrectio mortuorum?

24. Et addidit: INDUCITE ME inquit IN DOMUM VINI. Quid est IN 5 DOMUM VINI, nisi in sacramento passionis? Hoc enim vinum sanguis est Christi, qui in mysterio passionis ipsius semper in Ecclesia credentibus propinatur, sicut ipse dicit: *nisi manducaveritis carnem filii hominis*, id est panem vitae, *et biberitis sanguinem, non habetis vitam aeternam.*

10 **25.** Et addidit: CONSTITUITE SUPER ME DILECTIONEM. Hanc dilectionem mandat dominus noster, cum dicit: *diligite vos invicem* et apostolus: *si habeam potestatem ita ut montes transferam, caritatem non habeam, nihil sum.*

26. Et addidit: CONFIRMATE ME inquit IN UNGUENTIS. UNGUEN-15 TUM hoc fidelibus creditum est post lavacrum, sucus fidei, id est chrisma sanctorum.

27. Et addidit: CONSTIPATE ME IN MALIS, QUIA VULNERATA CARITATIS EGO SUM. Hic cum CONSTIPARI SE IN MALIS dicit, in magnis laboribus et aerumnis passionem suam ostendit adversus saeculi 20 persecutionem. Vult enim Ecclesia pro Christo omnibus malis, id est periculis et passionibus obici atque puniri, sicut apostolus ait: *non sunt condignae passiones huius saeculi ad superventuram gloriam, quae revelabitur in nobis.*

2 potest] po/potest B 4 me *om* P 5 sanguis] sanguinis P 8 filii] fili B A 10 me *om* P dilectionem] dilectio B* dilectionem. Hanc] dilectionem hanc A 12 apostolus + sic dicit P habeam + inquit A R potestatem] omnem fidem A R caritatem + autem A R 14 confirmate me] confirma me A R me *om* P inquit *om* A R 15 ~ est creditum P sucus] sumptae R 17 me in malis] in *eras* P me immo A me imo malis R 18 in malis] in medio A immo dum (imo du) R 19 et *om* R 22 superventuram] futuram A R 23 nobis] vobis B

4 Ct 2,4 7 Jo 6,54 10 Ct 2,4 11 Jo 13,34 12 1 Cor 13,2 14 Ct 2,5 17 Ct 2,5 22 Rm 8,18

10/11 Comm anon fol 8R 18–21 Comm anon fol 8R

1 **28.** Denique et addidit: QUIA VULNERATA CARITATIS EGO SUM, id est quia vulnus violentum mihi in his passionibus inflixit caritas Christi usque ad profusionem sanguinis, cum dicit: *non veni pacem mittere, sed gladium, et qui vult meus discipulus esse, abne-*
5 *get se sibi et tollat crucem suam et sequatur me* et iterum: *qui animam suam perdiderit pro me, in vitam aeternam inveniet eam.* Hoc est autem vulnus, quod nos perducit ad passionem, amor scilicet Christi, quem habemus in eo, de quo apostolus ait quia *propter te morti afficimur tota die, aestimati sumus ut oves occisionis.* Ideo se
10 VULNERATA CARITATIS esse testatur.

29. Et addidit: LAEVA EIUS SUB CAPITE MEO ET DEXTERA EIUS COMPLECTITUR ME. Manus istae duae duo sunt testamenta, priscae legis et evangeliorum. LAEVA ergo cum dicit, vetus testamentum adnuntiat, DEXTERA autem evangeliorum praedicatio est.
15 Proinde infra est vetus testamentum, quod subicitur a *capite Ecclesiae, quod est Christus.* Et dextera complectitur eam, id est evangelica sacramenta, unde operiuntur vetera peccata. Ergo qui in fide procedit et Christo devote servit, veterem hominem intra se relinquit et denuo *Christi corpus* amplectitur, *quod est Ecclesia.*

EXPLICIT LIBER TERTIUS

1 Denique *om* P 2 violentum] violentus A his *om* A R inflixit] infixit A R 6 pro] propter A R 9 aestimati] esmati P extimati A Ideo se] inesse B in eo se P 10 vulnerata] vulneratam A 12 complectitur] complectetur P duo *om* R sunt *om* A 13 ergo] eius R 14 evangeliorum] evangelice A evangelica R 15 a capite] a capiti A capiti R 16 dextera + eius A R 17 operiuntur] oriuntur A R 19 relinquit] relinquet B P
EXPLICIT LIBER TERTIUS B P A (TERCIUS B) EXPLICIT LIBER III R

1 Ct 2,5 3/4 Mt 10,34 4/5 Mt 16,24 Mc 8,34 Lc 4,23 5/6 Mt 10,39; 16,25 Mc 8,35 Lc 9,24 Jo 12,25 7/8 *cf* 1 Cor 15,31 Gal 2,4 8 Rm 8,36 Ps 43,12 11 Ct 2,6 15 Col 1,18 Eph 4,15.16 *cf* Col 3,9 18 Eph 4,22 Rm 6,6 19 Eph 1,22.23 Col 1,24

13–17 Comm anon fol 8R

INCIPIT LIBER QUARTUS

1 **1.** ADIURAVI VOS, FILIAE IHERUSALEM, IN VIRTUTIBUS ET POTESTATIBUS AGRI, SI EXCITETIS CARITATEM QUOUSQUE VELIT. FILIAE IHERUSALEM plebes sunt synagogae, VIRTUTES autem AGRI fruges intelliguntur, quae sunt futurae sanctorum. De quibus fructibus
5 Ysaac filium suum Iacob benedixit dicens: *det tibi deus a rore caeli et a fertilitate terrae abundantiam frumenti vini et olei.* Quarum rerum abundantiam non solum non habuit Iacob, verum etiam et in Aegypto fame fugit. Sed hanc benedictionem in personam Iacob consecuturi sunt ipsi, qui filii Abraham vel Ia-
10 cob esse meruerunt.

2. Denique istae tres species continent frumentum in Christi corpore, vinum in sanguine, oleum in chrismate, per quod adiurat filias Iherusalem, id est plebes synagogae, spiritus sanctus, ut crederent Christo et hanc gratiam consequi mererentur. Sic enim
15 ipse dominus dicebat: *non sum missus nisi ad oves perditas domus Israel.*

3. Ob hoc autem adiurat per has virtutes, id est per abundantiam futuri regni et per sacramentum corporis et passionem san-

INCIPIT LIBER QUARTUS B P A INCIPIT LIBER IIII R
1 adiuravi] adiurabo P adiuro A R 2 excitetis + suscitetis P caritatem] caritate B quousque + ipse P 3 virtutes] virtutum A R 4 futurae] fructus R fructibus *om* P 5 a] de P R 7 solum non *om* P 8 et *om* P Aegypto] egiptum R pro fame] prae fame A R fugit] fuit P* 8 personam] persona R consecuturi] consecuti R ipsi] sancti A R Abraham] habraham B abrahe A P 12 sanguine] sanguinem A chrismate + hoc est A R 14 consequi mererentur] consequerentur A R 15 perditas] quae perierunt A R 17 has *om* P

1 Ct 2,7 5 Gn 27,28 9 *cf* Gal 3,7 15 Mt 15,24

1–18 GR-I tr 5,34–36 IR 5,33,3 1–10 HIL my 1,23 Hippolyt ben patr 7

1 guinis et chrismatis unctionem, ut ELEVARENT ET SUSCITARENT CARITATEM super eum, QUOUSQUE IPSE VELIT. Haec est enim caritas, quam ipse vult, ut hoc amore ipsius mortem sectemur, quia *qui pro me* inquit *animam suam perdiderit, in vitam aeternam inve-*
5 *niet eam.*

4. Et addidit: ECCE HIC SALIENS SUPER MONTES, EXSILIENS SUPER COLLES. MONTES patriarchas dicit vastos fide, spe robustos, mole caritatis fundatos, COLLES prophetas in specul⟨a⟩ constitutos. Et ideo super omnium altitudinem montium, id est patriarcharum,
10 et super omnes colles, prophetas, exsilire et elevari eum testatur, quia ipse est *super omnia dominus, et omnia pedibus eius subiecta sunt.*

5. Et addidit: SIMILIS ESTO, FRATER MEUS, CERVAE AUT HINNULO CERVORUM. De cerva et hinnulo cervorum paulo ante utilius dis-
15 ser[u]imus, quia et infra hanc comparationem inducit. Verum quod ait: SUPER MONTES BETHEL, eo quod Christus in Bethleem natus est. Quod autem comparat eum CERVAE AUT HINNULO CERVORUM, ostendere voluit fugitivae mentis infantiam. Hoc enim

1 elevarent] eluarent P* elebarent A 2 eum] eam R ipse *om* R 3 hoc amore] ob amorem R mortem] morte P 4 inquit *om* P 7 vastos] bastos P vastos + sanctitate A R spe *om* A R 8 caritatis] caritate P colles + vero A R in specula *recte coniecit* N] in speculo *mss* 10 colles + id est R 11 omnia + sub *add* A² *supra lineam* 13 esto] est P A 14 cervorum *alt*] cervarum P ante] post A *cf* p. 155 disser[u]imus] *scripsi* disseruimus B P R disseremus A 15 quia] qui R infra] in P inducit] inducet B indicit P inducitur R 16 Bethleem] bethlem B A 18 voluit] vult A R

4 Mt 10,39 *parr.* 6 Ct 2,8 7/8 *cf* 1 Cor 13,13 9/10 *cf* Is 2,14 11 1 Cor 15,26 Eph 1,22 Ps 8,8 Hbr 2,8 13 Ct 2,9 16 *cf* Mt 2,1 18 *cf* Mt 2,13–16

6–10 *cf* PHY B 20,5; 29,16 17–239,2 Comm anon fol 8V

1 animal, cum persecutorem senserit, fugit. Eo modo ⟨ait⟩ fugisse
eum Herodis persecutionem, propter quem et *omnes infantes in-
terfecti sunt a bimatu et infra.*

6. Et addidit: ECCE HIC POST PARIETEM NOSTRUM PROSPICIENS
5 PER FENESTRAM, AUSCULTATUR PER RETIA. Quid hic PARIES indicet, quid FENESTRA, quid etiam RETIA, per quam dominus AUS-
CULTATUR, diligentius requiramus. Parietem corpus domini beatus apostolus manifestat, cum dicit *unum et medium parietem materia solvens inimicitias in carne sua, ut duos iungat in unum*, et Da-
10 vid corpus domini parieti comparans ait: *tamquam parieti inclinato et materiae impulsae*, quod scilicet paries ille in materia crucis inclinatus esse videatur. Sed et Abacum *lapis* inquit *de pariete
clamavit et scarabaeus de ligno adnuntiavit ea.*

7. *Lapis* itaque Christus *de pariete* corporis *clamavit* ad patrem
15 *et scarabaeus de ligno adnuntiavit ea*, id est unus de latronibus

1 eo modo ⟨ait⟩ fugisse eum Herodis] *scripsi* eo modo An fugisse eum Herodis B A (an A) eo modo aut fugisse eum Herodis P et eo modo fugisse eum legimus Herodis R   2 persecutionem] persecutorem? B   3 a bimatu] ab imatu B   4 hic *om* A R   prospiciens] prespiciens B   hoc est in proverbiis *add in mg* A   5 fenestram] fenestras P*   auscultatur] auscultat R   6 etiam *om* A   retia] retiam A   quam] quae R   auscultatur] ausculXXX A auscultat R   8 materia] matheria B macheriam P macerie? A macerię R *cf* p. 156   10 comparans] comparat cum dicit A R   parieti] parietis A   11 materiae] matherie B macherie P macerie A macerię R *cf* p. 156   quod] Quos P   ille] illic A   in materia] in matheriam? B in macherię P in maceria A R *cf* p. 156   12 Abacum] abacuc P ambacum A abacuch R   13 clamavit] clamabit P A   adnuntiavit] adnuntiabit P A   14 Christus] spiritus B   corporis + sui A R   clamavit] clamabit P A   15 adnuntiavit] adnuntiabit P adnuntiavit ea *om* A R   de] ex P

2 Mt 2,16   4 Ct 2,9   8 Eph 2,14   10 Ps 61,4   12 Hab 2,11 (LXX)   14/15 Hab 2,11 (LXX)

7/8 JUS-U Ct 1,37   8-13 PS-MEL P 6,2,19; P 9,1,53; V 7,107,3; V 11,14,1 PAU-N ep 23,14   15 HI Hab 1,2,9   PS-MEL P 11,80

1 pronuntiavit dicens: *tu cum sis filius dei*, qua re hoc pateris? Nam ideo paries dicitur Christus, qui, ut includit suos, *servat alienos*. FENESTRA autem luminaria sunt charismatum, id est donorum, quibus ex pariete corporis sui humani generis prospiciens lumen
5 credentibus praestitit. Nam subiunxit: parietem nostrum, ut manifestaret corpus ipsius, quod paries dicebatur, nostrae conditionis et sortis materiam habere.

8. Et addidit: AUSCULTANS PER RETIA. Auscultare autem est, quod per parabolas loquitur, sicut ipse dominus dicit: *simile est*
10 *regnum caelorum retiae, quae mittitur in mari et capit pisces bonos et malos*. Mare utique saeculum, pisces in similitudine hominum posuit, qui verbo dei de mare saeculi per aquam baptismatis in Ecclesia congregantur.

9. Merito hoc in loco vox Ecclesiae dicit: FRATER MEUS PER RE-
15 TIA AUSCULTAT, id est verbum dei in parabolis loquitur, ut occulto sermone capiat audientes. Nam ut in retia nodi sunt multi

1 pronuntiavit] pronuntiabit P A hoc] haec A R pateris] teris B 2 includit] *scripsi* includet B P includat A R servat] servet? B* A? R 3 fenestra] fenestre P luminaria] lumina A R 4 humani generis] humano generi P A humanum genus R 6 paries] parietem A R dicebatur] dicebat A R 7 materiam] matheriā B P materiā A R *cf* p. 156 8 auscultans] auscultat R retiam A 9 simile est] similem B 10 retiae quae] rete quod A² reti quod R mittitur] mittuntur B mari] mare P capit] *scripsi* capet B P capiet A R 11 utique + est praesens R similitudine] similitudinem P R 12 mare] mari R 14 dicit + simile est regnum caelorum et reliqua idem dicit A R retia] retiam A 16 ut] sicut R retia] retibus R multi] *om* P initi? B

1 Lc 23,39 *cf* Lc 9,22;24,46 Mc 8,31 2 Mt 27,40.42 8 Ct 2,9 9 Mt 13,47 14 Ct 2,9 15 Mt 13,10

1–7 Comm anon fol 9R 8/9 JUS–U Ct 1,38 15–241,3 Comm anon fol 9V

1 et ligaturae, quibus macularum spatia distenduntur, ita et in parabolis nonnulla quaestionum sunt vincula et obscuri nodi habentur, quaedam vero aperta et perspicua veritate patescunt, ut per haec homines capiant litus, id est ad regnum dei deducan-
5 tur, ubi inter bonos et malos discrimen habetur.

10. Et addidit: RESPONDIT FRATER MEUS ET DICIT MIHI: EXSURGE VENI PROXIMA MEA, COLUMBA MEA, QUONIAM ECCE HIEMS TRANSIIT ET PLUVIA DISCESSIT SIBI, FLORES VISI SUNT IN TERRA NOSTRA, TEMPUS METENDI ADVENIT.

10 **11.** Quis hic FRATER, qui RESPONDIT: EXSURGE VENI PROXIMA MEA, iam supra exposuimus, quod vox haec Christi ad Ecclesiam sit. Sed et qua re Christus columbam Ecclesiam nominaverit, et hoc – puto – disserui. Sed si *Ecclesia* secundum apostolum *corpus est Christi*, cur ei dicitur: EXSURGE? Hoc enim aut sedenti dicitur
15 aut iacenti.

12. Arbitror ideo dictum, quia *caro Christi, quod est Ecclesia,* post passionem in monumento sepulta iacebat. Haec ergo tertia die in domino resurrexit et ipsi copulata pariter in caelis ascendit.

1 macularum] maculorum A 2 nonnulla] nonnullę P A 3 perspicua] prespicua B P A *fortasse recte* 4 homines *om* A R capiant] capiat B P capiat + et ad P est + ut R regnum] requiem P 6 meus + nunc B 8 transiit] pertransiit A[2] R et *om* P pluvia + abiit A R terra nostra] terram nostram P 9 metendi] metiendi P 10 quis + est A R respondit] respondens dicit A R exsurge] exsurgens B P 12 et] *om* P columbam] columba mea P nominaverit] nominat P 13 disserui] disseri R ecclesia] ecclesiam P* 14 ~ dicitur ei P exsurge] exsurge exsurge A R enim + ei P 16 arbitror ideo dictum] arbitrori additum B quod] quae R 18 caelis] caelos R

5 *cf* Mt 13,48 6 Ct 2,10.11.12 13 Col 1,24 Eph 1,22.23 16 *cf* Col 1,24 Eph 1,22.23

13–242,4 *cf* GR-I tr 17,27 TE res 8,3 *cf* AM Ps 118 6,23

1 Ideo hoc in loco vox Christi Ecclesiae dicebat: EXSURGE VENI PROXIMA MEA SPECIOSA MEA COLUMBA MEA. Exsurge, utique ex mortuis, veni, in regno caelorum, proxima, in corpore, speciosa, in sanctitate, columba, in spiritu.

5 **13.** QUONIAM ECCE HIEMS PERTRANSIIT, PLUVIA DISCESSIT SIBI, FLORES VISI SUNT IN TERRA NOSTRA. Hiemem itaque duplicem significatione nulla est dubitatio, vel quod inest ei asperitas frigoris et rigoris, aut cum opportunitate pluviarum tempus est seminandi. Ac per hoc cum HIEMEM nominat, mundi istius tempus in-
10 ducit, quod et verbum dei quasi quoddam semen iustitiae a prophetis et apostolis vel sacerdotibus in hoc saeculo seminatur et assidua praedicatione velut quodam caelesti imbre rigatur, ut *centesimum, sexagesimum et tricesimum fructum* possit adferre. Asperitas autem hiemis et rigoris ad persecutionis iniuriam perti-
15 net, quam in mundo omnes sancti saepenumero patiuntur, sicut salvator in evangelio dicit: *oportet vos per multas tribulationes introire in regnum dei.*

14. Praedicationem autem doctrinae caelestis in pluviam deputari probat Moyses dicens: *attende, caelum, et loquar et audiat*
20 *terra verba ex ore meo, exspectetur sicut pluvia eloquium meum et descendat sicut ros verba mea et sicut imber super gramen et sicut*

1 ~ in hoc loco P vox] voce B Christi *om* P ecclesiae] de ecclesia P ecclesia A exsurge] *om* P* *add* P[2] 2 speciosa mea] *om* R columba mea speciosa mea A 3 regno] regnum P A R 5 pertransiit] transiit P 6 itaque] utique P duplicem + habere A R (habens? A) 7 significatione] significationem P A R frigoris] hiemis A R 8 et rigoris *om* P aut + quia A R 9 ac] hac P hiemem] hieme B 10 quoddam] quadam B quodam P 12 rigatur] regnatur B 13 centesimum + et P possit] posset B A 14 persecutionis] persecutionum P 16 vos] nos A R 18 praedicationem] praedicationes A R 21 descendat] discendat B descendant R sicut *alt*] *om* A R

2/3 Eph 5,14 5 Ct 2,11.12 10 *cf* Mt 13,3–9 13 Mt 13,23 16 Act 14,21 19 Dt 32,1–3

1 *nix super fenum, quoniam nomen domini invocavi.* Semen es⟨se⟩ verbum dei evangelista ex voce domini testatur dicens: *exiit seminator seminare semen suum* et iterum: *bonum semen seminasti in agro tuo, unde huic zizania?*

5 **15.** Transacta ergo HIEME, id est mundi tribulatione, cessante quoque PLUVIA, id est praedicatione verbi dei, adveniet vernum tempus, verni grata temperies. Quod vernum futurum dei regnum in magna tranquillitate designat, ubi sanctorum corpora, FLORES, velut rosae et lilia *de sepultionis* TERRA per sanctitatem 10 candida et passione rubicunda procedunt.

16. Vox inquit TURTURIS AUDITA EST IN TERRA, FICULNEAE PROTULERUNT GROSSOS SUOS. Diximus iam superius turturem congregationem Ecclesiae ex gentibus venientem ostendere de varietate plumarum, unde et Moyses in figura spiritali turturem et 15 columbam in sacrificio offerr⟨e⟩ iubetur. Sed qua re inquit: IN TERRA NOSTRA VOX TURTURIS AUDITA EST? David dicit: *credo vi-*

1 super] supra P invocavi] invocabo P invocavi + et reliqua R semen es⟨se⟩ verbum dei] *scripsi* semen est verbum dei B semen et verbum dei P semen verbum dei esse A R 2 ex *om* P 4 huic] hic P 5 ergo *om* R 6 adveniet] advenit P advenientem A adveniente R adveniet vernum tempus verni grata temperies] advenientem laetum tempus verni grata temperies A adveniente post letum tempus verni grata temperie R 7 futurum] futuri B P dei regnum] deX urginū B de uirginum P xp̄i regnum A R 8 in *om* R ubi] ubique R corpora *om* B 9 ~ velut flores A R *cf* p. 157 sepultionis terra] sepulcris terrae A R per sanctitatem] sanctitate A R 10 passione] passionē P procedunt] procedent R 11 terra + nostra R 12 grossos] gros B grosos P diximus] dixi P 13 ostendere] significari quod ostendimus A R 14 Moyses] liber moysi A R spirituali] spiritaliter R 15 sacrificio + spiritali A R offerr⟨e⟩] offerri *mss* iubetur] iubet A R

2 Mt 13,3 3 Mt 13,27 9 *cf* Ps Jr (Resch 320-322) = IR 3,20,4 11 Ct 2,12.13 14/15 Lc 2,24 Lv 5,7; 12,8 Nm 6,10 16 Ps 26,13

5/6 Comm anon fol 9V 9 IR 3,20,4 12-14 PS-MEL P 11,62

1 *dere bona domini in terra viventium* et dominus: *beati mansueti, quoniam ipsi possidebunt terram.*

17. Et addidit: FICULNEAE PROTULERUNT GROSSOS SUOS. Non quod de ficulneis curam sanctus spiritus gereret, sed ficus imagi-
5 nem prisci populi gerit, sicuti dominus in evangelio ait: *quidam pater familias plantavit vineam et in vineam suam plantavit ficum.* Proinde hoc significat, quod ex populo Iudaeorum Helia Thesbiten adnuntiante in Christo credituri sunt multi, quorum numerum spiritus sanctus per beatum Iohannem apostolum in Apoca-
10 lypsin signavit *ex duodecim tribus duodecim milia signatorum*, et dominus in evangelio: *cum videritis ficum germinantem, scitote in proximo esse tempus aestatis*, id est cum ex Iudaeis videritis credentes et fructum evangelicae fidei facientes, scitote in proximum esse adventum dei.

15 **18.** Et addidit: TEMPUS METENDI ADVENIT. Quid est hoc TEMPUS METENDI, nisi tempus illud, quando Christus veniet, quo sancti omnes *ut frumentum in regno caelestis horrei reconduntur, palea vero*, id est peccatores et leves et irrationabiles homines *igni inex-*

3 grossos] gros B 4 sanctus spiritus gereret] gerat spiritus sanctus A R 5 sicuti] sicut A R ait] dicit R 6 vineam suam] vinea sua A R 7 Thesbiten] tesbiten P R* 8 annuntiante *add* P² numerum] numerus P 9 ~ apostolum Iohannem A R Apocalipsin] apocalipsi B 10 signavit] signabit P² tribus] tribubus *corr ex* tribus P² R, *sed cf* tribus = tribubus, V. Bulhart, *Praefatio* N⁰ 31. milia *om* B 11 evangelio + ait A R 12–14 tempus - esse *om* P (*per homoeoteleuton*) 12 ~ ex Iudaeis cum A R 13 proximum] proximo A R 14 ~ adventum esse A R 15/16 metendi] metiendi P (*bis*) 15 quid] quod P hoc *om* B P 16 quando] quo A R veniet] adveniat A adveniet R 17 omnes] homines R ut] sicut A R palea] paleae A R 19 homines + haec A inextinguibili] extinguibili P

1 Mt 5,4 Ps 36,11 3 Ct 2,13 4 *cf* 1 Cor 9,9 Lc 13,6 Mt 21,33 7/8 *cf* Sir 48,10 Mal 4,5.6 10 Apc 7,4 11 Mt 24,32.33 Lc 21,29 13 *cf* Lc 13,9 15 Ct 2,12 17–245,4 Mt 3,12; 13,30

7–10 GR-I tr 5,30; tr 7,19 IS Jdc 6,7 *cf* VICn Apc 12,4; 20,1 7/8 Comm anon fol 10R? 15–17 Comm anon fol 10R

1 *tinguibili comburentur*, sicut Iohannes Baptista de salvatore dicebat: *habens* inquit *ventilabrum in manu sua purgabit aream suam, ut frumentum in horreo recondat, paleas autem comburet igni inextinguibili.*

5 **19.** Et addidit: VINEAE NOSTRAE FLOREBUNT, id est species et merita sanctorum in regno dei florebunt. ET DEDERUNT inquit ODOREM SUUM. IN OMNI LOCO ODOR, sicut apostolus ait: *nos bonus odor Christi sumus.*

20. MANDRAGORAE inquit DEDERUNT ODOREM SUUM. Haec est 10 mandragora, cuius fructum Ruben, primitivus filius Liae, quae synagogae typum habebat, in agro invenit, quem Rachel, quae similitudinem Ecclesiae gerebat, concupiscens accepit. Quae iam figuram domini nostri gerebat salvatoris advenientis, quem Ecclesia concupiscens accipere meruit.

15 **21.** Et addidit: EXSURGE VENI SOROR MEA SPECIOSA MEA CO-

1 Iohannes] liber Iohannes A liber Iohannis R Iohis B Baptista] baptistae R dicebat] dicit R 2 sua + et P suam *om* A R 3 recondat] condat A 5 species] spes A R 6 et dederunt inquit odorem suum] mandragorae inquid dederunt odorem A Mandragorae inquit dederunt odorem suum et addidit R *cf* p. 157 7 in omni loco odor] in omni loco R *cf* p. 157 9 inquit *om* A R 10 fructum] fructus P primitivus] primogenitus A primogenitivus R quae] qui A R 11 quem] quam A R 12 accepit] accipit B A quae iam] quendam B P quenXX A (quem in?) 13 figuram] figura A utique quia in umbra? diaboli erat *add in mg* A 15 et addidit *om* P ~ columba mea speciosa mea A R

5 *cf* Ct 2,15, *sed in textu codicum* 169 *et* 170 *haec verba in versu* Ct 2,13 *inveniuntur, item et sequentia verba* IN OMNI LOCO ODOR (2 Cor 2,14.15) 7 2 Cor 2,15 9 Ct 7,13, *sed in textu codicum* 169 *et* 170 *haec verba in versu* Ct 2,13 *inveniuntur* 10–12 *cf* Gn 30,14 15 Ct 2,13

10–13 IS Gn 25,30 <VICn

1 LUMBA MEA. Sed quid opus est saepe de hoc vocabulo disserere, cum iam supra, quid sit EXSURGERE et VENIRE, quid SOROR ET SPECIOSA ET COLUMBA indicaret, ostenderim?

22. Sed quod ait: IN PROTECTIONE PETRAE CONTINUATAE MURO, 5 petram hoc in loco Christum intelligi fas est, sicuti apostolus ait: *petra autem erat Christus.* In Christi ergo protectione Ecclesia veniebat, ut continuaretur muro, id est sancto spiritu iungeretur, quem murum appellat, cuius defensione hostes, daemones, expugnamus et vincimus. Et haec Ecclesia respondens dicit: 10 OSTENDE MIHI FACIEM TUAM ET AUDITUM DA MIHI VOCIS TUAE. FACIEM cum nominat, adventum domini significat, et VOCEM, imperium regnantis adnuntiat.

23. QUONIAM VOX inquit TUA SUAVIS EST ET FACIES TUA PULCRA. Quid enim suavius et dulcius quam audire: *venite, benedicti patris* 15 *mei, accipite regnum, quod vobis praeparatum est ante mundi constitutionem*? Quid pulcrius facie dei, id est praesentia in regno caelorum?

1 de *om* A R vocabulo] vocabulum A R ~ de hoc vocabulo saepe P 3 indicaret] indicaverit R 4 sed quod ait] columba mea in foraminibus petrae in caverna maceriae R *cf Vulg* quod] quid P 5 sicuti] sicut PR 6 erat Christus] Christus est P protectione] protectionem A ~ veniebat ecclesia P 7 muro] murum A murus R spiritu] spiritui R 8 defensione] defensiones P hostes + et B P *cf* p. 157 daemones] demonum A R 9 vincimus] vicimus B vincemus A et *om* A R haec] huic R 11 significat et] significate B et vocem] ex voce A R 13 est *om* B pulcra] dulcis B 14 et dulcius *om* B* *add* B[2] 15 accipite] percipite R 16 est + eius R praesentia in regno] praesentiam in regnum A

4 Ct 2,14 6 1 Cor 10,4 10 Ct 2,14 13 Ct 2,14 14 Mt 25,34

4–7 Comm anon fol 10R

1 **24.** Et addidit: CAPITE MIHI VULPES PUSILLAS EXTERMINANTES VINEAS. VULPES hoc in loco haereticos designat EXTERMINANTES VINEAS, id est plebes sanctorum in fide et veritate florentes. Denique ipse dominus et salvator noster, qui est verus cultor vineae 5 suae, homines subdolos et monstruosos vulpibus comparans ait: *vade, dic vulpi illi Herodi* et iterum: *vulpes cubilia habent*, eo quod omnis nequitia et dolus in malorum hominum pectoribus speluncas habent, ubi *filius hominis caput suum declinare* non potest.

25. Sed PUSILLAS inquit VULPES. Non sine causa PUSILLAS nomi- 10 navit, nisi quia sunt et maiores. Maiores sunt utique principes, gentium potestates, ad saeviendum quam haereticorum fallaciae ad seducendum, par quidem nequitia in utrumque, sed impar in ultione potestas: haeresis blanditur, ut noceat, gentilitas saevit, ut vincat, illa in persecutione crudelis, haec in pace deceptrix. Ac 15 per hoc capi eas congrua dispositione a vinitoribus, id est a praepositis ecclesiarum, dominus iubet.

1 et addidit *om* R 2 hoc in] in hoc B P 5 homines] omnes A monstruosos] tortuosos P comparans ait] comparavit *corr ex* comparans ait P[2] 6 illi + id est A R Herodi] heredi P cubilia] cubicula A R 7 omnis nequitia] omnes nequitiae R homines nequitiae A hominum] *om* P omnium A pectoribus] pectorum A 8 habent] habeant R *non legi potest* A caput suum declinare] reclinare caput suum P 9 causa + vulpes A R nominavit] nominat R 10 ~et maiores sunt A R principes] principium B *in rasura* 11 gentium] saeculi A R fallaciae] fallacia P 12 utrumque] utrosque A utrisque R 13 potestas] potestatis A R 15 eas] eos P dispositione] depositione P vinitoribus] vineatoribus P

1 Ct 2,15 4 *cf* Jo 15,1 1 Cor 3,9 6 Lc 13,32 6.9 Mt 8,20 Lc 9,58

1–6 EUCH int 4 (26,19) *cf* PHY B 15,1.17–19 JUS–U Ct 1,51 Comm anon fol 10V

1 **26.** Et addidit: FRATER MEUS MIHI ET EGO ILLI. Unum sunt enim Christus et Ecclesia, quia *erunt* inquit *duo in carne una*, id est deus et homo. Sed quod ait: QUI PASCIT INTER LILIA, lilia iam diximus sanctorum corpora indicari. Sed QUOADUSQUE ASPIRET inquit
5 DIES ET AMOVEANTUR UMBRAE. DIEM hoc in loco evangelium dicit, quia lux Christus apparuit. Adveniente itaque evangelica claritate umbra figurarum et typus futurorum amovenda esse dicebat.

27. Et addidit: CONVERTERE, SIMILIS ESTO, FRATER MEUS, CER-
10 VAE AUT HINNULO CERVORUM SUPER MONTES AROMATUM. CERVAM hoc in loco carnem Christi appellat, quae serpentem diabolum absorbens omne veneni illius virus extinguit, sicut apostolus ait: *de peccato peccatum devicit* et iterum: *mortale absorptum est a vita.* In hac denique figura et virga Moysi, quae in serpentem con-
15 versa est, devoravit serpentes, qui ex magorum virgis effecti sunt, et iterum adprehensa cauda convertitur in virga. Devorari enim *peccatum de peccato* non poterat, nisi virga, id est potestate divina, qua virtute superatur diabolus *in carne hominis peccatoris*,

1 et addidit + CAPITULUM P unum sunt enim *om* P 2 quia] qui P una] *om* A* R *add in mg* A[2] 3 qui] quia B pascit] pascet B pascitur R lilia iam] lilium P 4 inquit *om* P 5 amoveantur umbrae. Diem hoc] amoveant umbrae diem. Hoc B umbrae] tenebrae A R in *om* P A R dicit] dixit P 7 umbra] umbre P umbras R typus] typos R 11 hoc in loco] in loco hoc P in hoc loco B 12 absorbens] obsorbens P omne] omnem P virus] virtus *corr ex* virus B[2] extinguit] extenuavit B 13 peccato] peca A* pecato A[2] mortale absorptum est] absortum est mortale absortum est A absortum est mortale R 14 figura] fugura P 15 devoravit] devorabit P deforavit R 16 convertitur] convertebatur A R virga] virgam P R devorari] deforari R 18 qua virtute superatur] quia virtutes operatur B P

1 Ct 2,16 2 Eph 5,31 Gn 2,24 3 Ct 2,16 4 Ct 2,17 5 *cf* Mt 4,16 6 Jo 1,5 9 Ct 2,17 13 Rm 8,3 2 Cor 5,4 14–16 *cf* Ex 7,10.12 18 *cf* 1 Cor 1,24 *cf* Rm 8,3

1-3 JUS-U Ct 1,52 9-11 Comm anon fol 10V/11R 11-15 *cf* PHY B 29,2-5

1 quae imaginem principis transgressionis in se serpentis gerebat.

28. Potestas itaque divina omnem potentiam serpentis diaboli in semet ipsa devoravit et convertendo rursum ad suam speciem digesto iam peccato reversa est. Huius itaque rei causa carnem 5 Christi cervae comparat, vel propter agilitatem pedum, qua velociter cucurrit in saeculo, vel propter quod letale virus in semet ipsa decoxerit.

29. Sed HINNULO CERVORUM populi nostri figuram, qui *membra sumus corporis Christi*, evidenter ostendit, quia hinnulus cer- 10 vorum varium colorem habet, ita et diversae gentium nationes variaque merita credentium in eadem figura monstrantur.

30. Quod vero subiunxit: SUPER MONTES AROMATUM, eo quod super omnes patriarchas prophetas apostolos omnesque sanctos excurreret spiritus sancti gratia. Ipsi enim sunt MONTES AROMA- 15 TUM, qui et vasto fidei mole fundati et arduae celsitudinis fastigio elevati omnem *bonum odorem Christi* secundum apostolum in semet ipsis haberent.

EXPLICIT LIBER QUARTUS

1 se *om* A R serpentis] serpentes B serpente A R 3 devoravit] devorabit P[2] devorat A deforat R convertendo] conquirendo B P 4 itaque] utique P 5 agilitatem] habilitate B qua] que P 6 cucurrit] currit A R propter quod letale virus] propter letale virus quod R semet ipsa] semet ipsam B 8 cervorum] cervarum B[2] P 9 quia + sicut R hinnulus] hinolo B inuli P 10 habet] habent P diversae] + sunt A R diversa B 11 variaque] variumque B P in eadem figura] in eandem figuram P[2] figura] figuram B monstrantur] monstratur P 14 excurreret] excurrerit P spiritus] spiritu P 15 et] ex P vasto] A variato B auriato P vastae P *cf* p. 157sq 16 elevati omnem] elevationem B apostolum – habent] *om* R* *add in mg* R[2] haberent] habentes A EXPLICIT LIBER QUARTUS B P EXPLICIT LIBER IIII A *om* R

6/7 *cf* Ps 147,4 (LXX) 8 Eph 5,30 16 2 Cor 2,15

10/11 GR–I tr 5,14 EUCH int 4 (26,11)

INCIPIT LIBER QUINTUS

1 **1.** IN CUBICULO inquit QUAESIVI, QUEM DILEXIT ANIMA MEA, QUAESIVI EUM ET NON INVENI EUM, VOCAVI EUM ET NON OBAUDIVIT ME. Hoc quidem spiritus ex voce Ecclesiae adhuc apud gentes delitescentis loquebatur. Ecclesia etenim ex congregatione populo-5 rum vocabulum sumpsit.

2. Sed quod ait: IN CUBICULO IN NOCTIBUS, quod est CUBICULUM aut quae NOCTES, in quibus Ecclesia QUAEREBAT, QUEM DILEXIT ANIMA eius, nisi in cubiculo cordis sui, ubi sapientia requiescit? Ibi dominum et salvatorem nostrum assidua cogita-10 tione requirebat. Sed si CUBICULUM secretarium cordis est, quae sunt istae NOCTES, in quibus dominum requirebat, nec tamen poterat invenire, quia nec fas erat, ut deus lucis inveniri posset in tenebris?

3. Noctes ergo has per allegoriam mundanae philosophiae doc-15 trinas appellat caeca erroris caligine adopertas, de quibus apostolus ait: *videte, ne quis vos depraedetur per philosophiam et inanem traditionem secundum elementa mundi et traditionem hominum et non secundum deum.*

INCIPIT LIBER QUINTUS B A P INCIPIT LIBER V R
1 cubiculo + in noctibus P cubiculo + meo per noctes R inquid B A P *om* R dilexit] diligit R 2 eum *alt*] et P illum A R vocavi] invocavi R obaudivit] audivit P 3 spiritus + sanctus A R apud] caput B 4 etenim] enim P 6 sed quod ait *om* P est + hoc A R 7 aut quae] atque P dilexit] diligebat A R 9 ibi] ubi R 10 si] sicubi R secretarium] secretorium P 11 istae] iste B P 12 posset] possit B 14 doctrinas] doctrinam B P 15 caeca] caecas A caecam? P erroris] errorum R caliginem? R^2 16 philosophiam] philosophia P 17 traditionem] tradictionem B *bis* traditionem *alt*] traditiones A R

1 Ct 3,1 8 *cf* Prv 14,33 *cf* Sir 27,13? 12 *cf* Sir 46,18 15 Col 2,8

1-4 Comm anon fol 11R 13/14 Comm anon fol 11R

4. Dum itaque adhuc in gentibus esset Ecclesia, id est in his, qui ex nation⟨ibus in⟩ nomin⟨e Xrī⟩ credituri erant, et philosophiam mundanae doctrinae uteretur, quas noctes appellat, putabat in iisdem scripturis, quibus de deo vel deorum natura tunc temporis disputabat, verum deum posse cognoscere. Et quia eum ibi invenire non potuit, ideo ex voce eius iam tunc praescius propheticus spiritus loquitur.

5. IN CUBICULO MEO, id est in corde suo, IN NOCTIBUS, id est in doctrina sapientiae saecularis, QUAESIVI, QUEM DILEXIT ANIMA MEA, QUAESIVI EUM ET NON INVENI EUM. Quae cum illic non invenisset et ibi vocatus non obaudisset, tunc aliud genus inquisitionis adgressa est, ut in aliis scripturis eum requireret.

6. EXSURGAM inquit ET CIRCUIBO CIVITATEM IN FORO ET IN PLATEAM QUAERAM, QUEM DILEXIT ANIMA MEA. Quid est EXSURGAM? Iacebat enim, ut iam superius diximus, adhuc apud gentes inhaerens in terra, id est *terrena sapiebat et terrena* in cordis sui cubiculo *cogitabat.* Sed ubi illic deum verum invenire non potuit, IN FORO ET IN PLATEIS ait CIRCUIBO CIVITATEM.

7. Hic CIVITATEM cum nominat, constitutionem divinae legis adnuntiat, quia constitutio legis ut magna civitas habet forum et

1 gentibus] gente B gentes P esset *om* B 2 ex nationibus in nomine Xrī] *scripsi, cf* p. 158 ex natione nominū B ex natione nn̄um P ex nationum numero A R philosophiam] philosophiae P A philosophia R 3 doctrinae] doctrina? B doctrinas A uteretur] uterentur A R putabat + se A R 4 iisdem] hisdem B P R isdem A deorum] de eorum P de deorum R natura] naturarum A 5 temporis] temporibus A disputabat] disputabant A R deum + se A R 7 loquitur] loquebatur A R 8 suo] meo R P[2]? 9 saecularis] singularis A 10 quae] que B quem P R 11 ibi] ibidem R adubi A vocatus] invocatus R obaudisset] abaudisset P audisset A R 12 adgressa] aggressus R 13 plateam] plateis A R 14 est *add man alt* P R 15 inhaerens] herens P 17 ubi] adubi A atubi R 18 ait] inquit A R circuibo] circumibo B circuibo + totam A R

6 *cf* Ct 3,1 13 Ct 3,2 16 Phil 3,19

1 plateas, vicos et domos, muros magnos et altos inexpugnabili soliditate firmatos, id est munitionem dei, qua omnes defendimur et munimur. Habet charismatum turres, unde hostes, daemonas, expugnare consuevimus, vicos, itinera vitae, domus conversatio-
5 nis bonae.

8. Sed CIRCUIVI inquit CIVITATEM, id est perscrutabo omnem legem. FORUM autem cum nominat, legem Pentateucum, id est quinque libros Moysi, indicat, in qua velut in quodam foro omne divinum et humanum ius et legum constitutiones et decreta dis-
10 ciplinae continentur. Hoc est forum divini iuris. PLATEAS autem libros propheticos appellat, quibus recta iustitiae itinera ad deum commeantibus ostenduntur.

9. Et ideo ait: IN FORO ET IN PLATEIS REQUIRAM EUM, in foro utique, ut dixi, legis Moysi et in plateis prophetarum et in omnes vi-
15 cos divinarum scripturarum requisituram se dominum Ecclesia promittebat. Denique ipse dominus *praescrutamini* inquit *scripturas et videte, illae enim de me senserunt* et iterum: *simile est regnum caelorum thesauro absconso in agro.* Thesaurus utique Chri-

3 et munimur *om* P habet + et A R charismatum] caris/simatum B daemonas] demonas B P* demonias P² demonXXX R demonum A 4 vicos + id est R domus] domos A R 5 bonae] vitę bonę P bone + utilitatem A R 6 perscrutabo] perscrutabXXX P perscrutabor A R 7 legem + id est R Pentateucum] pentaticum B id est] seu R 8 velut] veluti P foro] forum B P² 9 humanum ius et] humana huius et B constitutiones] constitutionem P 11 iustitiae itinera] iustitia et itinera P 12 ostenduntur] ostenditur B 13 et in *om* B P in foro plateis requiram eum *om* B* *add in mg* B² 14 legis] legi B 15 divinarum *legi non potest in* B requisituram] requisiturum? B P A 16 denique + et R praescrutamini] scrutamini A R 17 videte illae enim *non legi potest in* B senserunt] dixerunt R est *add* P² est regnum *non legi potest in* B 18 thesaurus *scripsi, cf* fi 6 (96,30) thesaurum B A thesauroXX P² thesaurXXX R utique] utique id est R autem qui est P

1/2 *cf* Apc 21,12 6/7 *cf* Jo 5,39 13 Ct 3,2 16 Jo 5,39 17 Mt 13,44

6–16 Comm anon fol 11R? 18–253,1 GR–I tr 7,14

1 stus in scripturarum agro absconsus est et ideo requirendus.
10. Sed INVENERUNT ME inquit CUSTODES QUI SERVANT ET CIRCUMEUNT CIVITATEM. Qui sunt isti CUSTODES, nisi scribae et Pharisaei, id est principes Iudaeorum, qui hanc ipsam priscae legis ci-
5 vitatem magna observatione custodiebant et omnia eius praecepta circumeuntes investigabant? Hi ergo custodes et circuitores et inquisitores priscae legis invenerunt quidem Ecclesiam in Christi corpore natam, quando dixerunt interrogantibus magis, ubi Christus nasceretur, in Bethleem Iudae Christum nasci de-
10 bere. Sed eum RETINERE non meruerunt.
11. Denique QUAM MODICUM inquit TRANSIVI AB EIS. Quid est MODICUM, nisi quia apud deum nihil est alium? Et ideo modicum tempus ex nativitate usque ad passionem domini pronuntiat. Cum enim post venerabilem passionem suam resurrexisset a
15 mortuis, tunc eum INVENIT quidem, QUEM DILIGEBAT ANIMA eius. A tempore enim dominicae resurrectionis missi sunt apostoli, ut ex gentibus Ecclesiam congregarent. Ideo ait: INVENI EUM ET NON RELINQUAM EUM, per caritatem, quam in ipso usque ad effusionem sanguinis habuit, sicut apostolus ait: *quis nos separabit a ca-*
20 *ritate Christi?*

1 requirendus + est A R 2 circumeunt] custodiunt A R 6 investigabant] vestigabant? B circuitores] circitores B sciscitores A R 8 quando + ipsi R dixerunt *om* R 9 nasceretur + responderunt A R Bethleem] bethlem B debere] dicerent P 11 denique *om* B* *add* B[2] quam] cum A R transivi] pertransivi R circumibi A quid] quod P est + hoc A R 12 modicum *non legi potest in* B alium] grande A R 13 domini] suam A R 14 venerabilem] intolerabilem P resurrexisset] resurrexit P 15 tunc + enim P quidem] ecclesia P A R 16 apostoli *non legi potest in* B 17 ideo] et ideo A R 18 in ipso] ipso A ipse R 19 quis] qui P separabit] separavit P

2 Ct 3,3 8-10 *cf* Mt 2,1-5 10 *cf* Ct 3,4 11 Ct 3,4 11/12 *cf* Jo 7,33 14/15 *cf* Jo 20,11-16 *parr* 16 *cf* Mt 28,19.20 Mc 16,15 19 Rm 8,35

1 **12.** Sed DONEC INDUCAM inquit EUM IN DOMUM MATRIS MEAE ET IN SECRETUM EIUS, QUAE ME CONCEPIT. Haec vox Ecclesiae est. Et si *Ecclesia mater est omnium,* requirendum nobis est, quae sit mater Ecclesiae, in cuius DOMUM et in cuius SECRETUM introductu-
5 ram se eum dicebat. Iam ostendi superius, quid esset *Ecclesia, id est corpus Christi* ex convenientibus membris. Mater ergo Ecclesiae est sancta Iherusalem caelestis, de quo apostolus Paulus dicebat: *illa* inquit *quae sursum est caelestis Iherusalem, ipsa est mater nostra.*
10 **13.** Illa ergo caelestis Iherusalem, quae est mater Ecclesiae, id est nostra, qui sumus Ecclesia, misit nobis Christum, quem in baptismo induimus, sicut apostolus ait: *quicumque in Christo baptizati estis, Christum induistis.* † In antiqua Christus † IN SECRETUM EIUS ingreditur, quia et Christus in Ecclesia et Ecclesia
15 in Christo manet nec quisquam in illa domo caelestis Iherusalem ingredi potest, nisi in se Christum habuerit et eum inseparabili caritate tenuerit.

1 ~ inquit inducam P 2 eius *om* P *non legi potest in* B ~ quae concepit me + Quę me concepit P 4 introducturam] introductura P 5 esset] sit A R 6 convenientibus] quo venientibus B 7 ~ caelestis Iherusalem P quo] qua R ~ dicebat Paulus A R 8–10 ipsa est mater nostra. Illa ergo caelestis Iherusalem *om* A R 9 nostra] nostrę P 10 quae est mater *non legi potest in* B 12 induimus] induamus P[2] *corr ex* induimus 13 in antiqua Christus] itaque qui habet in se Christum A R *cf lineam 14, hoc in loco textum corruptum esse puto. Fortasse legendum esse:* in aqua baptismi *R. Heine benigne mihi attulit, vide etiam* p. 158 in secretum eius] in secretXXXX s B *cf lemma,* deus in secretum cordis eius A R 15 illa domo] illam domum P[2] *corr ex* illa domum illam domum R illam domo A 17 caritate *non legi potest in* B

1 Ct 3,4 3 *cf* Gal 4,26 *cf* 4 Esr 10,7 5/6 Col 1,24 1 Cor 12,12 Eph 1,22.23 6 *cf* 1 Cor 12,14.27 8 Gal 4,26 13 Gal 3,27 15–17 *cf* Jo 15,4–7

1–11 Comm anon fol 11V 1–17 *cf* GR–I tr 19,6

1 **14.** Et addidit: IN SECRETUM EIUS, QUAE ME CONCEPIT. Quid est hoc SECRETUM MATRIS nostrae Iherusalem caelestis, nisi illud, de quo apostolus dicit: *quae nec oculus vidit nec auris audivit nec in cor hominis ascendit, quae praeparavit deus his, qui diligunt eum?*
5 Sicut autem mater est Iherusalem caelestis Ecclesiae, quia illa antiquior est, haec posterior in terris, in illa plenitudo spiritus et repraesentatio rerum, in hac portio et arra gratiae caelestis.

15. *Modo* inquit apostolus *arram spiritus accepimus, tunc plenitudinem, modo ex parte, tunc totum, modo in speculum in aenigmate,*
10 *tunc facie ad faciem.* Arram enim hanc illa plenitudo generavit et portionem istam summa illa concepit Iherusalem. Iherusalem etenim caelestis, quae est mater nostra, Ecclesiam hanc *ex aqua et spiritu* generavit in terris, quam in futuro saeculo in semet ipsa est receptura.

EXPLICIT LIBER QUINTUS

1 ~ concepit me P *cf* 254,2 quid] quod? B secretum eius *non legi potest in* B 5 ecclesiae] ecclesia A R 6 est, haec *non legi potest in* B illa] illam B A 7 arra gratiae] narratio P gratiae *non legi potest in* B 8 spiritus] spiritum A accepimus] accipimus R 9 modo *prim*] + cognoscimus R + concepit A totum] ex toto R modo *alt*] + videmus R in speculum in aenigmate] in speculo? in aenigmate B in enigmate et speculo A R 10 arram] partem P A enim *om* R generavit] generabit P[2] 11 Iherusalem *prim om* P 12 nostra *om* P ecclesiam] ecclesia B ex aqua] ex qua P 13 spiritu] spiritus B generavit] generabit P quam] quem P semet ipsa] semetipso R 14 receptura + in cel P
EXPLICIT B EXPLICIT LIBER QUINTUS P EXPLICIT FELICITER A EXPLICIT EXPLANACIO BEATI GREGORII ELIBERRITANI EPISCOPI IN CANTICIS CANTICORUM R

1 Ct 3,4 3 1 Cor 2,9 8-10 *cf* Jo 1,16 2 Cor 1,22 1 Cor 13,12 11/12 Gal 4,26 12 Jo 3,5

8-10 *cf* VICn Apc 21,6

APPENDIX 1

DER GALATER-KOMMENTAR DES ORIGENES ALS MÖGLICHE QUELLE FÜR RUF GN 7 UND GR-I TR 3

Seit der Wiederentdeckung der 'Tractatus Origenis' haben die Fragen nach der Datierung, nach der Person des Autors und nach Quellen und Vorbildern für die Traktate die Forschung beschäftigt.[1] Obwohl letztlich Gregor von Elvira allgemein als Autor anerkannt wird und demzufolge auch eine grobe Datierung möglich ist, bleiben weiterhin viele Fragen unbeantwortet.

Warum sind die Traktate des Gregor - und zwar nicht nur die Sammlung der zwanzig, sondern auch einzelne, die man ihm zuschreibt-, nicht unter seinem Namen, sondern dem des Origenes, beziehungsweise dessen Pseudonym 'Adamantius', überliefert worden?[2] Wie hat man die Stellen zu deuten, die vermuten lassen, es handele sich um Übersetzungen aus dem Griechischen?[3] Welche Rolle spielt Origenes als Quelle oder Vorbild für die Traktate? Und auf welchem Wege wurden Gregor die Werke des Origenes übermittelt? In welchem Verhältnis stehen die zum Teil wörtlichen

[1] Eine Übersicht über die Diskussionen bietet J. Doignon, *Formen der Exegese*, in: Handbuch der lateinischen Literatur der Antike, Hrsg. von R. Herzog und P. L. Schmidt, Bd. 5, München 1989, 426 sq. (mit bibliographischen Angaben).

[2] Der Titel des Tractats über die Arche Noah lautet *Tractatus Adamanti senis de arca Noe.* Isidor scheint mit 'Origenes' ebenfalls die Tractate des Gregor zu meinen, wenn er von den Quellen für seine *Quaestiones in Vetus Testamentum* spricht: *sumpta itaque sunt ab auctoribus Origene, Victorino, Ambrosio, Hieronymo, Augustino, Fulgentio, Cassiano ac nostri temporis insigniter eloquenti Gregorio*; letzterer ist sicher Gregor der Große (PL 83, 209A). Man beachte, daß 'Origenes' der einzige griechische Autor ist, den Isidor erwähnt. Die Parallelen in den Quaestiones zu den Traktaten Gregors lassen eigentlich nur den Schluß zu, daß Isidor die Traktate Gregors unter dem Namen des Origenes kannte. Noch in der Handschrift des 9./10. Jahrhunderts, die die Schrift des Beatus von Liébana *Adversus Elipandum* enthält, sind von zweiter Hand die Exzerpte aus Gregors Epithalamium mit 'Origenes' gekennzeichnet. (*Cf.* die Edition von B. Löfstedt, CCcm 59, 151-155, im Apparat). Die Liste ließe sich verlängern.

[3] Eine griechische Vorlage zumindest für Teile der *Tractatus* vermutete P. Batiffol, *Tractatus Origenis*, Paris 1900, XIV - XVIII; V. Bulhart, CC 69, LII *sq.* vermehrte die Liste der Stellen, die auf Übersetzung aus dem Griechischen deuten.

Übereinstimmungen bestimmter Passagen[4] in den Tractatus Origenes einerseits und Werken von Zeitgenossen andererseits? Haben wir es mit direkter Anhängigkeit zu tun? Und wer ist der Gebende, wer der Nehmende?

Es wäre notwendig, die zahlreichen Einzeluntersuchungen zu diesen Problemen zu überprüfen, zusammenzufassen und nach weiterem Beweismaterial zu suchen. Dies kann an dieser Stelle nicht geleistet werden. Nur ein Stein, der zur Vervollständigung des Mosaiks dienen kann, soll zum vorhandenen Material hinzugefügt werden.

Die wörtlichen Parallelen in Rufins Übersetzung der siebten Genesis-Homilie des Origenes und dem dritten Traktat des Gregor von Elvira sind schon öfter Gegenstand des Interesses gewesen, weil hier zugleich mit der Frage nach der Abhängigkeit auch Probleme der Datierung berührt werden.[5]

Rufins Übersetzung der Genesis-Homilien ist etwa um 403/404 anzusetzen. Wenn man annimmt, daß Gregor sie für seinen dritten Traktat benutzt hat, müßte er diesen im Alter von über siebzig Jahren geschrieben haben, wenn man von der einzigen einigermaßen faßbaren Tatsache ausgeht, daß Gregor um 360 älter als dreißig Jahre war, da er zu dieser Zeit Bischof war, was einem jüngeren Alter nicht zustand. Da nach allen Anzeichen der Kommentar zum Canticum nach den Tractatus entstand, würde die Schaffenszeit Gregors ungewöhnlich weit bis in das fünfte Jahrhundert rücken. Daß dagegen Rufin Gregor benützt haben sollte, erscheint bei einer Analyse der Parallelstellen sehr unwahrscheinlich, weil Rufin zweifellos den besseren Zusammenhang bietet[6] und man überdies fragen müßte, warum Rufin zur Übersetzung eines Origenes-Textes das Werk eines lateinischen Autors als Hilfe benützen sollte.

[4] Untersuchungen zu diesen Parallelstellen finden sich bei D. De Bruyne, *Encore les 'Tractatus Origenis':* Revue Bénédictine 23, 1906, 165-188 (mit einer Zusammenfassung des damaligen Forschungsstandes); A. Wilmart, *Les 'Tractatus' sur le Cantique attribués à Grégoire d'Elvire*: Bulletin de littérature ecclésiastique 1906, besonders 260-278; H. Koch, *Zu Gregors von Elvira Schrifttum und Quellen*: Zeitschrift für Kirchengeschichte 51, 1932, 238-272; C. Vona, *Gregorio di Elvira, I Tractatus de libris sacrarum scripturarum. Fonti e sopravvivenza medievale*, Roma 1970.

[5] *Cf.* dazu besonders D. De Bruyne, *op. cit.* 170–173 und C. Vona, *op. cit.* 82-97.

[6] *Cf.* D. De Bruyne, *op. cit.* 172 sq und C. Vona, *op. cit.* 899 sq.

Für die Benutzung Rufins durch Gregor spricht allerdings die Tatsache, daß der fragliche Abschnitt als Fremdkörper im Kontext deutlich zu erkennen ist. Beide Werke behandeln die Genesis-Verse 21, 5-19 (RUF Gn 7), beziehungsweise Gn 21, 9-19 (GR-I tr 3); in beiden Werken ist - scheinbar naheliegend - im Zusammenhang mit Gn 21,9 die entsprechende Stelle aus dem Galaterbrief (Gal 4,22-31, besonders 4,29) eingeflochten. Obgleich diese Verbindung sich doch anbietet, ist sie (nach Ausweis des Materials der Biblia Patristica und des Vetus Latina Institutes) selten hergestellt worden; auch Augustin verzichtet in seinem Galaterkommentar (AU Gal 40,24) darauf. Die Behauptung des Paulus, Ismael habe Isaak 'verfolgt', obwohl in Gn 21,9 nur von einem 'Spiel' die Rede ist, hat offenbar wenig Anstoß erregt. Bei Origenes/Rufin wird die Gleichsetzung *persecutio/ludus* so erklärt, daß Ismael, der nach dem Fleische geboren ist, unter dem Deckmantel eines lockenden und schmeichelnden Spieles Isaak, dem dem Geiste nach Geborenen, nachstellt, indem er ihn zur Sünde verlockt. Diesen Kampf des Fleisches gegen den Geist kann Sara, deren Name *virtus* bedeutet, nicht dulden (RUF Gn 3,3). Auf der allegorischen Deutung des Namens Sara als Virtus beruht also die ganze Beweisführung.

Diese Deutung ist auch sonst bei Origenes bekannt; besonders die sechste Homilie, die der unsrigen bei Rufin vorausgeht, spricht ausführlich darüber. Dagegen basiert Gregors Traktat auf der allgemein beliebten Prämisse, Sara, die Freie, stehe für die Ecclesia, Hagar, die Sklavin, für die Synagoge (GR-I tr 3,5); in diesem Zusammenhang ist die erwähnte Erklärung zu *persecutio/ludus* vollkommen unlogisch, weshalb Gregor sich auch genötigt fühlt, der Deutung, das Spiel sei ein Angriff auf die Tugend, die Gleichsetzung Sara/Virtus anzufügen: *sed quia Sarra figuram virtutis gerit, proinde huiuscemodi ludus Ismael cum Isaac, id est carnis cum spiritum (sic) Sarram quae est virtus maxime offendit* (tr 3,16, am Ende).

Wenn diese gezwungene Einpassung in den Kontext auch deutlich für die Übernahme aus einer Vorlage spricht, so ergibt die Analyse der übrigen Textteile im Vergleich mit Rufins Fassung, daß Gregor kaum daraus geschöpft haben kann. Wie die folgende Gegenüberstellung zeigt, ist die Reihenfolge der einzelnen Elemente eine vollständig andere. Gregor hätte sich aus der ganzen Homilie diese mühsam zusammensuchen und danach in einen anderen Zusammenhang bringen müssen.[7] Die Gegenüberstellung berücksichtigt daher nicht nur die wichtigsten Teile, sondern die Übereinstimmungen und Anklänge in beiden vollständigen Texten. Die Reihenfolge hält sich an diejenige Gregors; durch die Angabe von Paragraph, Seiten- und Zeilenzahl vor den entsprechenden Textstücken aus RUF Gn wird die abweichende Komposition ausreichend deutlich.

GR-I tr 3	**RUF Gn 7**
12. Sed iam nunc per singulas species discurrenda est disputatio, ut unicuique personae rerum gestarum proprietas adsignetur. Diximus itaque Agar ancillam Sarrae typum habuisse sinagogae, quae filium, id est populum in servitute peccati generavit.	*cf.* 2 (72, 1-3)
Quod quidem et beatus Paulus in epistula sua meminit quod haec per allegoriam sint dicta,	Hoc est enim, quod mirabile est in apostoli sensu, quod de quibus non potest dubitari quin secundum carnem gesta sint, haec ille dicit allegorica
id est quod Agar in figura fuerat sinagogae vel montis Sina, unde populus legem servitutis accepit, qui heres paternae promissionis, id est regni caelestis et gloriae futurae, ut iam dictum est, esse non posset.	
13. Nunc vero, quia superius exposuimus Agar cuius figuram gesserit, silentio non est praetereundum, quid hoc significet quod Hismael cum Isaac ludere scriptura dicat.	3 (73, 19-23)
Quid enim laeserat aut quid nocuerat, si ludebat? Numquid illa aetate gratum	Quid laeserat aut quid nocuerat, si ludebat? Quasi non hoc in aetate illa etiam

[7] In diesem Zusammenhang fällt auf, daß Isidor (IS Gn 17, 2-7) zum gleichen Thema in deutlicher Verwandtschaft zum Text Gregors nur die Abschnitte und Motive bietet, die Rufin und Gregor *nicht* gemeinsam haben. Es scheint, daß Isidor nicht Gregor von Elvira benutzt hat, sondern beide aus ein und derselben Quelle schöpften.

GR-I tr 3	**RUF Gn 7**
esse non debuerit, quod luderet filius ancillae cum filio liberae.	gratum esse debuerit, quod luderet filius ancillae cum filio liberae.
14. Sed Sarra lusum illum perniciem putabat	2 (71, 16.17) et lusum illum perniciem putat
nam et Paulus apostolus ludum hunc persecutionem significavit dicens:	2 (72,11–14) Quid vero his addit exponens apostolus, videamus: sed sicut tunc inquit is qui secundum carnem est, persequebatur eum, qui secundum spiritum, ita et nunc.
Sicut tunc inquid is qui secundum carnem est persequebatur eum qui secundum spiritum, ita et nunc.	3(73, 21–23) Tum deinde et apostolum miror, qui ludum hunc persecutionem pronuntiavit dicens: sed sicut tunc is, qui secundum carnem persequebatur eum, qui secundum spiritum, ita et nunc
Videte, quomodo nos docet apostolus quia populus iste Iudaeorum carnalis adversantur huic populo spiritali sive etiam inter nos ipsos si quis adhuc carnalis est, spiritalibus adversantur.	2 (72, 14–17) Vide, quomodo nos docet apostolus quia in omnibus caro adversatur spiritui, sive populus ille carnalis adversatur huic populo spiritali, sive etiam inter nos ipsos, si qui adhuc carnalis est, carnalibus adversatur
15. Nunc vero, fratres, adtendite quae dico, quia et ludus iste aliud significare potest; nam in omnibus caro adversatur spiritui.	2 (72, 14/15) quia in omnibus caro adversatur spiritui
Hismael etenim figuram carnis gerit, quia secundum carnem nascitur, Isaac autem spiritus, quia per repromissionem generatur.	*cf.* 2 (72, 5–8) Ismael ergo secundum carnem nascitur ancillae filius, Isaac vero, qui erat liberae filius, non nascitur secundum carnem, sed secundum repromissionem
Et ideo caro blanditur spiritui, ut inlecebrosis cum eo deceptionibus agat, delectationibus inliciat, voluptatibus molliat	3(73, 28–74,1) Si ergo caro, cuius personam gerit Ismael, qui secundum carnem nascitur, spiritui blandiatur, qui est Isaac, et illecebrosis cum eo deceptionibus agat, si delectationibus illiciat, voluptatibus molliat
et libidines adludat inlecebra.	3 (74, 5.6) si tibi libidinis alludat illecebra

GR-I tr 3	**RUF Gn 7**
16. Unde, dilectissimi fratres, videte, quia et iniustitia homini blanditur, ut personam potentis accipiat et gratia eius flexus non rectum iudicium ferat. Quapropter intellegere debet quis, quia sub specie ludi blandam persecutionem ab iniustitia patitur.	3 (74, 8–10) Sed et si iniustitia tibi blandiatur, ut personam potentis accipiens et gratia eius flexus non rectum iudicium feras, intelligere debes quia sub specie ludi blandam persecutionem ab iniustitia pateris
Sed quia Sarra figuram virtutis gerit, proinde huiuscemodi ludus Hismael cum Isaac, id est carnis cum spiritu, Sarram quae est virtus maxime offendit.	*cf.* 3 (73, 26.27) Superius iam spiritaliter exponentes loco virtutis posuimus Sarram 3 (74, 1.2) ... Sarram maxime, quae est virtus, offendit
20. Nam et *aliter* intellegi potest quia aquam quam Hismael de utre bibit, legis littera est et ideo huiuscemodi aqua defecit quia littera frequenter defectum patitur, id est storialis intellegentia	5 (75, 24–27) Uter legis est littera, de qua ille carnalis populus bibit et inde intellectum capit; quae littera frequenter ei deficit et explicare se non potest; in multis enim defectum patitur historialis intellegentia
de qua dominus dicit: Omnis qui biberit ex aqua hac iterum sitiet	*cf.* 5 (76,4) velut si cum ipsa Agar loqueretur, aiebat: omnis, qui biberit ex hac aqua, iterum sitiet.

Eine direkte gegenseitige Abhängigkeit ist im höchsten Grade unwahrscheinlich, vielmehr gehen beide Schriften in den hier erwähnten Teilen auf eine gemeinsame Vorlage zurück. Daß diese Vorlage lateinisch gewesen sein muß, zeigen die wortwörtlichen Übereinstimmungen.

Der Gedanke an eine gemeinsame Vorlage ist nicht neu[8], stößt aber auch auf gewisse Schwierigkeiten. Vor allem bleibt die Existenz einer gemeinsamen Vorlage natürlich so lange pure Hypo-

[8] An eine gemeinsame Vorlage dachte bereits H. Jordan, *Die Theologie der neuentdeckten Predigten Novatians*, Naumburg/Saale 1902, 206 (zurückgewiesen von D. De Bruyne, *op. cit.* 173). A. Wilmart, *op. cit.* 265, ließ eine solche hypothetische gemeinsame Quelle zumindest als Provisorium gelten. Zuletzt äußerte sich positiv in diesem Sinne J. Frickel, *Polemica antiebraica di Gregorio di Elvira*, Vortrag zum 22. Incontro di Studiosi dell' Antichità Cristiana, Roma 6. – 8. Mai 1993.

these, bis man sie nachweisen kann. Zum anderen muß man annehmen, daß die siebte Homilie nicht den Text des Origenes in reiner Form bietet, daß vielmehr Rufin bei seiner Übersetzungsarbeit einen zweiten lateinischen Text zur Hand hatte und diesen in Origenes' Homilie einarbeitete. Dieser unbekannte Text muß zumindest alle die Teile enthalten haben, die sich im dritten Traktat Gregors wiederfinden (also nicht nur die Gedanken in den Paragraphen zwei und drei der Homilie, sondern auch die Gleichsetzung *uter legis est littera etc* im Paragraphen fünf). Andererseits ist gerade die Prämisse der Gedankenführung in dem Paragraphen drei – Sara als Typos der Virtus – so typisch für Origenes selbst, daß die Übernahme von einem anderen Autor nicht sehr wahrscheinlich ist.

Einige der Bedenken kann man mit Rufins eigenen Worten ausräumen. In der Praefatio zu seiner Übersetzung von Origenes' *De principiis* spricht er über seine Arbeitsweise: *si qua sane velut peritis iam et scientibus loquens (scil. Origenes), dum breviter transire vult, obscurius protulit, nos, ut manifestior fieret locus, ea quae de ipsa re in aliis eius libris apertius legeramus adiecimus explanationi studentes. Nihil tamen nostrum diximus, sed licet in aliis locis dicta, sua tamen sibi reddidimus.*

Rufin nahm sich also die Freiheit, in Übersetzungen von Werken des Origenes passende Teile aus anderen Arbeiten des Autors einzubauen. Daß er diese mühsame Ergänzungsarbeit besonders bei den Genesishomilien (wie auch bei den *oratiunculis* zu Exodus und Leviticus) anwandte, betont er im Epilog zur Übersetzung des Römerbriefkommentars:[9] ... *dum supplere cupimus ea quae ab Origene in auditorio ecclesiae ex tempore, non tam explanationis quam aedificationis intentione perorata sunt: sicut in omeliis sive in oratiunculis in Genesim et in Exodum fecimus, et praecipue in his quae in librum Levitici ab illo quidem perorandi stilo dicta, a nobis vero explanandi specie translata sunt. Quem laborem adinplendi quae deerant, idcirco susce-*

[9] *Cf.* CC 20, 276 sq., ed. M. Simonetti. Auch A. Wilmart fragte mit aller Vorsicht, ob man diese Selbstaussage mit den Problemen der vorliegenden Stelle in Verbindung bringen kann (*op. cit.* 265). Das unerschöpfliche Thema 'Übersetzungspraxis Rufins' kann in diesem Rahmen nicht weiter berührt werden.

pimus, ne pulsatae quaestiones et relictae, quod in omelitico dicendi genere ab illo saepe fieri solet, Latino lectori fastidium generarent.

Wir dürfen uns also vorstellen, daß Rufin auch in dem vorliegenden Fall in den Werken des Origenes nach geeignetem Material zur Ergänzung gesucht hat. Da die fraglichen Parallelstellen bei Rufin und Gregor hauptsächlich an Gal 4,29 anknüpfen, liegt es nahe, an den Kommentar zum Galaterbrief des Origenes zu denken. Dieser allerdings ist bis auf wenige Spuren verloren, aber Hieronymus gibt an, daß er in seinem Kommentar zu diesem Paulusbrief hauptsächlich den fünf Büchern des Origenes zu diesem Thema gefolgt sei:[10] *quin potius in eo, ut mihi videor, cautior atque timidior, quod imbecillitatem virium mearum sentiens Origenis Commentarios sum secutus.* Auch kurz vor der Erklärung zum Vers Gal 4,29 weist er noch einmal auf Origenes als Quelle hin. Nach dem Lemma Gal 4,29–31 schreibt Hieronymus: *Non puto invenire nos*[11] *posse, ubi Ismael persecutus fuerit Isaac, sed tantum illud, quod cum filius Aegyptiae, qui maior natu erat, luderet cum Isaac, indignata sit Sara et dixerit ad Abraham: Eiice ancillam et filium eius, non enim hereditabit filius ancillae cum filio meo Isaac. Et utique simplex lusus inter infantes expulsione et abdicatione indignus est. Verum apostolus quasi Hebraeus ex Hebraeis et ad pedes magistri Gamalielis edoctus, qui quondam furentes adversus dominum Pharisaeos concilio refrenaret, ex verbis Sarae dicentis: non enim hereditabit filius ancillae cum filio meo Isaac, intellexit lusum illum simplicem non fuisse.*

Danach folgt die Erklärung »im historischen Sinn«, daß nämlich Sara im kindlichen Spiel den Streit des Erstgeborenen gegen die Ansprüche des Jüngeren sah. Hieronymus fährt fort: *Sicut ergo tunc maior frater Ismael lactentem adhuc et parvulum persequebatur Isaac, sibi circumcisionis praerogativam, sibi primogenita vindicans, ita et nunc secundum carnem Israel adversum minorem fratrem de gentibus populum Christianum sustollitur, inflatur, erigitur. Consideremus insaniam Iudaeorum, qui et dominum interfecerunt et prophetas et apos-*

[10] HI Gal, PL 26 (1845), 308 B.
[11] Der Druck (PL 26 (1845) 308) bietet irrtümlicherweise *nos*] *non*.

tolos persecuti sunt et adversantur voluntati dei ... Miramur de Iudaeis? Hodie quoque hi qui in Christo parvuli sunt et vivunt carnaliter, persequuntur eos, qui ex aqua et spiritu nati sunt et cum Christo resurgentes ea quaerunt quae sursum sunt, non deorsum. Faciant quod volunt: cum Ismaele persequantur Isaac, eiicientur foras cum ancilla matre Aegyptia ...

Hier finden sich also die Elemente wieder, die bei Gregor und Rufin auftauchten:
1.) Die Frage danach, wo man denn in der Schrift von einer *persecutio* Isaacs durch Ismael lesen könne, *cf.* RUF Gn 73,17 *sqq*:

Et tamen secundum ea, quae scripta sunt, non video, quid moverit Sarram, ut filium ancillae iuberet expelli. Ludebat cum filio suo Isaac. Quid laeserat aut quid nocuerat, si ludebat? Quasi non hoc in aetate illa etiam gratum esse debuerit, quod luderet filius ancillae cum filio liberae. Tum deinde et apostolum miror, qui ludum hunc persecutionem pronuntiavit dicens: sed sicut tunc is, qui secundum carnem persequebatur eum, qui secundum spiritum, ita et nunc, cum utique nulla persecutio Ismaelis adversum Isaac mota referatur, nisi hic solus ludus infantiae. Sed videamus, quid in hoc ludo intellexerit Paulus et quid indignata sit Sara.

Diese Frage, inwiefern die *persecutio* in Gal 4,29 mit Gn 21,9 zu verbinden sei, hat offenbar Gregor nicht übernommen. Dagegen findet sich das zweite Element sowohl bei Hieronymus, als auch bei Rufin und Gregor:

2.) Die doppelte Bedeutung von *persecutio*, nämlich diejenige der Christen durch die Juden und diejenige der Christen »dem Geiste nach« durch die »noch fleischlichen« Christen:
... sed sicut tunc inquit is qui secundum carnem est, persequebatur eum, qui secundum spiritum, ita et nunc. Vide, quomodo nos docet apostolus, quia in omnibus caro adversatur spiritui, sive populus ille carnalis adversatur huic populo spiritali, sive etiam inter nos ipsos, si qui adhuc carnalis est, spiritalibus adversatur (RUF Gn 72, 12–17)

cf.:
Sed Sarra lusum illum perniciem putabat, nam et Paulus apostolus ludum hunc persecutionem significavit dicens: sicut tunc inquid is qui secundum carnem est persequebatur eum qui secundum spiritum, ita et nunc. Videte, quomodo nos docet apostolus, quia populus iste Iudaeorum carnalis adversantur huic populo spiritali, sive etiam inter nos ipsos siquis adhuc carnalis est, spiritalibus adversantur. (GR-I tr 3,14).

Bei Rufin finden sich zusätzlich zu diesen beiden Arten der Verfolgung zwei weitere, den Kampf des Fleisches gegen den Geist (*cf.* Gal 5,17; Rm 7,23) in jedem einzelnen Menschen und – angeschlossen mit: *Est adhuc et alia pugna his paene omnibus violentior* – der Kampf derjenigen, die das Gesetz "dem Fleische nach« verstehen gegen diejenigen, die es geistlich verstehen, wie es in 1 Cor 2,14 ausgedrückt ist: *animalis homo non percipit quae sunt spiritus dei etc.* (RUF Gn 7,2 (72,24 sqq.)). Diese vierte Art von *persecutio* wird anschließend ausführlich im Predigtstil erläutert (*ibidem* 73, 1–16). Danach wird der Faden bei Gal 4,29 wieder aufgenommen, indem das Zitat noch einmal wiederholt wird (Gn 7,3 (73, 17–23)). Nicht nur in Gregors Arbeit sind also Spuren der Kontamination von zwei Texten zu erkennen, sondern auch in derjenigen Rufins.[12]

Auf jeden Fall scheint für Hieronymus, Rufin und Gregor ein gemeinsames Vorbild vorhanden gewesen zu sein, das im Anschluß an Gal 4,27 sowohl die Frage nach der *»persecutio«* aufwarf und sie nur im *ludus* von Gn 21,9 finden konnte und andererseits das *ita et nunc* in doppelter Weise auslegte. Da Hieronymus, wie bereits gesagt, selbst Origenes als Quelle nennt und die Gedankenführung überdies ganz im Sinne des genannten ist, dürfen wir hier die Spuren eines Kapitels aus dem verlorenen Galater-Kommentar vermuten.

Daß zwar der Wortlaut Rufins und Gregors ähnlich bis identisch ist, Hieronymus jedoch andere Worte findet, erklärt sich leicht aus der Tatsache, daß der letztere sicher Origenes im Original vor

[12] Eine ausführliche Analyse der Homilie erbringt neben diesem doppelten Ansatz mit Gal 4,29 weitere mögliche Bruchstellen. So wirkt auch bei Rufin die Erwähnung des Bildes Sara/Virtus überraschend.

sich hatte. Für Rufin und Gregor diente eine lateinische Übersetzung dieses Kommentars – oder auch nur eines Auszuges – als Vorlage.

Vielleicht haben wir uns diese lateinische Vorlage nicht so sehr als Übersetzung des Galater-Kommentars allein vorzustellen, sondern als eine Blütenlese aus den Werken des Origenes nach dem Vorbild etwa der Philokalie. Als Anzeichen dafür könnte gelten, daß offenbar auch die Gleichsetzung *uter/legis littera* darin enthalten war, da auch diese Passage Rufin und Gregor im ähnlichen Wortlaut verwenden. Dieser Gedanke in Verbindung mit Gn 21,19 paßt natürlich besser in eine Genesisauslegung als in einen Galater-Kommentar; bei Hieronymus ist ebenfalls keine Spur davon zu finden. Eine solche Übertragung wichtiger Stellen aus dem Werk des Origenes ins Lateinische, wem immer man sie zuschreiben wollte, dürfte eine weite Verbreitung und ausgiebige Benutzung erfahren haben, so daß auch Rufin, trotz Kenntnis der griechischen Sprache und der Originalwerke des Origenes, bei seinen »Ergänzungsarbeiten« danach gegriffen haben könnte. Zur Auffindung von passenden Parallelstellen eignete sich eine solche Anthologie sogar besser als die Durchsicht der Originalwerke, die überdies auch nicht immer und überall zur Verfügung standen.[13]

Die Annahme einer solchen frühen lateinischen Sammlung von Origenes-Texten verführt natürlich zu weiteren Spekulationen, die hier nur erwähnt werden, um weitere Nachforschungen anzuregen. Wenn sich feststellen ließe, daß Gregors *Tractatus Origenes* weiteres Material aus Origenes' Werken enthalten, könnte man den überlieferten Titel als Verkürzung oder Entstellung von »Traktate nach der Art und im Geiste des Origenes« erklären, wobei der Titel *Tractatus Origenis* eher der vermuteten frühen lateinischen Sammlung als der Arbeit des Gregor zukäme. Könnte nicht auch Isidor, wenn er sagt, daß er als Quelle »Origenes« benutzt habe, den »lateinischen Orige-

[13] Wir wissen nicht genau, wo und unter welchen Bedingungen Rufin die Homilien übersetzte. Wenn er auch noch nicht auf der Flucht war, ermöglichten die unruhigen Zeiten gewiß nicht eine Arbeitsatmosphäre, in der Rufin die benötigte Literatur unbegrenzt zur Verfügung stand.

nes« meinen? Eventuell ließen sich auch einige andere Parallelen zwischen Gregor und seinen Zeitgenossen auf diese oder eine ähnliche Vorlage zurückführen, wie es für diejenigen zwischen Gregors Traktaten und der *Altercatio Simonis Iudaei et Theophili Christiani* des Evagrius Gallicus zu gelten scheint[14].

[14] *Cf.* Dazu D. De Bruyne, *op.cit.* 178-183, besonders 182.

APPENDIX 2

EIN ANONYMER CANTICUM-KOMMENTAR UND SEINE VORLAGE GR-I CT

(Wolfenbüttel, Novi 535, 18 und Orléans 56 (33))

Der Text beruht auf der Handschrift Wolfenbüttel, Novi 535,18, er ist mit allen Fehlern und Mißverständnissen übernommen. Nach der Foliozahl stehen Kapitel- und Paragraphenzahl des Epithalamium Gregors. Wenn die Abhängigkeit von Gregor nicht ganz sicher ist, ist ein Fragezeichen hinzugefügt.

fol 1R: cf. Titel und 1,1

... grecae epitholamon

fol 1V: cf. 1,4.5

aliter osculetur id est in praesenti ... osculis oris id est aeclesia vult osculari labia eius qui misit illi pacem per patriarchas et prophetas antequam dictum erat erunt duo in carne una

fol 2R: cf. 1,9

Item quae meliora sunt id est evangelium melius est veteri testamento quae quattuor verba (= ubera) sunt Christi et duo: ubera legis et figurata sunt in lege quod dictum est moysi immolare vaccam cum quattuor uberibus et capram cum duobus, duo autem ubera legis mandata sunt in duabus tabulis

fol 3R: cf. 1,29

Item sicut tabernaculum id est nigra caedar autem id est civitas gentilium quae adoraverunt idola et ipsa nigra erat qn (?) fuit in illis ... Sicut pellis Salomonis id est nigra solom id est caro eius post adorationem idolorum in voluntatem mulierum

fol 3V: cf. 2,4 (?)

Filii matris meae id est vox primitive aeclesie ebreorum id est apostolorum et aliorum mater sinagoga ... Item pugnaverunt id est in persecutione resistendo evangelio custodem id est ut fuit paulus vineam id est legem

fol 4R: cf. 2,5.6

in meridiae id est ut fuit quando fugit in aegyptum in meridie parte aegypti meridies mensurat inter frigorem et calorem

fol 4R: cf. 2,10

Per greges id est per stolas apostolorum ... sodales enim de sodore nomen accepit sodales autem Christi qui sodoraverunt in laboribus pro nomine Christi

fol 4R: cf. 2,16.17

O pulcra inter mulieres ... Non tam mulieres omnium id est mulieres gentium vel plebes hereticorum multitudinem nominavit

fol 4V: cf. 2,29-31

Gene autem de genibus accipiunt nomen quia genua parvulorum quando concipiuntur in genis eorum fiunt quando autem crescunt pueri genua recedunt et veniunt oculi post eos non tam membra corporalia quam spiritalia hic intelliges sicut enim duo oculi hominem sic due leges eclesiam ducunt. Due gene sunt et duo oculi id est utraque lex gene sunt eclesie oculi autem in genis id est patriarche et prophete in veteri testamento in novo autem apostoli sunt

fol 5V: cf. 3,1.5

Item nardus cum inpraesa ligno odorem maiorem dat ita spiritus et fides aeclesie adiuncta ligno crucis post passionem domini adfert odorem maiorem credentibus

fol 5V: cf. 3,2

Item duae murre sunt alia mortificationis aliaque gutta dicitur de qua nunc dicit si bonum mortem Christi dicere melius est non separari ab eo post passionem

fol 5V/6R: cf. 3,8

Aliter ciprus iudea est unde venerunt ad moysen qui portaverunt butrum utrumque populum significantes prior qui portavit avertens faciem suam ab eo (?) populum iudaicum non videntem Christum perfidem dantem autem cruci secundus populum gentilem significat qui respiciebat semper Christum

fol 6R: cf. 3,4

Item Engadi locus est in terra gentium qui viderunt fidem Christi ut ait terra zabulon et populus qui sedebat in tenebris vidit lucem magnam id est Christum

fol 6V: cf. 3,12b

... speciosus forma prae filiis hominum. Item pulcher ... post resurrectionem

fol 6V: cf. 3,14

lectus noster floridus ... sepulcrum domini intelligitur

fol 6V: cf. 3,15

... cedrus inputribilis ita sancti qui mundum non cupiunt a pecato inputribiles ... Item tecta hoc est patriarche

fol 7R: cf. 3,16

ciparina lignum excelsius omni ligno ita apostoli excelsiores sunt patriarchis

fol 7R: cf. 3,18

solvens animas patriarcharum de inferno

<u>fol 7R: cf. 3,20</u>
ita sunt sancti inter peccatores

<u>fol 7R: cf. 3,21</u>
sicut malum arbori mala granato dei filium conparavit pro eo quod plantata est in medio paradisi mala granata sicut contegit plura semina uno cortice unitas corporis Christi eclesiam hic et in futuro

<u>fol 7V: cf. 3,23</u>
et fructus dulcis gutturi meo id est resurrectio Christi dum et ego resurgam cum eo

<u>fol 8R: cf. 3,25</u>
ordinate in me caritatem id est exemplum dedit mihi ut ait diligite invicem sicut et ego dilexi vos

<u>fol 8R: cf. 3,27</u>
vel stipate malis id est praedicaXXX mihi passiones proximo

<u>fol 8R: cf. 3,29</u>
Item leva id est vetus testamentum sub capite meo id est sustinet me etiam vetus testamentum id est Iesus ... in novo dextera id novum si enim immotata fuerit evangelium amplexabitur

<u>fol 8V: cf. 4,5b</u>
per capreas id est per naturam animalium naturam enim habent timoris et fugiunt ... haec autem in Christo continentur timorem habuit quando fugit in aegyptum ... fugit persecutionem Herodis

<u>fol 9R: cf. 4,7</u>
item per parietem id est corpus illius nostrum dicit quod a nobis sump⟨tum⟩ sit

fol 9V: cf. 4,9

... post cancellos id est per parabulas quia sicut fiunt noda in lineis ita misteria id est parabolis sunt prospiciens per cancellos ... item per cancellos pellis perforata vel rete

fol 9V: cf. 4,15a

Item imber id est praedicatio praesens quae cessabit praedicatio post iudicium

fol 10R: cf. 4,18

Item potationis id est tempus mittenti (= metendi) fructus in futuro

fol 10R: cf. 4,17 (?)

Item iecit sinagoga litteram et accipit fructum evangelii quando praedicabunt heli et enoc

fol 10R: cf. 4,22

... petrae id est petra Christus erat

fol 10V: cf. 4,24

... ulpes (= vulpes) sint id est heretici ... ut Herodis filios de quo dictum est dicite ulpi (= vulpi) illi

fol 10V/11R: cf. 4,27

Revertere id est in carnem

fol 11R: cf. 5,1

Item in lectulo meo aeclesia gentium dicit in lectulo autem id est in gentilitate

fol 11R: cf. 5,3

per noctes ... in doctrina philosoforum

fol 11R: cf. 5,8.9 (?)

... per vicos id est per profetas quia profetabant nativitatem eius plateas id est incarnationis eius misterium. Item surgam id est in legem per vicos id est per legem

fol 11V: cf. 5,12.13

Item matris id est Hierusalem caelestis ... item in domum matris meae id est in habitationem Hierusalem caelestis que mater omnium per doctrinam et fidem

BIBLIOGRAPHIE
(Auswahl)

Bibeltexte

VETUS LATINA, *Die Reste der altlateinischen Bibel, nach Petrus Sabatier neu gesammelt und in Verbindung mit der Heidelberger Akademie der Wissenschaften herausgegeben von der Erzabtei Beuron*
Band 2, Genesis, hrsg. von B. FISCHER, Freiburg 1951–1954
Band 10/3, Canticum Canticorum, hrsg. von E. SCHULZ-FLÜGEL, 1. Lieferung, Freiburg 1992
Band 11/1, Sapientia Salomonis, hrsg. von W. THIELE, Freiburg 1977–1985
Band 24/1, Epistula ad Ephesios, hrsg. von H. J. FREDE, Freiburg 1962–1964
Band 24/2, Epistulae ad Philippenses et ad Colossenses, hrsg. von H. J. FREDE, Freiburg 1966–1971
Band 25, Epistulae ad Thessalonicenses, Timotheum, Titum, Philemonem, Hebraeos, hrsg. von H. J. FREDE, Freiburg 1975–1991
Band 26/1, Epistulae Catholicae, hrsg. von W. THIELE, Freiburg 1956–1969

A. VACCARI, *Latini Cantici Canticorum versio a S. Hieronymo ad Graecam Hexaplarem emendata*, Roma 1959

A. WILMART, *L'ancienne Version Latine du Cantique I-III, 4*: Revue Bénédictine 28 (1911) 11–36

Textausgaben: Gregor von Elvira

Opera omnia

V. BULHART, *Gregorii Iliberritani episcopi quae supersunt, ed. Vincentius Bulhart*, CC 69, Turnhout 1967, 1–283

A. HAMMAN, PLS 1, 1958, 358–521

A. VEGA, España Sagrada 55/56, Madrid 1957, 1-216

Epithalamium

J. Fraipont, in: V. Bulhart, op.cit. 167–210

A. Hamman, op.cit. 473–501 (Abdruck der Edition G. Heines, das erste Buch jedoch nach A. Wilmart, *cf.* weiter unten)

G. Heine/J. E. Volbeding, Bibliotheca Anecdotorum 1, Leipzig 1848, 132–166

A. Vega, op.cit., España Sagrada 55, 63–80

A. Wilmart, *Les 'Tractatus' sur le Cantique attribués à Grégoire d'Elvire*: Bulletin de littérature ecclesiastique du Toulouse (1906) 237–248 (Buch 1); 251 (Fragment aus Buch 2); 252 (Fragment aus Buch 3); 258 (Fragmente aus den Büchern 4 und 5)

De fide

M. Simonetti, ed., *Gregorio di Elvira, La fede*, Corona Patrum 3, Torino 1975

Tractatus Origenis

P. Batiffol/A. Wilmart, *Tractatus Origenis de libris ss. scripturarum, detexit et edidit Petrus Batiffol sociatis curis Andreae Wilmart*, Paris 1900

V. Bulhart, op.cit. 3–146

Textausgaben: Hippolyt

G. Bonwetsch, *Hippolyts Kommentar zum Buche Daniel und die Fragmente des Kommentars zum Hohenliede*, GCS 1, Leipzig 1897

ds. *Hippolyts Kommentar zum Hohenlied, auf Grund von N. Marrs Ausgabe des Grusinischen Textes*, hrg. von G. N. Bonwetsch, Texte und Untersuchungen N. F. 8, Leipzig 1902

G. Garitte, *Traités d'Hippolyte sur David et Goliath, sur le Cantique et sur l'Antéchrist*, Version Géorgienne, traduite par G. Garitte, CSCO 264 (Scriptores Iberici, tom. 16) Louvain 1965

M. Richard, *Une Paraphrase Grecque, Résumée du Commentaire d'Hippolyte sur le Cantique des cantiques*: Le Muséon 77 (1964) 137–154

Die Editionen der lateinischen Kirchenväter richten sich nach: H. J. Frede, *Kirchenschriftsteller*, Verzeichnis und Sigel, 3. neubearb. und erw. Aufl. des »Verzeichnis der Sigel für Kirchenschriftsteller« von B. Fischer, Vetus Latina Bd. 1/1, Freiburg 1984 und 1988.

Monographien und Aufsätze

T. Ayuso Marazuela, *El Salterio de Gregorio de Elvira y la Vetus Latina:* Biblica 40 (1959) 135–159

ds. *La Vetus Latina Hispana* 1, Madrid 1953

A. Bacala Muñoz, *Sobre las citas bíblicas de los Tractatus Origenis:* Revista Española de Teologia 37 (1977) 147–151

P. Batiffol, *Où en est la question des 'Tractatus Origenis'?:* Bulletin de littérature ecclésiastique de Toulouse (1905), 307–323

B. Bischoff, *Wendepunkte in der Geschichte der lateinischen Exegese im Frühmittelalter*: Sacris Erudiri 6 (1954) 189–279 = *Mittelalterliche Studien. Ausgewählte Aufsätze zur Schriftkunde und Literaturgeschichte*, Bd. 1, 205–273

G. N. Bonwetsch, *Studien zu den Kommentaren Hippolyts*, Texte und Untersuchungen N. F. 1,2, Leipzig 1897

D. De Bruyne, *Les Anciennes Versions latines du Cantique des Cantiques*: Revue Bénédictine 38 (1926) 97–122

ds. *Encore les Tractatus Origenis*: Revue Bénédictine 23 (1906) 165–188

ds. ⟨*Sommaires, Divisions et Rubriques de la Bible Latine*⟩, Namur 1914

F. J. Buckley, *Christ and the Church according to Gregory of Elvira*, Roma 1964

V. Bulhart, *Textkritisches IV*: Revue Bénédictine 68 (1958) 251–256

G. Chappuzzeau, *Die Auslegung des Hohenliedes durch Hippolyt von Rom*: Jahrbuch für Antike und Christentum 19 (1976) 45–81

E. Dassmann, *Ecclesia vel anima. Die Kirche und ihre Gliederung in der Hoheliederklärung bei Hippolyt, Origenes und Ambrosius von Mailand*: Römische Quartalschrift 61 (1966) 137–139

E. Dekkers, *Clavis Patrum Latinorum*, Editio altera aucta et emendata: Sacris Erudiri 3, 1961

F. J. Dölger, *Christus im Bilde des Skarabäus*: Antike und Christentum 2 (1930) 230–240

J. Doignon, *Formen der Exegese*, in: Handbuch der lateinischen Literatur der Antike, hrsg. von R. Herzog und P. L. Schmidt, Bd. 5, München 1989, 408–433

U. Domínguez del Val, *Isidoro de Sevila y los Tractatus Origenis de Gregorio de Elvira*, in: Überlieferungsgeschichtliche Untersuchungen, hrsg. F. Paschke, Berlin 1981, 149-160

ds. *Herencia literaria de Gregorio de Elvira*: Helmantica 24 (1973) 281-357

H. Emonds, *Zweite Auflage im Altertum*, Klassisch-Philologische Studien 14, Leipzig 1941

M. Faulhaber, *Hohelied-, Proverbien- und Predigercatenen*, Theologische Studien der Leo-Gesellschaft 4 (1902)

B. Fischer, *Lateinische Bibelhandschriften im frühen Mittelalter*, Vetus Latina, Aus der Geschichte der lateinischen Bibel 11, Freiburg 1985

J. Frickel, *Gregorio di Elvira e Ippolito de Roma*, Relazione zum XXI' Incontro di studiosi dell' antichità cristiana, Roma 1992 (maschinenschriftlich)

ds. *Zu Hippolyts Kommentar zu den Proverbien*: Studia Ephemeridis Augustinianum 37 (1992) 179-185

Z. García Villada, *Antiguos comentarios al cantar de los cantares desconocidos e inéditos*: Estudios Eclesiasticos 7 (1928) 106-113

D. Gianotti, *Gregorio di Elvira, interprete del Cantico dei Cantici*: Augustinianum 24 (1984) 421-439

V. Hartl, *Die Hypothese einer einjährigen Wirksamkeit Jesu*, Neutestamentliche Abhandlungen 7, 1-3, Münster 1917

G. Heine / G. Hänel, *Briefliche Mitteilung des Dr. G. Heine aus Berlin an Hofrath Hänel in Leipzig über spanische und portugiesische Bibliotheken*: Serapeum 7 (1847) 193-204

dss. *Zweiter Bericht des Dr. G. Heine in Berlin über seine litterarische Reise in Spanien*: Serapeum 8 (1847) 81-95

dss. *Dritter Bericht des Dr. G. Heine in Berlin über seine litterarische Reise in Spanien*: Serapeum 8 (1847) 103-112

H. Koch, *Zu Gregors von Elvira Schrifttum und Quellen*: Zeitschrift für Kirchengeschichte 51 (1932) 238-272

P. Lejay, *L'héritage de Grégoire d'Elvire*: Revue Bénédictine 25 (1908) 435-457

E. Mazorra, *Gregorio de Elvira. Estudio histórico-teológico sobre su personalidad*, Granada 1962

E. MAZORRA, *El patrimonio literario de Gregorio de Elvira*: Estudios Ecclesiasticos 42 (1967) 387–397

P. MELONI, *Il profumo dell'immortalità. L'interpretazione patristica di Cantico 1,3*, Verba Seniorum N. S. 7, Roma 1975

G. MORIN, *Autour des 'Tractatus Origenis'*: Revue Bénédictine 19 (1902) 243–245

F. OHLY, *Hoheliedstudien. Grundzüge einer Geschichte der Hoheliedauslegung des Abendlandes bis um 1200,* Wiesbaden 1958

W. RIEDEL, *Die Auslegung des Hohenliedes in der jüdischen Gemeinde und der griechischen Kirche*, Leipzig 1898

E. ROMERO POSE, *Gregorio de Elvira en el Comentario de Apocalipsis de S. Beato de Liébana*: Burgense 20 (1979) 289–305

S. SAGOT, *Le 'Cantique des Cantiques' dans le 'De Isaac' d'Ambroise de Milan. Étude textuelle et recherche sur les anciennes versions latines*: Recherches Augustiniennes 16 (1981)

E. SCHULZ-FLÜGEL, *Interpretatio. Zur Wechselwirkung von Übersetzung und Auslegung im lateinischen Canticum Canticorum*, in: Philologia Sacra, Biblische und patristische Studien für H. J. Frede und W. Thiele zu ihrem siebzigsten Geburtstag, hrsg. von R. Gryson, Vetus Latina, Aus der Geschichte der lateinischen Bibel 24, Freiburg 1993, Bd. 1, 131–149

J. SEEMÜLLER, *Die Handschriften und Quellen von Willirams deutscher Paraphrase des Hohenliedes*, Quellen und Forschungen 24, Straßburg 1877

A. SIEGMUND, *Die Überlieferung der griechischen christlichen Literatur in der lateinischen Kirche bis zum zwölften Jahrhundert*, München 1949

M. SIMONETTI, *La doppia redazione del De fide di Gregorio di Elvira*, in: Forma futuri, Studi in onore di Card. M. Pellegrino, Torino 1975, 1022–1040

ds. *La tipologia di Abramo in Gregorio di Elvira*: Annali della Facoltá di Lettere, Filosofia e Magistero della Universitá di Cagliari 6 (1987) 141–153

A. VEGA, *Advertencia preliminar a la edición critica de la exposición 'In Canticum Canticorum' de Gregorio obispo de Eliberri*, España Sagrada 55, Madrid 1957, 1–20

A. VEGA, *Quorundam veterum commentariorum in Cantica Canticorum antiqua versio latina nunc primum edita*: Beilage zu Religion y Cultura 1934

C. VONA, *I Tractatus de libris sacrarum scripturarum. Fonti e sopravvivenza medievale*, Roma 1970

A. WILMART, *Les 'Tractatus' sur le Cantique attribués à Grégoire d'Elvire*: Bulletin de littérature ecclésiastique de Toulouse (1906) 233–299

R. WINLING, *Le Cantique des Cantiques par Origène, Grégoire d'Elvire, saint Bernard*, Paris 1983 (Übersetzung)

Handschriftenkataloge und Verwandtes

R. BEER, *Handschriftenschätze Spaniens*, Wien 1894

J. DE CARVACHO, Boletim da Biblioteca da Universidade de Coimbra, Vol. 8 (1926–1927)

A. CRUZ, *Santa Cruz de Coimbra na Cultura Portuguesa da idade média*, Vol. 1. Observações sobre o 'Scriptorium' e os estudos claustrais, Porto 1964

J. G. FREIRE, *A versão latina por Pascásio de Dume dos Apophthegmata Patrum*, t. 2, Coimbra 1971

Z. GARCÍA VILLADA, *Antiguos commentarios al Cantar de los Cantares desconocidos e inéditos*: Estúdios Ecclesiásticos, t. 7 (1928)

G. HEINE, *Zweiter Bericht des Dr. G. Heine in Berlin über seine litterarische Reise in Spanien gerichtet an Hofrath und Prof. Dr. Gustav Hänel und von letzterem mitgeteilt*: Serapeum 8 (1847)

INVENTARIO GENERAL de Manuscritos de la Biblioteca Nacional, t. 10 (3.027–5.699) Madrid 1984 (*sine nomine auctoris*)

J. G. SORIANO, *Un códice visigótico del siglo IX*: Boletín de la Academia de la Historia 106 (1935)

F. STEGMÜLLER, *Repertorium Biblicum Medii Aevi*, Madrid 1950–1980

M. TORRE / P. LONGAS, *Catálogo de códices latínos de la Biblioteca Nacional*, t. 1. Bíblicos, Madrid 1935

A. VEGA, *Advertencia preliminar a la edición critica de la exposición 'In canticum canticorum' de Gregorio obispo de Eliberri*: España Sagrada t. 55, Madrid 1957

J. VILLANUEVA, *Viaje literario á las Iglesias de España* t. 18 (1851)

A. WILMART, *Les 'Tractatus' sur le Cantique attribués à Grégoire d'Elvire*: Bulletin de littérature ecclésiastique (1906)

F. ZARCO CUEVAS, *El nuevo códice visigótico de la Academia de la Historia*: Boletín de la Academia de la Historia 106 (1935)

Sprachliches (mit Abkürzungen)

V. BULHART, *Gregorii Iliberritani episcopi quae supersunt*, ed. V. Bulhart, CC 69, Turnhout 1967, Praefatio ad Tractatus Origenis (S. V–LV) BULHART, Praefatio

AE. FORCELLINI, *Totius Latinitatis Lexicon opera et studio Ae. F. lucubratum et in hac editione post tertiam auctam et emendatam a J. Furlanetto ... novo ordine digestum amplissime auctum atque emendatum cura et studio Doct. Vincentii De-Vit,* Prati 1858 - 1875 FORCELLINI

E. LÖFSTEDT, *Syntactica, Studien und Beiträge zur historischen Syntax des Lateins, Lund*, I 1928 ([2]1942), II 1933 LÖFSTEDT Syntactica

ds. *Philologischer Kommentar zur Peregrinatio Aetheriae*, Untersuchungen zur Geschichte der lateinischen Sprache, Uppsala 1911 (Nachdruck 1936) LÖFSTEDT Peregrinatio

H. RÖNSCH, *Itala und Vulgata, Das Sprachidiom der urchristlichen Itala und der katholischen Vulgata unter Berücksichtigung der römischen Volkssprache*, Marburg [2]1875 RÖNSCH

J. SVENNUNG, *Untersuchungen zu Palladius und zur lateinischen Fach- und Volkssprache*, Uppsala 1935 SVENNUNG Palladius

THESAURUS LINGUAE LATINAE, editus iussu et auctoritate consilii ab Academiis Societatibusque diversarum nationum electi, Leipzig 1900 sqq THLL

INDEX LOCORUM SACRAE SCRIPTURAE[1]

Genesis

2,24 1,1; 1,7; 4,26
3,16 1,8
3,18 3,20
15,9 1,9
19,30–37 3,6
27,28 4,1
30,14 4,20
Cap. 3 1,29 ω[1]

Exodus

7,10.12 4,27
12,5 3,6
14,4–10 2,25
15,3–21 1,2
15,24.25 3,1
25,5 1,30
26,14 1,30
32,7 2,22
32,15 1,9
32,8 2,18 ω[2]
34,9 2,36 ω[2]

Leviticus

5,7 4,16
12,8 4,16

Numeri

4,6–25 1,30
6,10 4,16
13,18-28 3,8
14,36.37 2,19
16,30–33 2,19

Deuteronomium

23,3 3,6
31,16 2,17
32,1–3 4,14

Iudicum

2,17 2,17

Ruth

4,22 3,6

I Regum

16,13 1,14

III Regum

11,1–7 1,29

I Paralipomenon

5,25 2,17

[1] Die angegebenen Zahlen verweisen auf Buch- und Paragraphenzahl des Textes. Der Unterschied zwischen explizitem Zitat und Anspielung ist in diesem Index nicht berücksichtigt. Die Angaben für das Canticum folgen der Zählung der Septuaginta. An erster Stelle sind die Zitate aufgeführt, die beiden Rezensionen gemeinsam sind, gefolgt von den zusätzlichen Zitaten der Rezension ω^2.

II Paralipomenon

3,14 1,30

IV Esdras

10,7 5,12

Judith

8,25 2,19

Psalmi

8,8 4,4
13,4 2,14
18,9 2,30
26,13 4,16
33,9 1,12
36,11 4,16
43,12 3,28
43,20 3,14
44,3 1,4; 1,16; 3,12
44,10 2,34
44,12 1,25
52,5 2,14
56,2 3,23
61,4 4,6
72,28 1,21
79,9 2,3
84,11.12 1,7
118,105 2,30
147,4 (LXX) 4,28
44,3 1,29 ω^2

Proverbia

14,33 5,2

Canticum canticorum

1,1 (tit) 1,2
1,2 1,1; 1,4; 1,9
1,3 1,13; 1,14; 1,16
1,3.4 1,17
1,4 1,20; 1,21; 1,22 *bis*

Canticum canticorum

1,5 1,23; 1,27; 1,29
1,6 1,24; 1,25; 2,1; 2,3
1,7 2,5; 2,7; 2,10; 2,12
1,8 2,15; 2,18; 2,20
1,9 2,24; 2,26
1,10 2,29
1,10.11 2,35
1,11 2,38
1,12 2,40; 3,1
1,13 3,2; 3,3
1,14 3,4; 3,7
1,15 3,9; 3,10
1,16 3,12; 3,13
1,16.17 3,14
1,17 3,15; 3,16
2,1 3,18
2,2 3,19
2,3 3,21; 3,22; 3,23
2,4 3,24; 3,25
2,5 3,26; 3,27; 3,28
2,7 3,29; 4,1
2,8 4,4
2,9 4,5; 4,6; 4,8; 4,9
2,10.11.12 4,10
2,11 4,13
2,12 4,16; 4,18
2,13 4,17; 4,19; 4,20; 4,21
2,14 4,22 *bis*; 4,23
2,15 4,19; 4,24
2,16 4,26 *bis*
2,17 4,26; 4,27
3,1 5,1; 5,4
3,2 5,6; 5,9
3,3 5,10
3,4 5,10; 5,11; 5,12; 5,14
7,13 4,20
1,7 2,9 ω^2
1,8 2,23 ω^2

Canticum canticorum
1,10.11 2,39 ω^2

Sapientia
3,6 2,39
7,21 ? 1,8

Sirach
27,13 5,2
38,5 ? 3,1
46,18 5,2
48,10 4,17

Isaias
1,13.14 2,4
2,14 4,4
5,7 2,3
9,1.2 3,4
11,1 3,18
26,9–20 1,2
53,3.2 3,12
61,1 1,13

Ieremias
2,10.11 1,28
16,11 2,17
5,8 2,26 ω^2

Ps. Ieremias
Resch 320-322
(IR 3,20,4) 4,15

Osea
11,1 2,5
2,19 1,1
2,20 1,1

Habacuc
2,11 (LXX) 4,6; 4,7
3,2–19 1,2
3,3 2,5

Habacuc
3,5 (LXX) 3,18

Malachias
4,2 1,25
4,5.6 4,17

II Macchabaeorum
1,10 1,14

Matthaeus
1,5 3,6
2,1 4,5
2,1–5 5,10
2,11 2,38
2,13–16 2,5; 4,5
2,15 2,5
2,16 4,5
3,12 4,18
3,13 3,11
4,15–17 3,4
4,16 4,26
5,4 4,16
5,10 2,10
7,15 2,14
8,20 2,40; 4,24
10,16.34 3,10
10,34 3,28
10,39 3,28; 4,3
11,28 2,35
12,29 2,41
13,3 4,14
13,3–9 4,13
13,10 4,9
13,14–23 4,13
13,27 4,14
13,30 4,18
13,44 5,9
13,47 4,8
13,48 4,9
15,24 4,2
16,24 3,28
16,25 3,28
18,6 2,13

Matthaeus
19,17 3,12
21,33 4,17
24,12 2,33
24,24 2,11
24,32.33 4,17
25,33 2,20
25,34 4,23
27,40.42 4,7
28,19.20 5,11
7,15 2,15 ω²
9,22 2,27 ω²
10,16 2,15 ω²
15,22 1,18 ω²
16,18 2,21 ω²

Marcus
1,10 3,11
2,22 1,11
3,27 2,41
8,31 4,7
8,34.35 3,28
9,41 2,13
10,18 3,12
16,15 5,11
3,27 2,26 ω²
6,52 2,42 ω²

Lucas
2,7 3,16
2,24 4,16
3,22 3,11
3,23 1,4
3,32.33 3,6
4,18 1,13
4,23 3,28
8,14 3,20
9,22 4,7
9,24 3,28
9,58 2,40; 4,24
13,6 4,17
13,9 4,17
13,32 4,24
16,16 1,6
17,2 2,13
18,19 3,12

Lucas
21,29 4,17
23,39 4,7
24,36 1,7 *bis*
24,46 4,7

Iohannes
1,5 4,26
1,16 5,15
1,17 1,6
1,32 3,11
2,1–11 1,10
2,3 1,22
3,5 5,15
3,29 1,1
4,37.38 2,31
4,46 1,10
5,39 5,8; 5,9
6,54 3,16; 3,24
7,33 5,11
8,56 1,1
12,25 3,28
13,34 3,25
14,27 1,7
15,1 4,24
15,4–7 5,13
15,14 2,10
15,15 2,10
17,22 3,12
20,11–16 5,11
20,19.21.26 1,7
21,17 2,22
1,14 2,43 ω²
5,14 2,28 ω²
10,8 2,42 ω²
11,25 2,42 ω²
15,14 2,10 ω²
16,13 2,9 ω²
21,17 2,21 ω²

Actus apostolorum
2,13 1,11
7,48 2,41
14,21 4,13
20,19 2,2
20,29 2,14

Ad Romanos

1,3 1,6; 3,6 *bis*; 3,16
3,29 3,5
4,1.16 1,9
4,13 1,9
5,5 1,16
6,5 3,23
6,6 1,18; 3,29
8,3 2,1; 4,27
8,15 1,24
8,15.17.23 2,10
8,18 3,27
8,35 3,2; 5,11
8,36 3,28
10,7 3,18
10,15 2,31
11,21 2,17
16,25.26 1,8
4,17 2,8 ω²
5,14 2,42 ω²
5,18 1,27 ω²
8,3 1,29 ω²
8,15.23 2,10 ω²
8,17 2,10 ω²
9,3 2,10 ω²
11,18 2,1 ω²
11,22 2,17 ω²
11,33 2,8 ω²
12,4.5 2,37 ω²

Ad Corinthios I

1,24 1,8; 4,27
2,9 5,14
3,1.2 1,9
3,8 2,31
3,9 4,24
3,16 2,43 *bis*
9,9 4,17
10,1-6 2,19
10,4 4,22
11,11.10 2,19
12,12 5,12
12,14.27 5,14
12,27 1,30; 2,39
13,2 3,25
13,11 1,9
13,12 5,15
13,13 4,4
15,22 3,23
15,26 4,4
15,31 3,28
1,24 1,18 ω²
3,16 2,42 ω²
3,16 2,41 ω²

Ad Corinthios II

1,22 5,15
2,14 1,12
2,14.15 3,1; 4,19
2,15 4,19; 4,30
5,4 4,27
6,16 2,43
11,13 2,11
13,4 3,14
2,15 1,16 ω²
5,21 1,29 ω²
11,2 2,15 ω²

Ad Galatas

1,13 2,2
2,4 3,28
3,7 1,9; 4,1
3,27 5,13
4,5 2,10
4,26 5,12 *bis*
5,1 2,24
3,23 2,42 ω²
3,26 2,27 ω²
4,31 2,27; 2,28 ω²
5,1 2,27; 2,28 ω²
5,19 2,43 ω²

Ad Ephesios

1,5 2,10
1,7 3,23
1,12.13 1,8
1,22 4,4
1,22.23 1,7; 1,20; 3,7; 3,11;3,29;4,11; 4,12; 5,12

Ad Ephesios

1,23 2,39
2,14 1,7; 4,6
3,16.17 2,41
4,15.16 3,29
4,22 3,29
5,6 2,12
5,14 1,25; 4,12
5,27 1,26; 2,15
5,29 1,22
5,30 1,30; 4,29
5,31 1,1; 1,7; 4,26
1,22 2,37 ω^2
2,3 2,26 ω^2
3,18 1,3 ω^2
4,19 2,43 ω^2
4,22 1,27 ω^2
4,24 2,21 ω^2
5,27 2,15 ω^2
5,30 1,29 ω^2

Ad Philippenses

2,7.8 3,13
2,8 2,43
3,9 2,4
3,19 5,6
3,21 3,12

Ad Colossenses

1,14 3,23
1,18 1,7; 3,29
1,24 1,7; 1,20; 1,30; 2,39; 3,7; 3,11; 3,29; 4,11; 4,12; 5,12
1,26 1,8
2,4 2,12
2,8 2,12; 5,3
2,9 1,15
2,12 3,23
2,16 2,4
3,9 3,29
1,18 2,37 ω^2
1,24 1,29 ω^2

Ad Colossenses

3,5 2,43 ω^2
3,9 1,18 ω^2

Ad Timotheum I

2,5 2,7
6,15 2,40

Ad Timotheum II

2,8 3,6

Ad Titum

1,2 1,21
3,5 1,8
3,7 1,21

Ad Hebraeos

2,8 4,4
6,11 2,15
9,12–14 1,8
11,9 3,8
13,20 3,18

Epistula Petri I

1,20 1,21
3,14 2,10
3,18 sqq 3,18
4,1 2,2
4,6 3,18

Epistula Iohannis I

2,11 2,42 ω^2

Apocalypsis

1,8 3,11
4,4 2,32
5,5 3,6
5,8 1,16
7,4 4,17
8,34 1,16
17,14 2,40
19,16 2,40
21,12 5,7

INDEX VERBORUM[1]

abnego 3,28
abscondo 2,33
absconsus 2,33; 5,9 bis
absorbeo 4,27 bis
abundantia 4,1 bis; 4,3
accensus 1,2
accipio 1,5; 1,6; 1,8; 1,14; 1,31; 2,6; 4,20; 4,23; 5,15
accipio ω^2 1,5 (suscipio) 2,4
ac si ω^2 Pr
adaequo 2,31
addisco 1,5; 2,11
addo 1,10; 1,13; 1,17; 1,20; 1,22; 1,23; 2,3; 2,5; 2,8; 2,29; 2,34; 3,2; 3,3; 3,4; 3,9; 3,12; 3,14; 3,18; 3,21; 3,23; 3,24; 3,25; 3,26; 3,27; 3,28; 3,29; 4,4; 4,5; 4,6; 4,10; 4,17; 4,18; 4,19; 4,21; 4,24; 4,26; 4,27; 5,14
adfero 3,8 bis; 3,20; 4,13
adfligo 2,2
adgredior 5,5
adhaereo 3,2 bis;
adhibeo 2,15
adhuc 2,41; 5,1; 5,4; 5,6; ω^2 2,2; 2,20;
adicio 2,38
adicio ω^2 1,9 (addo); 1,13 (addo); 1,17 (addo); 1,20 (addo); 1,23 (addo); 2,3 (addo); 2,5 (addo); [2,8]; ⟨2,10⟩ (addo); 2,35 (addo)
adimpleo 1,5; 1,8
adimpleo ω^2 2,4
adipiscor ω^2 Pr
aditus ω^2 1,20 (penetralia)
adiuro 4,1; 4,2; 4,3
admiratio 1,2
admoneo 2,17
admoneo ω^2 1,3
adnuntiatio 2,7
adnuntio 1,8; 2,7; 3,29; 4,6; 4,7; 4,17; 4,22
adnuntio ω^2 2,9
adolescentula 1,17 ter
adolescentula ω^2 Pr 1,18; 1,19
adoperio 5,3
adoptio ω^2 2,10
adopto 2,10
adorno 2,39
adoro 1,28
adprehendo 4,27
adsto 2,34
adsumptio ω^2 1,27
adsumptus ω^2 1,29
adumbratus ω^2 1,15
adtraho 1,17 bis
adulter *adj* 2,16
adulterium 2,16
advenio 1,8; 3,7; 4,10; 4,15; 4,26
advenio ω^2 1,16; 2,42
adventus 1,25; 2,26; 2,33; 2,41; 4,17; 4,22
adventus ω^2 2,25
adverto ω^2 2,15 (perquiro)
aenigma 5,15
aenigma ω^2 Pr
aequitas 1,22
aer 2,6
aerumna 3,27
aestas 4,17
aestimo 3,28
aestus 2,6
aeternus 3,16; 3,24; 3,28; 4,3
aevum 1,9
afficio 3,28
ager 4,1 bis; 4,14; 4,20; 5,9 bis

[1] Der Index ist bis auf wenige Wörter (Konjunktionen, Präpositionen, Hilfsverben u. ä.) vollständig. Der zusätzliche Wortbestand der Rezension ω^2 ist gesondert aufgeführt; wird in dieser Fassung ein Wort durch ein anderes ersetzt, steht das Wort der Erstfassung in Klammern. Die Vorkommen werden nach Buch und Paragraphen angegeben (Pr = Prolog).

agilitas 4,28
agnus 2,20; 2,22; 3,6
agnus ω^2 2,21
ago ω^2 1,31; 2,43
aio 1,6; 1,7; 1,16; 2,10; 2,12; 2,20; 2,31; 2,40; 3,1; 3,2; 3,5; 3,13; 3,14; 3,23; 3,27; 3,28; 4,5 bis; 4,6; 4,17; 4,22; 4,24; 4,26; 4,27; 5,1; 5,3; 5,6;5,9; 5,11; 5,13
ala 3,23
alfa 3,10; 3,11
alibi 1,16; 2,5; 3,25;
alibi ω^2 1,12
alienus 1,4; 2,17
alimentum 3,3
aliquando 2,24; ω^2 2,26
alius 1,4 bis; 1,10; 1,11; 2,19 quater; 2,31; 5,5; 5,11
alius ω^2 Pr bis; 1,18
allegoria 5,3
allegoria ω^2 2,8
allegoricus 1,1
alloquor ω^2 2,10
altitudo 1,23; 4,4
altitudo ω^2 1,3; 2,8
altus 5,7
altus ω^2 1,3
amabilis 1,8
amator ω^2 1,29
ambiguus ω^2 1,3
ambitio 3,20
amen ω^2 2,43
amictus 2,12
amicus 1,1; 2,10 ter
amo 1,29
amo ω^2 1,19
amor 3,28; 4,3
amor ω^2 1,19
amoveo 4,26 bis
amplector 1,7; 3,29
angelus 2,5; 2,19; 3,6
angelus ω^2 ⟨Pr⟩
anima 1,1; 1,6; 1,11; 1,12; 2,7; 3,17; 3,18; 3,28; 4,3; 5,1; 5,2; 5,5; 5,6; 5,11
anima ω^2 Pr; 2,9
animadversio 2,20
animadversio ω^2 1,3
animal 3,6; 4,5
animus 1,2
ante *adv.* 4,5; ω^2 2,25;
antequam ω^2 2,42 quater; 2,43
antiquus 1,8; 2,1; 5,14
anulus 1,8
apertus 4,9
apostolicus 2,12; 2,13; 3,17
apostolicus ω^2 2,23 bis
apostolus 1,7; 1,15; 1,20; 2,1; 2,4 bis; 2,7; 2,10 bis; 2,11; 2,12; 2,14; 2,15; 2,17; 2,19; 2,30; 2,31 bis; 2,32; 2,39; 2,41 bis; 3,1; 3,2; 3,5; 3,6 bis; 3,13; 3,14; 3,16; 3,25; 3,27; 3,28; 4,6; 4,11; 4,13; 4,17; 4,19; 4,27; 4,30 bis; 5,3; 5,11 bis; 5,12; 5,13; 5,14; 5,15
apostolus ω^2 1,3; 1,12; 1,26; 1,29 bis; 2,10; 2,23; 2,26; 2,32
appareo 4,26
appello 1,16; 2,17; 2,31; 3,5; 3,15; 3,16; 3,19; 3,20; 3,22; 4,27; 5,3; 5,4; 5,8
appello ω^2 1,16; 2,1; 2,18
aqua 1,10; 1,11; 1,12; 1,26; 4,8; 5,15
aqua ω^2 2,41
aquatus 1,12
arbitror 4,12
arbor 3,16
arduus 4,30
area 4,18
argentum 2,35; 2,38; ter; 2,39
argentum ω^2 2,39
aroma 1,1; 1,13 bis; 4,30 bis
arra 3,7; 5,14; 5,15 bis
ars 1,8
ars ω^2 1,8
ascendo 3,13; 3,18 bis; 4,12; 5,14
asperitas 4,13 bis
aspicio 1,25
aspiro 4,26
asser 3,14; 3,15 bis
assiduus 4,13; 5,2
attendo 1,23; 4,14
at ubi 1,15; ω^2 2,22
auctor 1,20; 2,39

audio 1,1 bis; 1,2; 1,4; 2,15; 2,19; 3,6; 4,9; 4,14; 4,16 bis; 5,14
audio ω^2 2,22
auditus 4,22; 4,23
auriga ω^2 2,26
auris 5,14
aurum 2,35; 2,38 quater; 2,39 bis
aurum ω^2 2,39
auscultor/ausculto 4,6 bis; 4,8 bis; 4,9
avaritia ω^2 2,43
avis 2,33 bis

baptisma 1,11; 1,26; 4,8
baptisma ω^2 2,41
baptismus 1,8; 5,13
baptizo 2,19; 5,13
beatus 2,14; 2,32; 4,6; 4,16; 4,17
beatus ω^2 1,3; 2,4; 2,19
bene 2,19
benedico 4,1
benedictio 4,1
benedictus 1,31; 4,23
benedictus ω^2 2,43
bibo 2,19 bis; 3,24
bimatus 4,5
blandior 4,25
bonitas 3,12
bonitas ω^2 2,17
bonum 4,16; 4,30
bonus 1,1; 1,4; 1,9; 1,10; 1,16; 1,17; 2,17; 3,1 ter; 3,12 ter; 3,13; 3,20; 4,8; 4,9; 4,14; 4,19; 5,7
bonus $\omega^2$1,12; 1,16; 2,21; 2,34; 2,36
botrus 3,4 bis; 3,5 bis; 3,7; 3,8 bis
breviter 1,14
bustum 1,23

caecus 5,3
caelestis 1,1; 1,8; 1,10; 1,20; 1,21; 1,22; 2,7; 3,17; 4,13; 4,14; 4,18; 5,12 bis; 5,13 bis; 5,14 ter; 5,15
caelestis ω^2 2,17 (sanctus); 2,27; 2,36
caelum 1,7; 1,20; 2,40; ⟨3,11⟩; 3,13; 4,1; 4,8; 4,12 bis; 4,14; 4,23; 5,9
calidus 3,2
caligo 5,3
calor 2,6; 3,2
campus 3,18 ter
candidus 1,9; 4,15
cano 1,2
canticum 1,2 sexties
canticum ω^2 Pr bis
capio 2,11 bis; 4,8; 4,9 bis; 4,24; 4,25
capitulum ω^2 1,31
capra 1,9 bis
caput 1,7; 2,30; 2,40 bis; 2,41; 3,29 bis; 4,24
caput ω^2 2,37
caritas 1,1; 1,5; 1,7; 2,33; 3,2; 3,25; 3,27; 3,28 bis; 4,1; 4,3 bis; 4,4; 5,11 bis; 5,13
caritas ω^2 1,31; 2,37
carmen 1,1; 1,2
carmen ω^2 Pr
carnalis 1,4; 2,6; 2,29
caro 1,1; 1,6; 1,7 ter; 1,9; 1,20 quater; 1,29; 2,1 bis; 2,2; 2,4; 2,6; 2,7; 2,38 bis; 3,5; 3,6; 3,7 bis; 3,11; 3,14; 3,24; 4,6; 4,12; 4,26; 4,27 bis; 4,28
caro ω^2 1,29 quater; 2,1; 2,6; 2,10; 2,43
carus 1,8
castus 1,1
catholicus 2,11
catholicus ω^2 2,22
cauda 4,27
causa 1,27; 4,25
causa ω^2 1,27
cavillatio ω^2 1,3
cavus 2,29
cedrinus 3,14; 3,15 bis
cedrum 3,16
cedrus 3,15; 3,16
celsitudo 4,30
censeo 1,15; 1,16
censeo ω^2 1,27
centesimus 4,13
cerno 2,13
certus 2,11
certus ω^2 2,15
cerva 4,5 bis; 4,27; 4,28
cervix 2,35 ter; 2,36 bis; 2,39
cervix ω^2 2,36 bis; 2,37 bis; 2,39

cervus 4,5 ter; 4,27; 4,29 bis
cesso 1,6; 1,11; 1,22; 4,15
ceterum 2,6
ceterus 1,2; 1,9; 2,4; 3,20
ceterus ω² 1,29
charisma 4,7; 5,7
charisma ω² 1,26; 2,34
chrisma 1,13 bis; 1,14 bis; 3,1 bis; 3,26; 4,2; 4,3
christus 1,14; 1,15
cibus 2,19; 3,16
cipressum 3,16
cipressus 3,14; 3,16 bis
ciprum (*cf* Ciprum) cf p. 154 3,4 ter; 3,5; 3,7
circueo 5,6 bis; 5,8; 5,10 bis
circuitor 5,10
circumamictus 2,10; 2,12 bis; 2,13 bis; 2,34
circumamictus ω² [2,8]; ⟨2,10⟩
circumcisio 2,4
circumduco 2,11
circumventio 2,13
circumventor ω² 2,11
civitas 1,28; 2,41; 5,6 bis; 5,7 bis; 5,8; 5,10 bis
clamo 4,6; 4,7
clarifico 3,13
claritas 3,12; 4,26
clarus 1,8
clementia ω² 1,31
clima 2,6
coaequo 2,31
coepio 3,4;
coepio ω² 1,19
cogitatio 5,2
cogito 5,6
cognosco 1,9; 2,15; 2,16; 2,17; 2,18; 5,4
cognosco ω² 1,8; 2,15; 2,18; 2,21 bis; 2,22; 2,23
coheres ω² 2,10
collis 4,4 ter
colo ω² 1,29
color 4,29
columba 3,10 quater; 3,11 ter; 4,10; 4,11; 4,12; 4,16; 4,21 bis
columba ω² 2,15
comburo 4,18 bis
commeo 5,8
comminor 2,15; 2,20
comminor ω² 2,18
commissio ω² 2,14
communis 3,6
comparatio 1,27; 3,2; 4,5
comparo 1,16; 2,33; 2,39; 4,5; 4,6; 4,24; 4,28
complaceo 2,19
complector 3,29 bis
complector ω² 2,37 bis
compleo 1,15
compleo ω² 2,8
compositus 1,26
comprehendo 1,8
comprehendo ω² 1,3 bis
compressus *adj.* 3,5
computus 3,10
concipio 5,12; 5,14; 5,15
concludo 3,22
concupisco 1,25; 3,23; 4,20
condignus 3,27
conditio 4,7
confectus 3,1
confessor 2,39
confirmo 3,26
confiteor 1,20
confundo ω² 1,3
congregatio 1,28; 2,17; 4,16; 5,1
congregatio ω² 2,23
congrego 1,17; 1,18; 4,8; 5,11
congrego ω² 1,28
congruus 2,33; 4,25
coniugium 1,1
coniunctio 1,8; 3,6
coniungo 1,7; 2,7; 2,29; 2,30; 2,31; 2,38
coniunctus ω² 2,32
conlisio 3,21
consequens 2,19
consequor 1,21; 4,1; 4,2
consortium ω² 1,29; 2,10
conspicuus 2,13

constipo 3,27 bis
constituo 2,30; 3,22; 3,25; 4,4
constitutio 4,23; 5,7; 5,8
consuesco 1,4; 5,7
contemptus 2,24
contentus 1,5
contineo 3,5; 3,22; 4,1; 5,8
contineo ω^2 2,37 bis
contingo 2,19
continuatus 4,22
continuo 4,22
convallis 3,18 bis
convenio 5,12
convenio ω^2 2,23
conversatio 1,2; 1,29 bis; 1,31; 5,7
conversatio ω^2 1,29
conversus 1,12
convertor 4,27 ter; 4,28
coopertus 2,13; 3,14 bis
copiosus 1,8
copulatus 4,12
copulo 1,2; 1,11
cor 5,2 bis; 5,5; 5,6; 5,14
cor ω^2 2,27
cornu 1,14
coronatus 2,32
corpus 1,7; 1,31; 2,6 bis; 2,7; 2,30 bis; 2,31; 2,39 bis; 3,2; 3,7; 3,8 bis; 3,14 bis; 3,16; 3,17 bis; 3,29; 4,2; 4,3; 4,6 bis; 4,7 ter; 4,11; 4,12; 4,15; 4,26; 4,29; 5,10; 5,12
corpus ω^2 1,29; 2,37
correptio 2,19
corrumpo ω^2 2,22
corruptor ω^2 2,15
corruptus 2,16
crassor ω^2 2,42
credens 1,9; 1,11; 1,16; 1,31; 2,2; 2,13; 3,1; 3,5 bis; 3,17; 3,19; 3,20; 3,23; 3,24; 4,7; 4,17; 4,29
credo 1,23; 1,25; 2,24; 3,7; 3,26; 4,2; 4,16; 4,17; 5,4
credo ω^2 Pr; 2,37
crucifigo 2,2
crudelis 4,25
crux 2,41; 3,1 bis; 3,5; 3,8; 3,13; 3,28; 4,6
cubiculum 1,20 bis; 5,1 5,2 quater; 5,5; 5,6
cubile 2,40; 3,14 ter; 4,24
cubo 2,5 bis; 2,7
cultor 4,24
cultus 3,21
cunctus 1,16; 3,5
cupiditas 1,17; 1,18
cura 3,20; 4,17
cura ω^2 2,4
curatio 3,1
curro 4,28
currus 2,24 bis; 2,26
currus ω^2 2,25; 2,26; 2,28
custodio 2,1; 2,3 ter; 2,4 bis; 2,15; 2,24; 5,10
custodio ω^2 2,4 bis; 2,28
custos 2,1; 2,3; 5,10 ter

daemon 4,22; 5,7
daemon ω^2 2,42
damno ω^2 2,20 (plecto)
deauratus 2,34
debeo 1,8; 1,27; 2,15; 2,16; 3,20; 5,10
debeo ω^2 1,3; 1,19; 1,27; 2,16; 2,21; 2,28
decantatio 1,1
deceptrix 4,25
decipio 2,12
decipio ω^2 1,3
declaro 3,13
declinatio 2,40
declinatio ω^2 2,43
declinatorium 2,40
declino 1,29; 2,40; 2,41 ter; 4,24
decoquo 4,28
decoratus ω^2 2,36
decorus 1,23 quinquies; 1,24; 1,25; 1,29; 2,15 bis; 2,16; 3,9; 3,18
decorus ω^2 1,4 (speciosus); 2,15
decretum 5,8
decus 1,31; 2,29; 2,30; 2,39; 3,9; 3,12; 3,13 bis
decus ω^2 2,22
dedicatio ω^2 2,41

deduco 4,9
defendo 3,21; 5,7
defensio 4,22
deficio 1,10; 1,22
definio 1,7; 2,15
definio ω^2 1,29
definitio 2,11
definitio ω^2 2,9; 2,15
deinde 2,2; ω^2 2,6
deitas 3,13
delictum 1,31
delictum ω^2 1,26; 1,27
delitesco 2,5; 5,1
deludo ω^2 1,3
demonstro 2,32; 3,2
denique 1,2; 1,9; 1,22; 1,24; 1,28; 1,30; 2,15; 2,20; 2,31; 2,32; 2,38; 3,5; 3,16 bis; 3,23; 3,28; 4,2; 4,24; 4,27; 5,9; 5,11; ω^2 1,16; 1,19; 2,26;
denuo 3,29
depraedor 2,12; 5,3
depressus 3,18
deputo 2,30; 4,14
deputo ω^2 2,4
derelinquo 1,28; 2,4
descendo 1,13; 1,20; 2,19; 3,5; 3,18; 4,14
descendo ω^2 2,37 bis
desertus 2,19
designo 1,13; 2,29; 4,15; 4,24
desino 2,22
despicio 1,24; 3,20
desponso 1,1 bis
destinatus 2,2
destinatus ω^2 2,27
detentus ω^2 1,19
deterior ω^2 2,28
deus 1,1; 1,2; 1,4 bis; 1,6; 1,7; 1,9; 1,10; 1,11; 1,20; 1,25; 1,28 bis; 2,1; 2,2; 2,5; 2,6; 2,7 quater; 2,17; 2,22; 2,41 bis; 3,4; 3,5; 3,12 ter; 3,15; 4,1; 4,7; 4,8; 4,9 bis; 4,13 ter; 4,15 bis; 4,17; 4,19; 4,23; 4,26; 5,2; 5,3; 5,4 ter; 5,6; 5,7; 5,8; 5,11; 5,14
deus ω^2 1,18; 1,27; 1,31 bis; 2,6; 2,8; 2,15 quater; 2,22; 2,27; 2,28; 2,41; 2,42; 2,43;
devinco 4,27
devoro 2,14; 2,19; 4,27 bis; 4,28
devote 3,29
devotio ω^2 2,27; 2,28
dexter 2,20; 2,34; 3,29 bis
diabolicus ω^2 2,28; 2,43
diabolus 2,24; 2,25 ter; 2,26; 2,41 bis; 4,27 bis; 4,28
diabolus ω^2 2,25; 2,26 ter
dico 1,1; 1,2; 1,4 bis; 1,7 bis; 1,8; 1,11 bis; 1,13; 1,14; 1,15; 1,17; 1,18; 1,20; 1,22; 1,23; 1,25 bis; 1,28; 1,29 bis; 2,1 bis; 2,3; 2,5 bis; 2,6; 2,7; 2,10; 2,11; 2,13; 2,14; 2,15; 2,16; 2,17; 2,18; 2,19; 2,20; 2,22; 2,24; 2,26 bis; 2,30; 2,34; 2,35; 2,38; 2,40 bis; 2,41 bis; 3,1; 3,4 ter; 3,7; 3,10; 3,12 ter; 3,14 bis; 3,16; 3,18 ter; 3,20; 3,24; 3,25; 3,27; 3,28; 3,29; 4,1; 4,2; 4,4; 4,6; 4,7 bis; 4,8; 4,9; 4,10; 4,11 bis; 4,12 bis; 4,13; 4,14 bis; 4,16 bis; 4,18; 4,22; 4,24; 4,26 ter; 5,6; 5,9; 5,10; 5,12 bis; 5,14
dies 1,8; 2,4; 3,28; 4,12; 4,26 bis
diffundo 1,16
diffusus ω^2 1,15 (effusus)
digero 4,28
digitus 1,9
dignitas 1,31; 2,31; 3,15
dignor 1,6; 3,16
dignus 2,41
dilectio 3,25 bis
dilectissimus ω^2 1,17
dilectus 1,1
diligens ω^2 1,3
diligentius ω^2 2,16
diligenter 4,6
diligo 1,17; 1,18; 1,22 bis; 2,7; 3,25; 5,1; 5,2; 5,5; 5,6; 5,11; 5,14
diligo ω^2 1,19; 2,9
dimersus 3,18
dinosco 2,30
direptus 2,41
discedo 4,10; 4,13
discessus 2,14
disciplina 1,9 bis; 2,35; 2,36; 2,39; 5,8

disciplina ω² 2,36; 2,37
discipulus 3,8; 3,28
discipulus ω² 1,3
disco 1,20; 2,39
discolor 2,33
discordo 3,6
discrimen 4,9
dispositio 4,25
disputo 5,4
dissero 4,5; 4,11; 4,21
dissero ω² 1,27; 1,31 bis
distendo 4,9
distinctio 2,35; 2,38 bis
distinctio ω² 2,39
diu 1,8
diversorium ω² 2,42
diversus 2,33; 4,29
divinitas 1,15
divinus 1,2 bis; 1,4; 2,7; 3,21; 4,27; 4,28; 5,8 bis; 5,9
divinus ω² 1,1
divitiae 3,20
do 1,4; 1,6; 1,7; 3,1 bis; 4,1; 4,19; 4,22
do ω² 1,13
doctor ω² 2,15
doctrina 1,22 bis; 2,16; 2,17; 3,3; 3,16; 3,17; 4,14; 5,3; 5,4; 5,5
doctrina ω² 1,12; 1,26; 2,14
dolor 1,8
dolus 4,24
dominor ω² 2,42
dominicus 3,14; 5,11
dominus 1,9 bis; 1,10; 1,13; 1,17; 1,22; 1,25; 1,28; 2,2; 2,3; 2,5; 2,10 bis; 2,13; 2,14; 2,15 bis; 2,19; 2,20; 2,24; 2,30; 2,31 bis; 2,33; 2,35; 2,38; 2,41 quater; 3,1; 3,8 bis; 3,11; 3,14; 3,18; 3,25; 4,2; 4,4; 4,6 ter; 4,8; 4,12; 4,14 bis; 4,16 bis; 4,17 bis; 4,22; 4,24; 4,25; 5,2 bis; 5,9 bis; 5,11
dominus ω² 1,12 bis; 1,29; 1,31; 2,5; 2,15 bis; 2,25; 2,28; 2,30; 2,42; 2,43
domus 2,3 bis; 2,41; 3,15 bis; 3,24 bis; 4,2; 5,7 bis; 5,12 bis; 5,13
donum 3,1; 4,7
donum ω² 1,26
dubitatio 2,16; 2,25; 2,40; 4,13
dubius 2,5
dulcedo ω² Pr
dulcis 1,9; 3,23 ter; 4,23
duo 1,1; 1,7; 1,9 ter; 1,10; 2,30 quater; 3,8; 3,12; 3,29 bis; 4,6; 4,26
duodecim 2,32 bis; 4,17 bis
duplex 4,134
durus 2,36
durus ω² 2,36

ecce 3,6; 4,6; 4,10; 4,13; ω² 2,28
ecclesia *cf. Index nominum*
ecclesiasticus 2,30 bis; 2,39
edo 1,8
efficacia 1,8
efficio 3,10
efficior 2,10; 2,13; 4,27
efficior ω² [2,8]; ⟨2,10⟩; 2,27; 2,41; 2,42
effundo 1,16
effusio 5,11
effusus 1,15; 1,16 bis; 3,5
eicio ω² 2,3
elementum 2,12; 5,3
elevatus 4,30
elevo 4,3; 4,4
eloquium 4,14
eluceo 2,29
emulgo (*sic*) 1,22; 3,3
enarro 1,8
eo (ire) 1,28; 3,8
epithalamium 1,1
epithalamium ω² Pr
equa 2,24 bis; 2,26
equa ω² 2,25; 2,26
equus ω² 2,26
error 5,3
error ω² 2,42
esca ω² 2,4
evacuo ω² 1,15
evado ω² 2,28
evangelicus 1,5; 1,8; 1,11; 2,11; 2,12; 2,35; 2,36; 2,39; 3,16; 3,29; 4,17; 4,26
evangelicus ω² 1,12; 2,7 (divinus); 2,15; 2,37

evangelista 1,6; 3,4; 4,14
evangelium 1,9; 1,10; 1,22; 2,5; 2,20; 2,31; 2,35; 2,40; 3,3; 3,16; 3,20; 3,29 bis; 4,13; 4,17 bis; 4,26
evangelium ω² 1,1; 2,9; 2,42
evangelizo 1,13
evello 3,2 bis
evidenter 2,33; 4,29
excelsus 3,15
excito 4,1
excurro 4,30
exemplum 2,20
exemplum ω² 1,28; 2,15
exeo 2,15 bis; 2,18; 3,18 bis; 4,14
exerceo ω² 2,25 (gero)
exhibeo ω² Pr; 1,26; 2,15 (volo)
exhilaror ω² 1,1 (gaudeo)
exinanio 3,13
exinanio ω² 1,15; 1,16
exinanitus 1,14 bis; 1,15
exinde 2,1; 3,3; 3,4
exitus 2,17; 2,18
expono 4,11
expono ω² Pr
exprimo 2,33
expugno 4,22; 5,7
exsilio 4,4 bis
exspecto 4,14
exsultatio 1,21
exsulto 1,21
exsurgo 4,10; 4,11 bis; 4,12; 4,21 bis; 5,6 bis
exterminator 2,19
extermino 4,24 bis
extinguo 4,27
exuo ω² 2,28

fabrica ω² 2,23
fabrico 1,29
facies 2,29; 4,22 bis; 4,23 bis; 5,15 bis
facio 1,13; 2,10; 2,35; 2,38 bis; 4,17
facio ω² 1,4; 2,4; 2,27; 2,39
factio 2,11
fallacia 4,25
fallo ω² 1,3
falsitas 2,13
falsus 2,13
falsus ω² 2,15
fames 4,1
fas 5,2
fastigium 4,30
fateor 1,23
faux 3,23 bis
faveo ω² 1,31
fel 3,10
femina 1,17
fenestra 4,6 bis; 4,7
fenum 4,14
fero 3,12
fertilitas 4,1
ferveo 1,28
festus 2,4
fetus 1,8; 3,6
ficulnea = ficus 4,16; 4,17 bis
ficus 4,17 ter
fidelis 1,16; 3,26
fidelis ω² Pr
fideliter ω² 1,19
fides 1,1; 1,8; 1,9; 1,24; 1,29; 2,15; 2,17; 2,22; 2,24; 2,33; 3,26; 3,29; 4,4; 4,17; 4,24; 4,30
fides ω² ⟨1,3⟩; 1,27; 2,4; 2,10; 2,21; 2,22 bis; 2,27 ter; 2,37; 2,42
fidus 1,7
figura 1,9; 2,19; 4,16; 4,26; 4,27; 4,29 bis
figuraliter ω² Pr
figuro 2,25
filia 1,23; 3,19 ter; 4,1 bis; 4,2
filius 1,4 bis; 1,6; 1,8; 1,20; 1,25; 2,1 ter; 2,2; 2,5; 2,25; 2,40; 3,11 bis; 3,12; 3,19 ter; 3,22; 3,24; 4,1 bis; 4,7; 4,20; 4,24
filius ω² Pr; 2,2; 2,4; 2,10; 2,26; 2,27; 2,28
finis 2,6 ter
finis ω² 2,6
fio 1,1; 1,6; 1,10; 1,12; 1,24; 1,25; 1,28; 2,4; 2,12 bis; 2,13; 2,41
fio ω² 1,29
firmatus 5,7
firmissimus ω² 1,3

firmitas ω^2 1,30
flagro = fraglo 1,13
floreo 4,19 bis; 4,24
flos 3,18 quater; 4,10; 4,12; 4,13; 4,15
fons 1,9; 1,10; 3,3
forma 1,4; 3,12; 3,13
formosus 1,25
formosus ω^2 1,27
fornax 2,39
fornicor 2,17
forte 2,10; 2,11; 2,12 ter
fortis 2,41 bis
forum 5,6 bis; 5,7; 5,8 ter; 5,9 bis
fragilitas 2,6
fraglantia 3,1
fraglo 1,13 ω^2
frater 1,1; 2,10; 2,19; 3,2; 3,3; 3,4; 3,7; 3,12; 3,13; 3,22; 4,5; 4,9; 4,10; 4,11; 4,26; 4,27
frater ω^2 1,17; 2,10
fraus ω^2 2,43
frigus 2,6; 4,13
fructus 3,20; 3,23 ter; 4,13; 4,17; 4,20
frumentum 4,1; 4,2; 4,18 bis
frustratio ω^2 1,3
frux 4,1 bis
fucus 2,13
fugio 2,5; 4,1; 4,5 bis
fugitivus 4,5
fulgeo 3,20
fulgur 2,38
fumus 1,23
fundamentum ω^2 2,21
fundatus 4,4; 4,30
fundo 1,8
fur ω^2 2,42 bis; 2,43
fusco 1,23; 1,29
fuscus 1,23 quinquies; 1,24 bis; 1,25; 1,27; 1,28; 1,29
fuscus ω^2 1,27
futurus 1,9; 1,11; 3,5; 3,10; 4,1; 4,3; 4,15; 4,26; 5,15
futurus ω^2 2,39

gaudeo 1,1
gaudium 1,1
gemma 2,36
gena 2,29 quater; 2,30; 2,31; 2,33
generalis ω^2 1,29
genero 3,20; 5,15 bis
gens 1,17; 1,18; 1,23 bis; 1,29; 2,24; 2,26; 2,33; 3,4 bis; 3,5 quinquies; 3,7 ter; 3,22; 4,16; 4,25; 4,29; 5,1; 5,4; 5,6; 5,11
gens ω^2 1,19; 1,25; 1,28; 2,3; 2,25
gentilis 1,28 bis; 3,6
gentilitas 4,25
gentilitas ω^2 1,27; 1,29
genu 2,29 bis; 2,31
genu ω^2 2,32
genus 1,10; 2,2; 2,30; 3,15; 3,16; 4,7
germino 4,17
gero 2,25; 4,17 bis; 4,20 bis; 4,27
gesta 2,24
gladius 3,28
gloria 1,28; 2,31; 3,15 bis; 3,17; 3,27
gloria ω^2 2,27
gloriosus ω^2 Pr
gramen 4,14
grammaticus ω^2 1,3
granum 3,5; 3,21
gratia 1,4; 1,6; 1,13 bis; 1,16; 1,21; 1,22; 2,7; 3,1; 3,10; 4,2; 4,30; 5,14
gratia ω^2 1,31; 2,6; 2,27; 2,43
gratus 4,15
gravissimus ω^2 2,28
graviter ω^2 2,15
grex 2,10; 2,12; 2,13; 2,14; 2,15 bis; 2,18
grex ω^2 Pr; 2,8; 2,18
grossus 4,16; 4,17
gusto ω^2 1,12
gutta 3,2 ter

habeo 1,1; 1,9; 1,13; 1,29; 2,17; 2,18; 2,29; 2,31 bis; 2,32; 2,40 ter; 2,41; 3,3; 3,6; 3,7; 3,12; 3,13 bis; 3,16; 3,21; 3,24; 3,25 bis; 3,28; 4,1; 4,7; 4,9 bis; 4,18; 4,20; 4,24; 4,29; 4,30; 5,7 bis; 5,11; 5,13
habeo ω^2 Pr; 1,26; 2,19
habito 2,41 ter

habito ω² 2,43
haedus 2,20 ter; 2,22 b; 3,6
haedus ω² 2,21; 2,22; 2,23
haeresis 4,25
haereticus 2,11; 2,12; 2,16; 2,17; 4,24; 4,25
haereticus ω² 2,14; 2,21
hereditas 1,9
hiatus 2,19
hiems 2,33 bis; 4,10; 4,13 quater; 4,15
hinc 1,5; ω² 2,29
hinnio ω² 2,26 bis
hinnulus 4,5 ter; 4,29 bis
hoc est 1,8; 3,7; 3,28; 5,8; ω² 1,19; 1,26; 2,15; 2,43
historia 2,6
homo 1,1; 1,2; 1,4; 1,6 bis; 1,11; 1,18; 1,29; 2,1; 2,6; 2,7 quater; 2,13; 2,20; 2,40; 2,41 ter; 3,12 bis; 3,16; 3,21; 3,24; 3,29; 4,8; 4,9; 4,18; 4,24 ter; 4,26; 4,27; 5,3; 5,14
homo ω² 1,27; 1,29 bis; 2,6; 2,15 ter; 2,39
honor 2,31; 3,13; 3,20
horreum 4,18 bis
hortor 2,15
hostis 4,22; 5,7
huic 4,14
humanitas 3,13
humanus 1,2; 1,4; 2,29; 4,7; 5,8
humanus ω² 1,29
humilio 2,41; 3,13
humilis ω² 2,36; 2,37

iaceo 3,14; 4,11; 4,12; 5,6
iacintinus 1,30 bis
iam 1,9; 1,22; 1,26 quater; 2,10; 2,16; 2,22 b; 3,7; 3,12; 4,11; 4,20; 4,26; 4,28; 5,6; 5,12; ω² Pr; 1,26; 2,8; 2,15; 2,25; 2,27; 2,28; 2,33
ideo 1,4; 1,5; 1,13; 2,5; 2,12; 2,13; 2,20; 2,24; 2,29; 2,36; 3,1; 3,7; 3,12; 3,13 bis; 3,14; 3,15; 3,28; 4,4; 4,7; 4,12 bis; 5,4; 5,9 bis; 5,11 bis; ω² 1,16; 1,27; 1,29; 2,4; 2,32;
id est 1,1; 1,2; 1,7 ter; 1,10; 1,11 bis; 1,12; 1,13; 1,15; 1,17; 1,20 bis; 1,22; 1,28; 2,12; 2,13 bis; 2,17; 2,22 b; 2,24 bis; 2,30; 2,32; 3,1; 3,6; 3,7 bis; 3,14; 3,16; 3,18; 3,20; 3,22; 3,24; 3,26; 3,27; 3,28; 4,2; 4,3; 4,4; 4,7 bis; 4,9 bis; 4,15 bis; 4,17; 4,18; 4,19; 4,22; 4,23; 4,24; 4,25; 4,26; 4,27; 5,6; 5,7; 5,8 bis; 5,10; 5,13; ω² 1,19; 1,29 quater; 2,4 bis; 2,9; 2,15 bis; 2,20; 2,21; 2,23; 2,25; 2,26;
idolatria 1,23; 1,28
idolum 1,29 bis
ignis 4,18 bis
ignorans 2,5; 2,11 bis
ignorantia ω² 2,42; 2,43
ignoro 2,19
illic 1,20; 2,5; 2,6; 5,5; 5,6
illicitus ω² 2,14
imaginaliter ω² 1,15
imago 4,17; 4,27
imago ω² 1,19; 2,8
imbecillitas 3,12
imber 4,13; 4,14
immaculatus 1,4
immo 3,5
immolo 3,6
immortalis 3,15
impar 4,25
impello 2,26
imperium 4,22
impleo 2,5
impressio 2,29
imprimo 1,7; 1,9; 2,31 impressa
impulsus 4,6
imputribilis 3,15
inanis 2,12; 5,3
incautus ω² 1,3
incertus ω² 1,3
inclinatus 4,6 bis
includo 4,7
inclusus 3,21; 3,22
incorruptus 2,15; 2,16; 2,17
incorruptus ω² 2,28
incredibilis 1,18
incumbo 2,6
inde 3,18; ω² 2,43
indico 1,14; 2,38; 3,5; 3,8; 3,11; 3,14;

4,6; 4,21; 4,26; 5,8
indico ω² 2,8; 2,39
induco 3,24; 4,5; 4,13; 5,12
induo 2,1; 2,6; 3,13; 5,13 bis
induo ω² 1,29
inexpugnabilis 5,7
inextinguibilis 4,18 bis
infans 2,5; 2,29; 4,5
infantia 2,5; 4,5
inferna 3,18
inferus 2,19
infidelis 3,21
infidelitas ω² 2,42
infirmitas 3,14 bis
infligo 3,28
infra 3,29; 4,5 bis
ingero 2,20
ingredior 2,41; 5,13 bis
ingredior ω² 2,41; 2,43 (veniens declino)
inhabito 2,41
inhaereo 5,6
inimicitia 4,6
iniquitas 3,23
iniuria 2,33; 4,13
inlumino 2,30
inlustratio 1,26
inlustro 1,25
inmunditia ω² 2,43
innocentia 3,10
innotesco ω² 1,16
inquisitio 5,5
inquisitor 5,10
inseparabilis 5,13
insipidus 1,12
insum 4,13
intactus 3,22
integer 2,38
integer ω² 1,1
integritas 2,13
integritas ω² 2,22
intelligo 1,8; 2,15; 2,20; 3,5; 4,1
intentus 3,20
interficio 4,5
interior 2,41
interpretor 1,28
interrogo 5,10
intervenio ω² 2,28
intra 3,21; 3,29
intrinsecus 2,14
introduco 1,20 ter; 5,12
introduco ω² Pr
introeo 2,31; 4,13
intueor 1,25
invenio 2,4; 3,16; 3,28; 4,3; 4,20; 5,1; 5,2 bis; 5,4; 5,5 bis; 5,6; 5,10 bis; 5,11 bis
investigabilis ω² 2,8
investigo 5,10
invicem 1,1; 1,2; 3,25
inviolatus 1,8; 2,13
inviolatus ω² 2,15; 2,28
invoco 4,14
ira ω² 2,26
irrationabilis 4,18
itaque 1,14; 1,24; 1,29; 2,16; 4,7; 4,13; 4,26; 4,28 bis; 5,4; ω² 1,31
iter 5,7; 5,8
iter ω² 1,19
iterum 1,1; 1,6; 1,7; 2,10; 2,24; 2,30; 3,28; 4,14; 4,24; 4,26 bis; 5,9; ω² 1,1
iubeo 4,16; 4,25
iugum 2,24; 2,26; 2,35 quater; 2,39
iugum ω² 2,25; 2,26; 2,27; 2,28; 2,36
iungo 4,22
ius 5,8 bis
iustitia 1,25; 2,10; 4,13; 5,8
iustitia ω² 2,4; 2,27
iustus 1,17
iustus ω² 2,20; 2,39
iuvencula ω² Pr
iuvenis 1,4

labor 2,31; 3,27
laboro 2,35
lac 1,9 bis
laetitia 1,21
laetor 1,21
laevus 3,29 bis
lapideus 1,9
lapis 2,39; 4,6; 4,7
latitudo 1,3

latro 4,7
latro ω^2 2,42; 2,43
laudo 1,8; 2,29; 2,35; 2,36
laus 1,2
lavacrum 3,26
lector ω^2 Pr
legalis 2,4
legalis ω^2 2,4
legitimus ω^2 1,3
lego 1,10
leo 3,6
letalis 4,28
levis 2,35; 4,18
lex 1,6 ter; 1,9; 1,11; 1,14 bis; 1,29; 2,1; 2,4; 2,30; 3,29; 5,7; 5,8 ter; 5,9; 5,10 bis
lex ω^2 1,3; 2,4; 2,30 (*verbum*)
liber (*Buch*) 5,8 bis
liber ω^2 Pr
liber *adj* 3,22
liberatio 1,2
liberatus ω^2 2,27; 2,28
libero 3,18
libidinor ω^2 2,26
libido ω^2 2,26; 2,43
licet 2,6
licet ω^2 2,25
ligamentum 3,2
ligatura 4,9
ligatus ω^2 2,37
ligneus 3,15
lignum 3,1; 3,5; 3,15; 3,16; 3,21; 4,6; 4,7
ligo 2,13
lilium 3,18 ter; 3,19 bis; 3,20; 4,15; 4,26 bis
littera 3,10
litus 4,9
loca, locorum 2,29; 3,18
locus 1,23; 2,5; 2,10; 3,14; 3,23; 4,9; 4,12; 4,19; 4,22; 4,24; 4,26; 4,27
locus ω^2 1,12; 1,28; 2,34; 2,43
longitudo ω^2 1,3 bis
longus 2,19
loquor 1,4 bis; 1,13; 1,17; 1,20; 1,23; 2,5; 2,41; 3,4; 3,15; 4,8; 4,9; 4,14; 5,1; 5,4
lotus 1,26
lotus ω^2 2,41
lucerna 2,30
lucidus 2,30
lucus 1,29
lumen 2,30 ter; 3,10; 4,7
luminar 4,7
lupus 2,14 bis
lupus ω^2 2,15
lux 3,4; 4,26; 5,2
lux ω^2 2,30 (lumen)
luxuria ω^2 2,28
luxurio ω^2 2,26

macula 1,26; 2,15; 4,9
macula ω^2 Pr bis; 1,26 bis
magis 1,5; 1,8; 2,11; 2,13
magis ω^2 1,19
magister 3,8
magistra 1,8
magnus 1,8; 3,21; 3,27; 4,15; 5,7 bis; 5,10
magus 2,38; 4,27; 5,10
maiestas 2,38
maior 1,21; 3,16; 3,20; 4,25 bis
mala 2,29
malitia 3,10
malo 2,4
malo ω^2 2,4 bis
mālum 3,21
mălum 3,27 ter
mālumgranatum 3,21
mălus 4,8; 4,9; 4,24
mandatum 2,4
mando 2,10; 3,25
mandragora 4,20 bis
manduco 2,19; 3,24
maneo 5,13
maneo ω^2 2,5 (cubo) bis; 2,7 (cubo); 2,9 (cubo); 2,15
manifesto 1,1; 1,13; 3,10; 4,6; 4,7
manifesto ω^2 2,34
manifestus 2,13
manifestus ω^2 1,27
mansio 2,7; 2,11

mansuetus 4,16
manu factus 1,28; 2,40; 3,15
manus 3,29; 4,18
mare 2,19; 3,4; 4,8 ter
martyr 2,39
martyrium ω² 2,36
mater 1,7; 2,1 ter; 2,5; 2,29; 2,31; 5,12 quinquies; 5,13 5,14 bis; 5,15
mater ω² 2,1; 2,2; 2,4
materia 4,6 ter; 4,7
maxime 2,29
mediator 2,7
medius 3,3; 3,19 ter; 3,22 ter; 4,6
melior 1,2 ter; 1,10 bis; 1,13
melior ω² 1,4 (bonus); 1,12
membrum 1,31; 2,29; 2,39; 4,29; 5,12
membrum ω² 1,29
memini 3,6
mens 1,2; 4,5
merces 2,31
mereor 2,4; 2,16; 4,1; 4,2; 4,20; 5,11
meridianum 2,5; 2,6 quinquies; 2,7
meridianum ω² 2,5 (meridies) bis; 2,7 (meridies); 2,9 (meridies); 2,15
meridies 2,5 bis; 2,7
merito 2,6; 4,9
meritum 4,19; 4,29
meritum ω² 2,34
merum 1,12
merus ω² 1,3
mĕto 2,31; 4,10; 4,18 bis
mille 4,17
minimus 2,13
miror 1,23
mitto 1,11; 1,13; 1,28; 2,13; 3,8; 3,28; 4,2; 4,8; 5,11; 5,13
moderatio 2,7
modicus 5,11 ter
modo (= nunc) 5,15 ter
modo ω² 1,31
modus 3,2; 4,5
modus ω² Pr
⟨moechor⟩ (meretricor *mss*) ω² 2,17 (fornicor)
molaris 2,13
moles 4,4; 4,30
mons 3,25; 4,4 ter; 4,5; 4,30 bis
monstro 2,33; 2,36; 4,29
monstruosus 4,24
monumentum 4,12
mors 2,41 bis; 3,4; 3,13 bis; 3,14 bis; 3,28; 4,3
mors ω² 2,42
mortalis 4,27
mortuus 3,14; 3,23 bis; 4,12; 5,11
mulier 1,29; 2,15; 2,16 ter; 2,17 ter
mulier ω² 1,19; 1,29; 2,15; 2,18; 2,21 bis
multitudo 1,8; 3,21
multitudo ω² 2,18
multo 1,10
multus 2,2; 2,11; 2,19; 2,33; 3,5; 3,20; 4,9; 4,13; 4,17
mundanus 5,3; 5,4
mundus 2,12; 2,25; 3,20; 4,13 bis; 4,15; 4,23; 5,3
mundus ω² 1,16; 2,42
munificentia ω² 2,4
munio 5,7
munitio 3,22; 5,7
murus 4,22 ter; 5,7
mustum 1,11
muto 1,28 bis
mysterium 1,21; 3,24
mysterium ω² 1,23
nascor 1,7; 1,8; 3,6 bis; 3,16; 4,5; 5,10 ter
natio 2,33; 3,5; 4,29; 5,4
natiuitas 5,11
nardum 3,1 quater
natura 5,4
naturalis 2,17
necdum 1,25; 2,24; 2,41; ω² 1,29; 2,8; 2,41 bis;
necesse est ω² 1,3
nemo 2,41; 3,12
nemo ω² 1,15; 1,18
neomenia 2,4
nequitia 4,24; 4,25
nervus ω² 2,37
nescio 1,20
nescio ω² 2,5

nidus 2,40
nihil 1,28; 3,25
nimis 1,25; 3,15
nimis ω^2 1,29
nix 4,14
nobilis 3,15
noceo 4,25
nodus 4,9 bis
nolo 1,24; 2,4; 2,19; 2,22
nolo ω^2 2,3; 2,4 ter; 2,28
nomen 1,14 bis; 1,15 bis; 1,16 ter; 2,7; 2,12; 3,10; 3,11; 4,14; 5,4
nomen ω^2 1,15; 1,16; 2,11
nomino 2,7; 2,35; 3,5; 3,10 bis; 3,14; 3,15; 4,11; 4,13; 4,22; 4,25; 5,7; 5,8
nondum ω^2 2,41 (necdum)
nonnullus 4,9
nonnullus ω^2 Pr
notitia 1,16; 3,1
notitia ω^2 1,13
novellus 1,17; 1,18
novus 1,11 bis
nox 5,2 ter; 5,3; 5,4; 5,5
nox ω^2 2,42
nubes 2,19
nudus 2,13
nullus 2,5; 2,16; 2,25; 2,40; 3,2; 3,10; 3,21; 4,13
nullus ω^2 1,26 bis
numen ω^2 1,31
numerus 3,11; 4,17
numquam 3,2
nunc 1,9; ω^2 2,36
nuncupo 1,2; 2,6; 2,31; 3,17
nuncupo ω^2 2,20
nuntio ω^2 2,8
nuper 1,17
nuptiae 1,1; 1,8; 1,10; 1,11; 1,22

obaudio 5,1; 5,5
obicio 3,27
obiurgo 1,28
oboediens 2,41
obscurus 4,9
observantia 2,4
observatio 5,10
observo ω^2 2,4
obsideo 2,41
obstruo 2,41
occasio 2,12
occīdo 2,5; 2,19
occisio 3,28
occultus 4,9
oculus 2,29 ter; 2,30 bis; 2,31; 3,10 bis; 5,14
oculus ω^2 2,32
odor 1,1; 1,13 ter; 1,16; 3,1 quinquies; 4,19 ter; 4,30
odor ω^2 1,12 bis; 1,13; 1,16
odorifer 1,13
offendo 2,7
offero 2,38; 4,16
offuscatus ω^2 1,29 (fuscus)
oleum 3,1; 4,1; 4,2
omega 3,10; 3,11
omnipotens ω^2 1,31; 2,43
omnis 1,1; 1,2; 1,13 ter; 1,16; 1,21; 1,26; 1,31; 2,2; 2,19 bis; 2,35; 2,39; 2,41 bis; 3,16; 3,21; 3,23; 3,27; 4,4 ter; 4,5; 4,13; 4,18; 4,19; 4,24; 4,27; 4,28; 4,30 ter; 5,7; 5,8 bis; 5,9; 5,10; 5,12
omnis ω^2 2,4; 2,20; 2,26; 2,27; 2,36; 2,37; 2,42; 2,43 bis
oneratus 2,35
operatio ω^2 2,43
operio 3,29
opifex 1,8
opinio ω^2 1,3
opinor ω^2 2,19 (complaceo)
oportet 1,11; 2,13; 2,20; 4,13
oppignero 1,1
opportunitas 4,13
oppugno 2,1 bis
oppugno ω^2 2,4
opus 1,2; 1,8; 1,30; 2,17
opus ω^2 Pr; 2,21; 2,36
opus est 4,21
oratio 1,16
origo 1,7; 3,5; 3,6
origo ω^2 1,27
orior 1,7; 1,25; 3,4
ornamentum 1,31; 2,35; 2,39

ornamentum ω[2] 2,36; 2,39
ornatus 2,36
ornatus ω[2] 1,26; 2,39
os, oris 1,1; 1,4 ter; 1,5 bis; 1,8; 4,14
os, oris ω[2] Pr
osculor 1,1; 1,4 b; 1,5
osculor ω[2] Pr
osculum 1,1; 1,4 ter; 1,5 bis; 1,7 bis; 1,8
osculum ω[2] Pr
ostendo 1,9; 2,38 bis; 3,8; 3,12; 3,15; 3,27; 4,5; 4,16; 4,21; 4,22; 4,29; 5,8; 5,12
ostendo ω[2] 1,19; 2,9, 2,32
ovis 2,14; 2,22; 3,6; 3,28; 4,2
ovis ω[2] 2,15; 2,20 (agnus); 2,21 bis; 2,22; 2,23

pabulum 3,16; 3,17
palanga 3,8 ter
palea 4,18 bis
panis 3,16; 3,24
par 2,10; 4,25
parabola 4,8; 4,9 bis
parco 2,14; 2,17 bis
parentes 1,29
paries 4,6 septies; 4,7 ter
pariter 2,32; 4,12
pars 2,5; 2,29; 3,20; 5,15
pars ω[2] 2,6
particeps ω[2] 2,32
parvulus 1,9
parvus ω[2] 1,28
pascha 3,6
pasco 2,5 bis; 2,7; 2,20; 2,22 bis; 4,26
pasco ω[2] 2,15; 2,21 ter
passio 1,30; 2,10; 3,1; 3,5; 3,12; 3,14; 3,23; 3,24 bis; 3,27 ter; 3,28 bis; 4,3; 4,12; 4,15; 5,11 bis
pastor 2,20
pastor ω[2] 2,23 quater
pastus 2,7; 2,11
pater 1,8; 1,9; 2,19; 3,5; 3,6; 3,11; 4,7; 4,23
pater ω[2] 1,31; 2,43
pater familias 4,17
paternus 3,12
patesco 4,9
patior 2,19; 4,7; 4,13
patriarcha 2,30; 2,31 bis; 2,32; 3,15 bis; 3,16; 3,18; 4,4 bis; 4,30
patriarcha ω[2] 2,32
paucus ω[2] Pr
paulo 4,5
pauper 1,13
pax 1,4; 1,5; 1,7 quinquies; 3,28; 4,25
peccator 2,20; 2,22 b; 4,18; 4,27
peccator ω[2] 1,29; 2,20; 2,21
peccatum 1,29; 3,6 (peccator?); 3,20; 3,29; 4,27 quater; 4,28
peccatum ω[2] 1,29
pecco 2,22 bis
pecco ω[2] 2,28
pectus 4,24
pecus 3,16
pelagus ω[2] 2,13 (profundum)
pellis 1,27; 1,29; 1,30
pellis ω[2] 1,27; 1,29 bis
pendo 1,8
penetralia, penetralium 1,20
penna 2,33 bis
perambulo 2,41
perditus 4,2
perdo 3,28; 4,3
perduco 3,28
perfectio 1,14
perfectus 1,8; 1,17; 3,1
perfectus ω[2] Pr
perfero 2,10; 2,17
perfidia ω[2] 2,28; 2,43
perfusus 3,10
perhibeo 2,29; 3,16
periculum 3,27
peristera 3,10
peritissimus ω[2] 1,3
permaneo 1,15
permaneo ω[2] ⟨2,17⟩ (participio *ms*); 2,43
permixtus 2,6; 3,1; 3,5
perquiro 2,16
perscrutatio ω[2] 1,3
perscruto (*sic*) 5,8

persecutio 2,10; 2,33 bis; 3,27; 4,5; 4,13; 4,25
persecutor 2,2; 2,4; 4,5
persequor 2,2; 2,19; 2,25 bis
persequor ω^2 1,3
persona 4,1
persona ω^2 Pr
perspicue 3,14
perspicue ω^2 2,34; 2,39
perspicuus 4,9
pertimesco ω^2 2,15
pertineo 2,6; 4,13
pertranseo 4,13
pervenio ω^2 Pr
perversus 2,16
perversus ω^2 1,26
pes 2,30; 2,31; 4,4; 4,28
petra 2,19 bis; 4,22 ter
philosophia 2,12; 5,3 bis; 5,4
piscis 4,8 bis
plaga 3,12
planto 4,17 bis
planto ω^2 2,3
platea 5,6 bis; 5,7; 5,8; 5,9 bis
plebs 1,17; 1,18 bis; 2,12; 2,13; 2,14; 2,16; 2,17; 2,24; 2,26; 3,22; 4,1; 4,2; 4,24
plebs ω^2 2,21; 2,23; 2,25
plecto 2,20
plenitudo 1,15 bis; 5,14; 5,15 bis
plenius 2,11
plenus 1,11; 3,17
pluma 2,33 bis; 4,16
pluma ω^2 2,34 bis
plus 2,6
pluvia 4,10; 4,13 bis; 4,14 bis; 4,15
poena ω^2 2,2 (pressura)
pono 1,21; 2,1; 2,3; 3,4; 4,8
pono ω^2 1,3; 1,28
populus 1,2; 1,9 bis; 1,28 bis; 2,2; 2,3 quater; 2,17; 2,22; 2,33; 3,4; 3,7; 3,8 bis; 3,22; 4,17 bis; 4,29; 5,1
populus ω^2 1,19; 2,4 ter; 2,18; 2,34; 2,36
portio 5,14; 5,15
porto ω^2 2,1
positus 3,16; 3,21
possideo 4,16
possum 1,5; 1,21; 1,23; 2,6; 2,41; 3,2; 3,4; 3,20 bis; 3,23; 4,13; 4,24; 4,27; 5,2 bis; 5,4 bis; 5,6; 5,13
possum ω^2 1,3 bis; 1,29
posterior 2,31 ter; 3,8; 5,14
posterior ω^2 2,32
postulo 1,9
potentia 3,20; 4,28
potestas 2,24; 2,26; 3,25; 4,1; 4,25 bis; 4,27; 4,28
potius 1,8 bis; 1,14
potus 2,19; 3,17
praebeo 1,9
praebeo ω^2 2,15
praecedo 3,8
praeceps 2,26
praeceptum 1,5; 2,4; 2,30 bis; 3,17; 5,10
praeceptum ω^2 1,19; 2,4
praedicatio 1,10; 2,7; 2,11; 2,12; 3,29; 4,13; 4,14; 4,15
praedico 1,1; 1,2; 2,16; 3,4
praedico ω^2 2,15
praemoneo 2,14; 2,24
praeparatus 4,23
praeparo 5,14
praepositus 4,25
praesaepium 3,14; 3,16 ter; 3,17
praescio ω^2 2,25
praescius 5,4
praescius ω^2 2,8
praescrutor 5,9
praesens 1,4; 3,10
praesentia 4,23
praesentia ω^2 Pr
praestans 1,12
praesto 2,6; 2,24; 3,1 bis; 3,22; 4,7
praeteritum 1,4; 3,10
praetitulatio 1,2
praevaricatio ω^2 2,13 (seductio)
pressura 2,2
pretiosus 2,39
primitivus 4,20
primo ω^2 2,6

primum 2,2; ω^2 1,19; 2,6;
primus 2,29
princeps 4,25; 4,27; 5,10
principalis 3,17
prior 2,31 ter; 3,8
prior ω^2 2,32
priscus 1,9; 1,11; 1,14; 1,29; 1,31; 3,29; 4,17; 5,10 bis
prius ω^2 Pr
probo 1,1; 1,25; 2,3; 2,30; 2,39; 4,14
probo ω^2 2,19
procedo 2,33; 3,29; 4,15
procreo 1,8
prode est 3,1
produco 3,20
profero 4,16; 4,17
profundo 1,8
profundum 2,13
profundum ω^2 1,3 bis
profusio 3,28
proinde 1,12; 1,14; 2,17; 2,26; 2,30; 2,39; 3,5; 3,16; 3,29; 4,17; ω^2 1,3; 1,27; 2,7; 2,21; 2,23
prologus ω^2 Pr
promitto 1,9; 3,15; 5,9
pronubus 1,8
pronuntio 1,2; 3,17; 3,19; 4,7; 5,11
propheta 1,1; 1,4; 1,5; 1,6 bis; 1,8; 1,25; 1,28; 3,4; 3,17; 4,4 bis; 4,13; 4,30; 5,9
prophetia 1,11; 1,22 bis
prophetia ω^2 1,12
propheticus 1,10; 5,4; 5,8
propheticus ω^2 1,28
propheto ω^2 1,6
propino 3,5; 3,24
proprius 1,5
prospicio 1,7; 4,6; 4,7
prostro 2,19
protectio 4,22 bis
proxima 3,19 bis; 4,10; 4,11; 4,12
proximus 2,30; 4,17 bis
proximus ω^2 2,26
psallo 1,2
psalmus 2,34
pseudoapostolus 2,11
pugno ω^2 2,2
pulcer 2,39; 4,23 bis
pulcritudo 2,29
punio 3,27
purgatus 1,26; 1,31
purgo 4,18
purificatio ω^2 2,4
purus 2,13; 2,38
purus ω^2 2,27
pusillus 4,25 bis
puto 1,17; 4,11; 5,4

quaero 2,5; 5,1 bis; 5,2; 5,5 bis; 5,6
quaero ω^2 1,3
quaestio 4,9
qualis 2,15; 2,17
qualitas 2,33
quamdiu ω^2 2,22
quamquam 2,6; ω^2 2,23
quamvis 3,21
quando 1,1; 1,11; 2,5; 4,18; 5,10; ω^2 2,26 quater
quantum 2,6; ω^2 2,19;
quantus 1,23
qua re 1,14; 3,13; 4,7; 4,11; 4,16
quasi 1,4; 2,6; 2,11; 2,33; 3,18; 4,13; ω^2 2,5; 2,20
quattuor 1,9 bis
quattuor ω^2 Pr
quemadmodum 1,23
quicumque 5,13
quidem 1,9; 1,11; 3,20; 4,25; 5,1; 5,11; ω^2 1,8; 2,5
quinque 5,8
quippe 1,24; 1,29
quoadusque 4,26
quondam 3,16
quoque 2,7; 3,6; ω^2 2,10; 2,34
quotquot ω^2 2,42
quousque 4,1; 4,3

radix 3,6; 3,18 bis
radix ω^2 2,1 bis
ramus 2,17; 3,21
rapax 2,14 bis
rapax ω^2 2,15

ratio 1,8; 2,13
ratio ω^2 1,28; 2,9; 2,15
recedo ω^2 2,22
recenseo 2,24
recipio 5,15
recipio ω^2 1,18
reclino 2,40
reclino ω^2 2,40 (declino)
recognosco 2,24
recondo 4,18 bis
rectus 5,8
redemptor ω^2 Pr
redigo 3,10
redimiculum 2,35
redimiculum ω^2 2,39
redoleo 1,13
refero 1,22
reficio 2,35
refrigesco 2,33
regeneratio 1,8
regina 1,20; 2,34
regius 2,38
regno 4,22
regnum 1,20; 1,21; 3,4; 3,15; 3,17; 4,3; 4,8; 4,9; 4,12; 4,13; 4,15; 4,18; 4,19; 4,23 bis; 5,9
regnum ω^2 2,10
religatus 2,41
religio 3,21
religio ω^2 2,37
relinquo 3,8; 3,29; 5,11
relinquo ω^2 2,4 (derelinquo);
reliquus ω^2 1,31
renascor 1,8
repeto 1,27; 3,19
repletus 3,16
repraesentatio 5,14
repromissio 3,8 bis
repromitto 3,23
requies ω^2 2,35 (reficio)
requiesco 3,3; 5,2
requiro 1,27; 2,5; 2,7; 3,6; 3,12; 4,6; 5,2 bis; 5,5; 5,9 ter; 5,12
requiro ω^2 1,3; 2,15; 2,25
res 4,1; 4,28; 5,14
respondeo 4,10; 4,11; 4,22
respondeo ω^2 2,15
resurgo 3,23; 4,12; 5,11
resurrectio 3,12; 3,13; 3,18; 3,23 ter; 5,11
retardo ω^2 1,31
rete 4,6; 4,8; 4,9
retia 4,6; 4,8; 4,9
retineo 5,10
retineo ω^2 1,3
retro 1,12; 2,24
retro 1,12; 2,24
revelo 3,27
revello ω^2 1,29
reversus 3,12
revertor 2,24; 4,28
revolvo ω^2 2,28
rex 1,14; 1,15; 1,20 ter; 1,25; 2,40 quater; 2,41 bis; 3,16
rex ω^2 1,15; 1,16; 2,43
rigo 4,13
rigor 4,13 bis
robustus 4,4
rogo 1,17
ros 4,1; 4,14
rosa 4,15
rubicundus 1,26; 1,30 bis; 4,15
ruga 1,26; 2,15
ruga ω^2 Pr bis; 1,26 bis
rursus ω^2 2,28

sabbatum 2,4
sacer 3,3; 3,17
sacerdos 1,14; 2,13; 4,13
sacerdos ω^2 1,16; 2,15
sacramentum 3,24; 3,29; 4,3
sacrificium 1,9; 1,24; 4,16
sacrosanctus 1,13
saecularis 3,20 bis; 5,5
saeculum 1,8; 1,31 bis; 2,6; 2,10; 2,25; 3,18 ter; 3,27; 4,8 bis; 4,13; 4,28; 5,15
saeculum ω^2 2,6; 2,43 bis
saepe 4,21; ω^2 1,25; 2,39
saepenumero 2,17; 2,36; 4,13
sagax ω^2 1,3
saevio 4,25 bis
sagino 3,17

salio 4,4
salus 1,21; 3,5; 3,7
salus ω^2 Pr
salvator 1,11; 2,6; 3,16; 4,13; 4,18; 4,24; 5,2
salvo ω^2 2,27
salvus ω^2 2,27
sanctitas 1,5; 1,24; 1,29; 1,30; 2,38; 4,12; 4,15
sanctitas ω^2 1,27; 2,21; 2,27
sanctus 1,1; 1,8; 1,13; 1,15; 1,16; 1,17; 1,23; 1,25; 1,26; 2,17; 2,24; 2,25; 2,30; 2,36; 2,38 bis; 3,3; 3,11 bis; 3,22; 3,26; 4,1; 4,2; 4,15; 4,17 bis; 4,18; 4,19; 4,22; 4,24; 4,26; 4,30 bis; 5,12
sanctus ω^2 1,3; 2,15; 2,41
sanguis 1,8; 1,26; 1,30; 3,5; 3,17; 3,24 bis; 3,28; 4,2; 4,3; 5,11
sanus ω^2 2,28
sapientia 1,8; 1,9; 5,2; 5,5
sapientia ω^2 1,18; 2,8
sapio 5,6
sapor 1,12
scandalizor 2,13
scandalum 2,12
scarabaeus 4,6; 4,7
scientia ω^2 2,8
scilicet 1,9; 2,30; 2,33; 3,17; 3,28; 4,6
scilicet ω^2 Pr
scio 1,1; 2,11; 3,12; 4,17 bis
scriba 5,10
scribo 2,5 bis; 2,19; 2,39; 2,41; 3,6; 3,23
scribo ω^2 Pr; 2,19
scriptura 1,10; 2,17; 3,18; 5,4; 5,5; 5,9 ter
scriptura ω^2 1,1
secedo ω^2 2,5 (fugio); 2,18
secretarium 5,2
secretum 1,20; 5,12 bis; 5,13; 5,14 bis
sedeo 2,40; 3,4; 4,11
seduco 4,25
seductio 2,13
seductor 2,12
semen 3,6; 3,20; 4,13; 4,14 ter
seminator 4,14
semino 2,31 bis; 4,13 bis; 4,14 bis
semita 2,30
semper 3,24; ω^2 1,19; 2,28
senior 2,32
sensus 1,23; 2,6; 2,41
sensus ω^2 1,3
sentio 1,8; 4,5; 5,9
separatio ω^2 2,11
separo 3,2 bis; 5,11
separo ω^2 2,15
sepultio 4,15
sepultura 3,14 bis
sepultus 4,12
sequor 1,17; 1,18; 1,29; 2,11; 3,8; 3,28; 4,3
sequor ω^2 1,19 ter; 1,31
sermo 1,4; 4,9
sermo ω^2 1,28; 2,31
serpens 2,19; 4,27 quater; 4,28
servio ω^2 1,28
servitus ω^2 2,27; 2,28
servo 3,22; 3,29; 4,7; 5,10
servo ω^2 2,4
servus 2,10; 3,8; 3,13
sexagesimus 4,13
sicut/sicuti 1,6; 1,7; 1,13; 2,5; 2,10; 2,12; 2,22 b; 2,25 bis; 2,39; 2,40; 2,43; 3,1; 3,5; 3,16; 3,23; 3,24; 3,27; 4,8; 4,13; 4,14 quater; 4,17; 4,18; 4,19; 4,22; 4,27; 5,11; 5,14; ω^2 1,26; 2,21; 2,26; 2,37
signatus 4,17
significatio 4,13
significo 1,11; 2,31; 4,17; 4,22
significo ω^2 Pr ter
signo 3,10; 3,11; 4,17
signum 1,9
silva 3,21 ter
similis 2,20 bis; 2,32; 4,5; 4,8; 4,27; 5,9
similiter 3,12
similitudo 1,14; 2,29; 2,33; 2,35; 2,38 bis; 4,8; 4,20
similitudo ω^2 2,34; 2,39
simplex 2,6
simplex ω^2 2,15
simplicitas 2,13; 3,10

simulacrum 1,28
simulacrum ω^2 1,29
sincerus ω^2 1,3; 2,27
sinister 2,20
socius ω^2 2,32
sodalis 2,10 ter; 2,11; 2,12; 2,13
sodalis ω^2 Pr bis [2,8]; ⟨2,10⟩
sol 1,24; 1,25 quater
soliditas 5,7
sollicitudo 2,15; 3,20
sollicitus ω^2 1,3
solum 3,5; 3,7; 3,10; 4,1
solus 2,15; 2,16
solvo 4,6
somnus 3,14
soporatus 3,14
sordidus (so⟨rd⟩idus) 2,13
soror 3,9; 4,21 bis
sors 4,7
spatium 4,9
species 1,25; 1,31; 3,9; 3,12; 3,13 ter; 4,2; 4,19; 4,28
species ω^2 2,22
speciosus 1,4; 2,17; 2,18; 2,29; 3,9; 3,12 quater; 3,13; 4,12; 4,21 bis
speciosus ω^2 2,21 bis; 2,23
specul⟨a⟩ 4,4
speculator 3,8
spelunca 4,24
spero 3,23
spes 1,1; 1,8; 1,21; 4,4
spina 3,19 bis; 3,20 quater
spiritalis 1,4; 1,13; 2,6 bis; 2,19 ter; 2,29; 3,10; 4,16
spiritalis ω^2 2,6; 2,39
spiritaliter ω^2 2,6
spiritus 1,1; 1,12; 1,13 bis; 1,15; 1,17; 1,23; 1,24; 1,25; 1,26; 2,5; 2,11; 2,24; 2,38 bis; 2,41; 3,2; 3,11 ter; 3,22; 4,2; 4,17 bis; 4,22; 4,30; 5,1; 5,4; 5,14; 5,15 bis;
spiritus ω^2 ⟨1,28⟩ 2,41
splendidus 2,38
splendor ω^2 1,30
sponsa 1,1 quater; 1,5; 1,6; 2,15
sponsa ω^2 Pr sexties
sponsalia 1,8
sponsus 1,1 sexties; 1,5; 2,34
sponsus ω^2 Pr sexties
spurcitia ω^2 2,43
statim ω^2 2,22
statuo 2,20
sto 1,1; 3,18
studiosissime ω^2 1,3
stultus 1,18
stultus ω^2 1,18
stuprum 2,16
suavis 1,16; 4,23 bis
suavis ω^2 1,12; 2,35 (leve)
suavitas 1,13; 1,16
subdo 2,26; 2,35
subdolus ω^2 4,24
subicio 2,29; 2,30; 2,36; 2,39; 3,29; 4,4
subiungo 1,14; 1,21; 2,18; 2,24; 4,7; 4,30
sublimis 3,15 bis
sublimitas ω^2 1,3
submissus ω^2 2,36
subsequor 2,20
substantia 2,6
subtilitas 2,12
sucus 3,26
sudor 2,10
suffero ω^2 2,10 (perfero)
sufficio ω^2 Pr; 1,31
suffoco 3,20
sum ω^2 Pr; 2,25 (figuror)
summa 3,10
summa ω^2 1,29
summus 5,15
sumo 5,1
superbus 2,36
superinduo 2,12
superius 4,16; 5,6; 5,12
supero 4,27
superventurus 3,27
supra 3,9; 4,11; 4,21
sursum 5,12
suscipio 1,5 bis;
suscipio ω^2 1,29; 2,6
suscito 4,3
suspensus 1,8

synagoga 1,4; 1,13; 1,18; 2,1; 2,2; 2,17; 2,36; 2,40; 2,41; 4,1; 4,2; 4,20
synagoga ω^2 1,19; 2,1; 2,4

tabernaculum 1,25; 1,28; 1,30; 2,20
tabernaculum ω^2 1,27; 1,29; 2,23 ter
tabula 1,9
taeter 1,23; 1,28; 1,29
talis 1,28; 2,17; 2,20; ω^2 2,8; 2,15
tamen 1,8; 1,14; 2,6 bis; 2,13; 3,21; 3,22; 5,2; ω^2 2,23
tamquam 2,39; 3,8; 4,6; ω^2 2,8
tango ω^2 Pr
tantum 3,5
tantummodo 1,4
tego 1,30
temperamentum 2,6; 2,7
temperamentum ω^2 2,6; 2,9; 2,15
temperatus 2,6
temperies 4,15
tempestas 2,33 bis
templum 1,30; 2,41
templum ω^2 2,41; 2,42
temptatio 2,2
tempus 2,33; 4,10; 4,13 bis; 4,17; 4,18 ter; 5,4; 5,11 bis
tempus ω^2 2,8
tenebrae 5,2
tenebrae ω^2 2,42
tenebricosus 1,28
teneo 5,13
teneo ω^2 2,22; 2,23; 2,25; 2,27
terra 1,7; 2,19; 3,4 ter; 3,8 bis; 4,1; 4,10; 4,13; 4,14; 4,15; 4,16 quater; 5,6; 5,14; 5,15
terrenus 1,7; 1,12; 5,6 bis
tertius 4,12
testamentum 1,9; 1,13; 2,30; 3,29 ter
testimonium 3,4
testor 1,23; 2,17; 2,40; 3,18; 3,28; 4,4; 4,14
thymiama 1,16
thesaurus 5,9 bis
timeo 1,25
tollo 2,5; 2,35; 3,28
totus 3,28; 5,15
totus ω^2 2,9
tracto 3,9
traditio 1,5; 2,11; 2,12; 2,16; 5,3 bis
traho ω^2 1,19
tranquillitas 4,15
transago 4,15
transeo 3,23; 4,10; 5,11
transfero 2,3 bis; 3,25
transgressio 1,29 bis; 2,7; 4,27
transgressio ω^2 2,22
tres 4,2
tribulatio 4,13; 4,15
tribulus 3,20
tribunal 2,32
tribuo 1,9
tribus 3,6; 4,17
tricenarius 1,4
tricesimus 4,13
trimus 1,9 bis
trinitas 3,10
tunc 1,7; 1,9; 1,15; 1,24; 1,28; 2,41; 3,13; 5,4 bis; 5,5; 5,11; 5,15 ter; ω^2 1,19; 2,8; 2,15
turpis 1,17
turris 5,7
turtur 2,29 ter; 2,33; 4,16 quater
turtur ω^2 2,34 bis
typus 3,6; 3,8; 4,20; 4,26
typus ω^2 2,8
tyrranicus ω^2 2,27
tyrannis 2,25

uber 1,1; 1,4; 1,9 ter; 1,10; 1,22 bis; 3,3 bis
uber ω^2 1,12
ulterius 1,15
ultio 4,25
umbra 1,14; 3,4; 3,14 bis; 3,23 ter; 4,26 bis
umbrosus 3,14 bis
unctio 1,13; 1,14; 4,3
unde 1,11 bis; 1,16 b; 1,20; 1,22; 1,28; 1,30; 2,2; 2,29; 2,34; 3,1; 3,6 ter; 3,11 bis; 3,16; 3,17; 3,29; 4,14; 4,16; 5,7; ω^2 1,19; 1,29; 2,42
unguentum 1,1; 1,13 quinquies; 1,14;

1,15; 1,16 bis; 3,26 bis
unguentum ω² 1,16
unguo 1,13; 1,14
unigenitus ω² Pr
unus 1,1; 1,7; 1,10; 2,13; 2,31 ter; 3,12; 4,6 bis; 4,7; 4,26 bis
unus ω² 2,37
unus et octingenti 3,10 bis
urgeo 2,26
uter 1,11
uterque 1,9; 4,25
uterus 2,29; 2,31
utilis 4,5
utique 2,1; 2,3; 3,6; 3,12; 4,8; 4,12; 4,25; 5,9 bis; ω² 2,9
utor 1,14; 5,4
uxor 3,6
uxor ω² 2,26

vacca 1,9 bis
vaco ω² 2,26
vado 4,24
vallis 3,18
vanitas ω² 2,26
varietas 2,34; 4,16
varietas ω² 2,34 bis
varius 2,2; 2,33 bis; 4,29 bis
varius ω² 2,34
vas 2,41 ter
vas ω² 2,26 bis
vastus 4,4; 4,30
vates ω² 1,1
velamen 2,13
velamen ω² 2,15
velamentum 2,12
velociter 4,28
velut/veluti 1,6; 1,31; 2,5; 2,33 bis; 3,18; 4,13; 4,15; 5,8
venenum 4,27
venerabilis 3,5; 5,11
venerandus 1,4
veneratio 1,8
venio 1,6; 2,5; 2,14 bis; 2,35; 2,41 bis; 3,8; ⟨3,11⟩; 3,28; 4,10; 4,11; 4,12; 4,16; 4,18; 4,21 bis; 4,22; 4,23
venio ω² 1,19; 2,15; 2,28; 2,42 bis
ventilabrum 4,18
verbum 1,7; 1,8; 1,10; 1,11; 2,7; 2,11; 2,12; 2,15; 2,30; 3,18; 4,8; 4,9; 4,13; 4,14 ter; 4,15
verbum ω² 1,3; 1,4; 1,23; 2,8; ⟨2,43⟩
vere 1,5 bis; 1,8
vereor 2,13
verisimilis ω² 1,3; 2,15
veritas 1,6; 1,7 ter; 1,14; 2,14; 4,9; 4,24
veritas ω² 1,3; 2,9; 2,15
vernus *subst.* 2,33; 4,15
vernus *adj.* 2,33; 4,15 bis
vero 2,38 bis; 4,9; 4,18; 4,30
vero ω² Pr ter; 1,30
versor 3,20
verum *adv.* 1,16; 2,33; 4,1; 4,5
verus 1,5; 1,15 bis; 1,16; 1,25; 2,11; 4,24; 5,4; 5,6
verus ω² 1,16; 2,31
vescor 3,16
vestigium 1,17; 2,15 bis; 2,18
vestis ω² 2,15
vestitus 2,14; 2,33 bis; 2,34
vetulus 1,18
vetulus ω² 1,18
vetus 1,9; 1,13; 1,18; 1,22; 1,29; 3,29 quater
vetus ω² 1,27; 1,29
via 3,4
via ω² 2,8
vicus 5,7 bis; 5,9
video 1,8; 1,28; 2,12; 3,4; 3,9 bis; 3,10; 3,12 ter; 3,13; 4,16; 4,17 bis; 5,3; 5,9; 5,14
video ω² 1,8; 1,12; 1,23
videor 2,18; 3,21; 4,6; 4,10; 4,13
videor ω² Pr
viginti quattuor 2,32
vico 3,6; 4,22; 4,25
vinculum 4,9
vinculum ω² 2,37
vindemia 3,5
vindico 3,21; 3,22
vinea 2,1 bis; 2,3 octies; 2,4; 3,4; 3,7; 4,17 bis; 4,19; 4,24 ter
vinea ω² 2,4 bis

vinitor 4,25
vinum 1,1; 1,4; 1,9; 1,10 bis; 1,11 bis; 1,22 bis; 3,24 ter; 4,1; 4,2
vinum ω² 1,12
violatus 2,16
violentus 3,28
vir ω² Pr ter
virga 3,18; 4,27 quater
virgineus 2,38
virgineus ω² 1,30
virginitas ω² 2,15; 2,36
virgo 1,4; 1,7; 2,15; 2,16 bis; 2,17; 2,39; 3,8
virgo ω² 2,23
virtus 2,39; 3,1; 3,14; 4,1 bis; 4,3; 4,27
virtus ω² 1,8
virus 4,27; 4,28
vis 3,2
vita 1,21; 3,16 bis; 3,24 bis; 3,28; 4,3; 4,27; 5,7
vita ω² 2,42
vitium 1,29; 2,7
vitium ω² 1,27; 1,29; 2,26
vivens 4,16
vivo 1,18; 3,14
vivo ω² 2,27
vivus 2,19
vocabulum 1,15; 4,21; 5,1
voco 2,5; 2,12; 5,1; 5,5
voco ω² 2,8
volatilium ω² 2,40 (volucer)
volo 1,4; 2,11; 2,15; 3,27; 3,28; 4,1; 4,3 bis; 4,5
volucer 2,40
voluntas 1,1
vox 1,1 bis; 1,2; 1,4 bis; 2,20; 2,29; 3,6; 3,11; 4,9; 4,11; 4,12; 4,14; 4,16 bis; 4,22 bis; 4,23; 5,1; 5,4; 5,12
vox ω² 1,28; 2,18
vulneratus 3,27; 3,28 bis
vulnus 3,28 bis
vulpes 2,40; 4,24 quinquies; 4,25
vultus 2,29

zizania 4,14

Index nominum

Abacuc 1,2; Abacum (*sic*) 4,6
Abraham 1,9; 4,1
Adam, Adae 1,29
Aegyptus 2,3; 2,5 quater; 2,25; 4,1
Africa 2,5
Amanitis 1,29
Apocalypsin (*sic*) 1,16; 2,32; 4,17
Astarte 1,29

Bethel 4,5
Bethleem 4,5; 5,10
Booz 3,6

Camos 1,29
Canaan 1,10
Canaanaeus ω² 1,19
Cedar 1,27; 1,28 quater
Cedar ω² 1,27; 1,29
Cettim 1,28
Christianus 3,8
Christianus ω² 2,20
Christus 1,1 quater; 1,2; 1,4; 1,5 bis; 1,6 bis; 1,7 bis; 1,8 bis; 1,11; 1,14; 1,15 bis; 1,16 bis; 1,17 bis; 1,18; 1,21; 1,22 bis; 1,23; 1,24; 1,25 ter; 1,26; 1,29; 1,30; 1,31 ter; 2,4; 2,5; 2,6 bis; 2,7; 2,10; 2,11; 2,12; 2,14; 2,17; 2,19; 2,24; 2,26; 2,29; 2,35; 2,39; 2,40; 2,41 bis; 3,1; 3,2 bis; 3,3; 3,4; 3,5 bis; 3,6 ter; 3,7 quinquies; 3,8 bis; 3,9; 3,11 bis; 3,12; 3,17; 3,18; 3,24; 3,27; 3,28 bis; 3,29 ter; 4,2 bis; 4,5; 4,7 bis; 4,11 ter; 4,12 bis; 4,17; 4,18; 4,19; 4,22 bis; 4,26 bis; 4,27; 4,28; 4,29; 4,30; 5,9; 5,10 bis; 5,11; 5,12; 5,13 quinquies
Christus ω² Pr; 1,12; 1,16; 1,18; 1,19 ter; 1,31; 2,4; 2,8; 2,23; 2,24; 2,27; 2,28; 2,34; 2,37; 2,42 bis; 2,43
Ciprum (*sic*) *cf* p. 154; 3,4 ter; 3,5; 3,7

David 1,25; 2,3; 2,30; 3,6 ter; 3,12; 4,6; 4,16

Ecclesia 1,1 bis; 1,2 bis; 1,4 bis; 1,5; 1,7 bis; 1,8 ter; 1,11; 1,20 quinquies; 1,21; 1,22 bis; 1,23; 1,24; 1,31; 2,1 bis; 2,2 bis; 2,5; 2,11; 2,14; 2,16; 2,17; 2,20; 2,29 bis; 2,31; 2,33 ter; 2,34; 2,36; 2,39; 2,41; 3,2; 3,3; 3,4; 3,7; 3,9; 3,10; 3,19; 3,20; 3,22; 3,24; 3,27; 3,29 bis; 4,8; 4,9; 4,11 ter; 4,12 bis; 4,16; 4,20; 4,22 bis; 4,25 ecclesiarum; 4,26; 5,1 bis; 5,2; 5,3; 5,9; 5,10; 5,11 bis; 5,12 quinquies; 5,13 quater; 5,14;
Ecclesia ω^2 Pr bis; 1,19 bis; 1,25; 1,26; 1,28; 1,29; 2,9; 2,15; 2,19; 2,20; 2,21 bis; 2,22; 2,23 (*plural*) bis; 2,36; 2,37; 2,39
Esayas/Esaias 1,2; 1,13; 2,3; 3,12; 3,17
Exodus 1,2

Gaddin (= En Gaddi) 3,4 bis; 3,5; 3,7
Galilaea 1,10; 3,4
Graece 3,10
Graecus 1,16; 3,10 bis

Hebraeus (*adj.*) 1,28
Helia 4,17
Herodes 2,5; 4,5; 4,24

Jacob 4,1 quater
Jesse 3,6; 3,18
Jesus 1,6; 1,31; 3,4
Jesus ω^2 1,31; 2,42; 2,34
Jheremias 1,28
Jheremias ω^2 2,26
Jherusalem 1,23; 4,1 bis; 4,2; 5,12 bis; 5,13 bis; 5,14 bis; 5,15 bis;
Johannes 2,32; 3,6; 4,17
Johannes Baptista 1,1; 1,6; 4,18
Jordan 3,4 bis; 3,11
Joseph 2,5
Israel 1,28; 2,3 ter; 2,25; 3,22; 4,2
Israel ω^2 1,19; 2,4 bis; 2,18; 2,21
Israelita 3,6
Juda 3,6; 5,10
Judaea 3,4
Judaeus 1,9; 2,17 bis; 3,5 quater; 3,7 bis; 3,8; 3,22; 4,17 bis; 5,10

Latinus (*adj.*) 1,28
Lia 4,20

Malachiel 1,25
Maria (= Miriam) 1,2
Maria, mater Jesu 2,5; 3,8
Matheus 3,4;
Moabita (*sic etiam* tr 9,6 *ter*) ⟨3,6⟩
Moabitis 1,29
Moyses 1,2; 1,6; 2,22; 3,8 (Moysen *als Normalkasus?*); 4,14; 4,16; 4,27; 5,8; 5,9
Moyses ω^2 2,4

Neptalim 3,4

Paulus 1,20; 2,4; 2,14; 5,12
Paulus ω^2 2,2
Pentateucus 5,8
Petrus ω^2 2,21
Pharao 2,24 bis; 2,25 bis; 2,26
Pharao ω^2 2,25; 2,26
Pharisaeus 5,10

Rachel 4,20
Romanus 3,6
Ruben 4,20
Rut ⟨3,6⟩

Sabaoth 2,3
Salomon 1,1; 1,27; 1,29 bis; 1,30
Salomon ω^2 Pr bis; 1,27; 1,29 ter
Saulus 2,1
Sidonius ω^2 1,29

Thesbiten 4,17
Timotheus 3,6

Ysaac 4,1

Zabulon 3,4

VETUS LATINA

AUS DER GESCHICHTE DER LATEINISCHEN BIBEL

ISSN 0571 - 9070

Begründet von Bonifatius Fischer
Herausgegeben von Hermann Josef Frede

1:	B. Fischer, Die Alkuin-Bibel (20 Seiten und 4 Tafeln, kart.) Bestell-Nr. 00490	1957
2:	W. Thiele, Wortschatzuntersuchungen zu den lateinischen Texten der Johannesbriefe (48 Seiten, broschiert) Bestell-Nr. 00491	1958
3:	H. J. Frede, Pelagius, der irische Paulustext, Sedulius Scottus (165 Seiten, broschiert) Bestell-Nr. 00492	1961
4:	H. J. Frede, Altlateinische Paulus-Handschriften (296 Seiten, broschiert) Bestell-Nr. 00416	1964
5:	W. Thiele, Die lateinischen Texte des 1. Petrusbriefes (245 Seiten, broschiert) Bestell-Nr. 00417	1965
6:	J. Regul, Die antimarcionitischen Evangelienprologe (276 Seiten, broschiert) Bestell-Nr. 00446	1969
7–8:	H. J. Frede, Ein neuer Paulustext und Kommentar I. Untersuchungen (288 Seiten und 4 Tafeln, broschiert) Bestell-Nr. 00447	1973
	II. Die Texte (413 Seiten, broschiert) Bestell-Nr. 00448	1974
9:	H. Boese, Die alte »Glosa psalmorum ex traditione seniorum«. Untersuchungen, Materialien, Texte (286 Seiten und 2 Tafeln, broschiert) Bestell-Nr. 00449	1982
10:	C. P. Hammond Bammel, Der Römerbrieftext des Rufin und seine Origenes-Übersetzung (551 Seiten, broschiert) Bestell-Nr. 00494	1985
11:	B. Fischer, Lateinische Bibelhandschriften im frühen Mittelalter (mit einem Vorwort hrsg. von H. J. Frede) (455 Seiten und 10 Tafeln, broschiert) Bestell-Nr. 00495	1985
12:	B. Fischer, Beiträge zur Geschichte der lateinischen Bibeltexte (mit einem Vorwort hrsg. von H. J. Frede) (456 Seiten, broschiert) Bestell-Nr. 00496	1986
13:	B. Fischer, Die lateinischen Evangelien bis zum 10. Jahrhundert I. Varianten zu Matthäus (48* und 496 Seiten, broschiert) Bestell-Nr. 00497	1988

14: B. Löfstedt, Sedulius Scottus: Kommentar zum Evangelium nach Matthäus (1,1–11,1)
(306 Seiten, broschiert) Bestell-Nr. 00498 — 1989

15: B. Fischer, Die lateinischen Evangelien bis zum 10. Jahrhundert
II. Varianten zu Markus
(48* und 555 Seiten, broschiert) Bestell-Nr. 00499 — 1989

16: C. P. Hammond Bammel, Der Römerbriefkommentar des Origenes. Kritische Ausgabe der Übersetzung Rufins Buch 1–3
(264 Seiten, broschiert) Bestell-Nr. 21932 — 1990

17: B. Fischer, Die lateinischen Evangelien bis zum 10. Jahrhundert
III. Varianten zu Lukas
(48* und 580 Seiten, broschiert) Bestell-Nr. 21931 — 1990

18: B. Fischer, Die lateinischen Evangelien bis zum 10. Jahrhundert
IV. Varianten zu Johannes
(48* und 569 Seiten, broschiert) Bestell-Nr. 21934 — 1991

19: B. Löfstedt, Sedulius Scottus: Kommentar zum Evangelium nach Matthäus (11,2 bis Schluß; Anhang, Register)
(400 Seiten, broschiert) Bestell-Nr. 21933 — 1991

20: R. F. Schlossnikel, Der Brief an die Hebräer und das Corpus Paulinum. Eine linguistische »Bruchstelle« im Codex Claromontanus (Paris, Bibliothèque Nationale grec 107 + 107A + 107B) und ihre Bedeutung im Rahmen von Text- und Kanongeschichte
(193 Seiten, broschiert) Bestell-Nr. 21936 — 1991

21: H. König, Apponius. Die Auslegung zum Lied der Lieder. Die einführenden Bücher 1–3 und das christologisch bedeutsame Buch 9 eingeleitet, übersetzt und kommentiert
(112* und 302 Seiten, broschiert) Bestell-Nr. 21935 — 1992

22: H. Boese, Anonymi Glosa psalmorum ex traditione seniorum
Teil I: Praefatio und Psalmen 1–100
(32* und 471 Seiten, 3 Tafeln, broschiert) Bestell-Nr. 22682 — 1992

23: R. Gryson, P.-A. Deproost, Commentaires de Jérôme sur le prophète Isaïe. Introduction (par R. Gryson).
Livres I–IV (469 Seiten) Bestell-Nr. 21938 — 1993
Das Werk ist auf insgesamt 5 Bände ausgelegt

24: R. Gryson (Hg.), Philologia Sacra. Biblische und patristische Studien für Hermann Josef Frede und Walter Thiele zu ihrem 70. Geburtstag
24/1: Altes und Neues Testament (347 Seiten) Bestell-Nr. 21941
24/2: Apokryphen, Kirchenväter, Verschiedenes (334 Seiten)
Bestell-Nr. 21942 — 1993

25: H. Boese, Anonymi Glosa psalmorum ex traditione seniorum II. Psalmen 101–150 (24* und 287 Seiten, 4 Tafeln)
Bestell-Nr. 21951 — 1994

26: E. Schulz-Flügel, Gregorius Eliberritanus, Epithalamium sive Explanatio in Canticis Canticorum (312 Seiten)
Bestell-Nr. 21940 — 1994